故宮六百年

【從紫禁城的肇造到明朝衰微】

上

SIX HUNDRED
YEARS OF THE
FORBIDDEN CITY

閻崇年

著

自序

一

六百年前，在北京、在中國、在世界，發生了一件具有政治、文化意義的大事：明永樂十八年（一四二〇）十一月初四日，永樂皇帝朱棣在北京皇宮奉天殿（今太和殿）暨殿前廣場舉行盛典，向臣民、向天下，莊嚴宣告：北京宮殿「爰自營建以來，天下軍民，樂於趨事，天人協贊，景貺駢臻，今已告成」（《明太宗實錄》卷二三一）。以北京皇宮壇廟告成，接受朝賀，大宴群臣。這就表明，明朝北京宮殿於永樂十八年（一四二〇）十一月初四日，已經建成。

同年十二月二十九日，再次表明：

> 初營建北京，凡廟社、郊祀、壇場、宮殿、門闕，規制悉如南京，而高敞壯麗過之。復於皇城東南建皇太孫宮，東安門外東南建十王邸，通為屋八千三百五十楹。自永樂十五年六月興工，至是成。（《明太宗實錄》卷二三二）

北京故宮博物院在一九八七年被列入世界文化遺產。因此，故宮既是中國的，也是世界的。北京故宮有過輝煌、有過凱歌，也有過滄桑、有過悲泣。這是在中華民族歷史演進中，一座巍巍高山的歷史見證，一段滾滾江河的歷史實錄。

二〇二〇年恰逢北京故宮建成六百年，筆者繼在中國中央電視臺《百家講壇》講「大故宮」之後，應喜馬拉雅之邀約，在網路音訊平臺講故宮，分作一百講，每週播出兩講，共計五十週，幾乎占一年的時間。在整整一年的準備過程中，經過草稿、一稿、書稿、錄音稿和定稿，五易其稿，雖不免有瑕疵，卻是盡了心力。

二

北京故宮，文化元素紛繁燦爛，琳琅滿目，但其核心因素，主要有以下三個：

其一，是建築。故宮占地面積七十二萬平方公尺，建築占其最多的空間。這些中華古典建築，殿堂臺閣，宮院亭榭，壯麗輝煌，豐富多彩。

其二，是藏品。今北京故宮博物院珍藏一百八十多萬件文物，其器物、書畫、典籍、檔案、珍玩、瓷器、絲綢、珠寶、家具、陳設等，物華天寶，珠玉華翠，天祿琳琅，美輪美奐。

其三，是人物。這裡的人物指的是宮廷建築的設計者、建造者、使用者、守護者，從帝王將相到太監宮女，從文化精英到外域使臣，從各色工匠到宮廷帝后，都離不開故宮建築的舞臺、場景。這裡的人物還指的是故宮藏品的製造者、使用者、欣賞者、收藏者。可以說，自北京故宮建成六百年來，中國幾乎所有的名人，都同北京、同故宮有著直接或間接的關係。

所以，故宮的建築、藏品、人物三者以及其他元素的互動、演繹，成為故宮六百年的歷史。

三

此前，我在中央電視臺《百家講壇》講過「大故宮」第一、二、三、四共四部，八十三講。所講的文字稿《大故宮》第一、二、三卷，先由長江文藝出版社出版，近由北京故宮出版社出版其修訂本。

《大故宮》與《故宮六百年》的相同點是，系統簡述故宮的歷史、文化、建築、人物、事件、文物等。其不同點是，《大故宮》主要特點是橫向，以故宮空間為經線，以故宮建築為場景，時空交叉，講述故宮六百年的歷史故事；而《故宮六百年》主要特點是縱向，以故宮時間為經線，以故宮歷史為場景，時空交叉，講述故宮六百年的歷史故事。

今人看故宮，可縱觀，可橫覽，縱橫交叉，互相切換，對故宮六百年的建築、藏品、人物等故事，會更豐富、更系統、更全面、更立體地了解，從而，熱愛故宮、關心故宮、學習故宮、守護故宮。

《大故宮》是用電視視頻的形式，《故宮六百年》是用網路音訊的形式，還分別用圖書的形式，總之用視頻、音訊、網路、圖書四種媒體形式，來再現六百年的北京故宮。

故宮是個歷史大劇場，也是個歷史小舞臺。在這座劇場裡，在這個舞臺上，帝王將相、后妃女侍，百官眾卿、御史諫臣，文化精英、書畫名家，能工巧匠、太監宮女，佛道僧侶、域外使臣，悉數登場。其人物之精采，事件之離奇，故事之生動，器物之精美，正邪之相搏，學人之才華，小人之奸詐，後宮之玄祕，英雄之豪氣，庶民之苦難，精采紛呈，再現了那個時代的江河波瀾與涓溪暗流。我力求從六百年歷史長河中，沙裡淘金，金中剔沙，加以展現，進行表述。

《故宮六百年》講述明代故宮、清代故宮、民國故宮和新中國故宮四個時期的歷史，從明永樂十八年（一四二〇），到當下二〇二〇年，整六百年。本書按時間分作耄耋者說一、二、三、四、五、六，共計六個部分。為了閱讀方便，將一百講的文稿，分上下兩冊。

請看書吧！請聽課吧！

是為序。

目次

耄耋者說三　衰落與更替

耄耋者說一

肇始與興盛

皇宮的主人是明太祖朱元璋洪武帝（在位三十一年）、明惠帝朱允炆建文帝（在位四年）、明成祖朱棣永樂帝（在位二十二年）、明仁宗朱高熾洪熙帝（在位一年）、明宣宗朱瞻基宣德帝（在位十年）、明英宗朱祁鎮正統帝（在位十四年）六朝，共八十一年（洪武元年至正統十四年），這段時期，從皇宮視角看，明朝主要解決——定都、建宮和穩定、開拓兩大主題。

其前者，都城定在哪裡？宮殿建成啥樣？一直困擾著明初六位皇帝。首都是建在南京、鳳陽、開封、西安，還是北京？皇宮建築風格是簡約，還是壯麗？朱元璋文化水平低、宏觀見識少，不肯聽取高見，並且優柔寡斷，猶疑搖擺，舉棋不定。建文帝時確定下來，卻遇上「靖難之變」。永樂帝果斷遷都北京，卻遭遇天火焚毀皇宮三大殿。洪熙帝要遷回南京，自己又短命死了。宣德帝想定都北京，還未落到實處而身先死。到正統帝繼位，在太皇太后和內閣「三楊」等輔佐下，利用七十年積累的財力、物力、技藝和經驗，重建被焚毀的皇宮三大殿，建築京城九門城樓，城牆內面包磚，疏浚護城河，用石砌堤岸，設九橋九閘，才出現了京城「煥然金湯鞏固、以聳萬年之瞻」，皇宮「日月光三殿、乾坤闢兩宮」的煌煌局面。到正統六年（一四四一），正式宣告：北京為首都，南京為陪都。

其後者，著力解決穩定皇權、開拓局面的大難題。先後經三次藩王叛亂，皇權終於穩定下來。宮廷派出使臣，東西南北，四向開拓，特別是鄭和七下西洋，亦失哈八下奴兒干，侯顯五使西藏，陳誠五使中亞，不僅創中華文明史上之偉業，而且創人類文明史上之壯舉。

本部分為一至二十講，主要講述明代前期，皇宮規模確定，典章制度制定，國家統一，經濟恢復，社會安定，宮殿壯麗，睦鄰友好，萬國來朝，都城由南京遷到北京，北京宮殿壇廟建成，並最終確立定都北京。繼秦、漢、唐、元之後，一個強大的明帝國，屹立於亞洲東方。它的政治中心和文化中心，就在北京。它的核心就是後來被定為世界文化遺產的北京故宮。

北京故宮平面圖

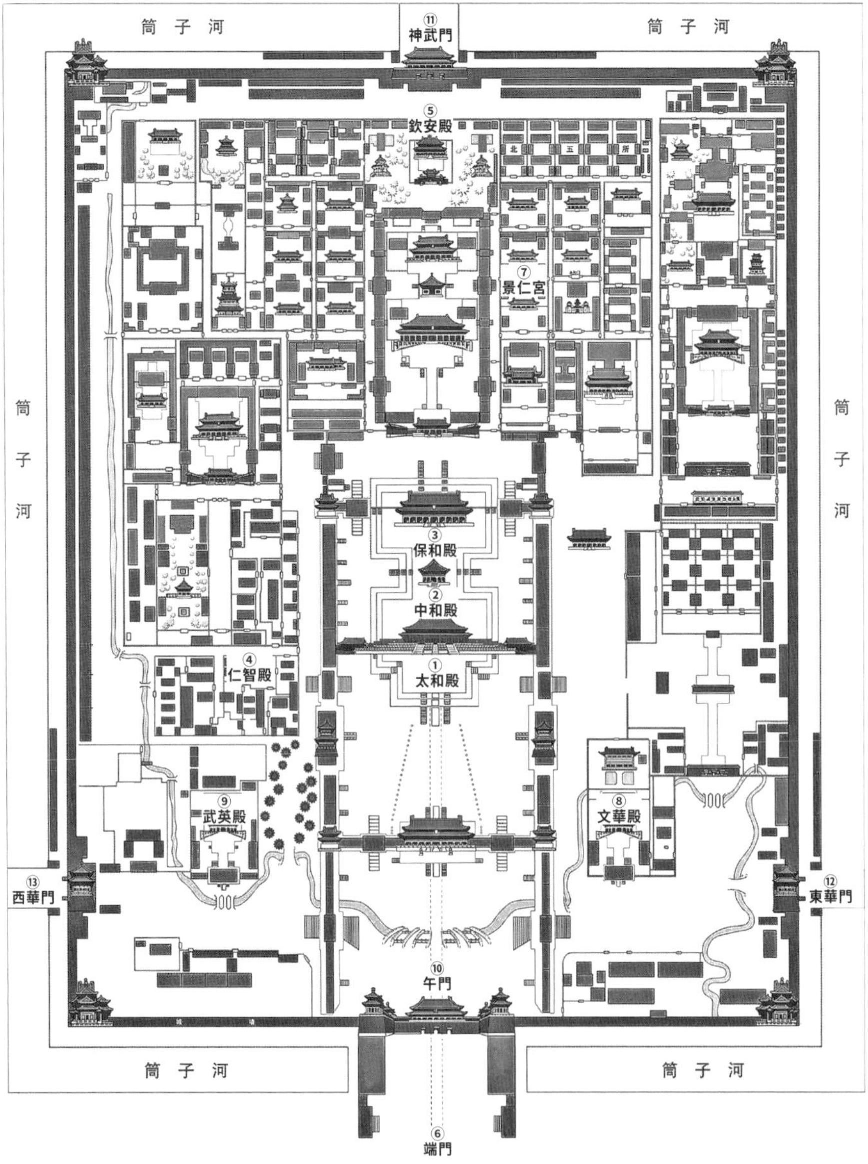

① 太和殿
② 中和殿
③ 保和殿
④ 仁智殿
⑤ 欽安殿
⑥ 端門
⑦ 景仁宮
⑧ 文華殿
⑨ 武英殿
⑩ 午門
⑪ 神武門
⑫ 東華門
⑬ 西華門

第01講

血色皇宮

開篇第一講「血色皇宮」，分為三個小部分：鮮血染成、北京故宮和多面皇宮。

鮮血染成

皇宮裡不是講仁愛、重仁義、施仁政嗎？哪裡來的血色皇宮？古今中外，所有皇宮，哪一座不是血染的？讓我們把歷史的鏡頭拉得遠一點，從中國帝制時代的周朝王宮說起。

周朝是中國歷史上第一個建立起全面禮法、完整制度的王朝。著名的「五經」——《詩》、《書》、《易》、《禮》、《春秋》，是在周朝形成的。周朝興起於鎬京（今陝西省西安市長安區）。周族首領姓姬，名昌，就是周文王，原是商朝的臣民，「敬老慈少，禮下賢者」，善待賢能之士。如殷朝有個人叫鬻子，給紂王上書「七十五諫」紂王都不聽，便投奔周文王。姬昌對於紂王來說，是一個「不同政見者」，也是一個「危險人物」。紂王下令把他抓起來，關押在羑里（今在河南省安陽市湯陰縣一帶）。一個有理想、有抱負的人，決不會在困難面前屈服。周文王被拘禁在羑里，做什麼呢？有的書說他「蓋益《易》之八卦為六十四卦」，就是在伏羲《易》的基礎上，將八卦演繹為六十四卦。所以，周文王應是《易經》的創始人之一。可見，有作為的人，在患難之時，更有所作為。文王死後，他的兒子姬發繼位，就是周武王。周武王請姜太公為師父，周公旦為輔政，重德修文，改善民生，經多年準備，向殷紂王發起問罪之師。武王自覺兵力不足，便在盟津（今在河南省洛陽市孟津縣一帶）大會「八百諸侯」，組成聯軍。周武王統帥大軍，威威武武，浩浩蕩蕩，進到殷都朝歌（今河南省鶴壁市淇縣）郊外的牧野。紂王發兵七十萬抵抗。兩軍展開了著名的「牧野之戰」。這場戰役，打得激烈、殘酷，屍橫遍野，「血流漂杵」。「酒池肉林」、「貪色亂政」的紂王，兵敗無奈，登上鹿臺，自焚身死。周武王凱旋，大肆營建鎬京王宮。後成王又營建東都雒（洛）陽宮殿。周朝尚紅，就是以紅顏色為貴。歷史表明，周朝王宮是用血染成的。

秦朝的阿房宮殿，也是用血染成的。秦國興起後，南征北戰，東伐西討。我僅舉秦國大將白起為例。據《史記．白起列傳》記載，白起統率秦軍，「攻韓、魏大戰於伊闕，斬首二十四萬」；又攻魏國，「斬首十三萬」；繼與趙國作戰，「沉其卒二萬

[清] 袁江《阿房宮圖》

人於河中」;還攻韓國陘城,「拔五城,斬首五萬」;再攻趙國,長平之戰「前後斬首虜四十五萬人」。僅以上五戰,共斬殺八十九萬人。白起最後因功遭忌,秦王聽信讒言,賜劍令白起自殺。白起仰天嘆曰:「我固當死。長平之戰,趙卒降者數十萬人,我詐而盡坑之,是足以死!」(《史記.白起列傳》)秦國名將,何其多也。白起一人,斬殺、坑殺、沉殺等近百萬人。這個數字,可能誇大,但秦始皇在統一六國的過程中,「伏屍百萬,流血漂鹵。」(《史記.秦始皇本紀》)這足以說明:秦始皇的阿房宮殿、秦皇陵寢,是用屍骨堆砌起來的,是用鮮血染成的。

而後,兩漢隋唐,略而不論。最後明清的皇宮,何嘗不是屍骨堆砌的、鮮血染成的!

明太祖朱元璋,二十五歲從軍,征戰十六年,在位三十一年,建立大明,營造宮殿。朱元璋本是皇覺寺的一個和尚,投奔義軍。二十八歲時,率領水陸大軍,攻占集慶(今江蘇省南京市),改名應天府,設官建政。而後,朱元璋以應天為基地,逐鹿群雄,生死搏鬥。三十五歲時,朱元璋與陳友諒大戰鄱陽湖。時陳友諒率領號稱六十萬軍隊,「樓船數百艘,皆高數丈,飾以丹漆，每船三重，置走馬棚，上下人語，聲不相聞，艫箱皆裹以鐵」（《明史・陳友諒傳》）。旗艦高十餘丈，聯結巨艦為陣，船隊長數十里。朱元璋軍二十萬，處於劣勢。朱元璋親自督陣，兵士不前，雖斬退縮者，餘眾仍畏縮不進。朱元璋手下一個叫郭興的進諫：「火攻！」被採納。命敢死隊，乘小船，載蘆葦，裝火藥，到上風頭，靠近敵艦，燃砲縱火。火燃風急，剎那之間，數百敵艦，一片火海，敵兵落水，湖水盡赤。陳友諒被箭頭貫穿眼睛和腦袋而亡。經過三十六天激戰，朱元璋取得鄱陽湖大捷。第二年，朱元璋即吳王位；四年後，在應天（今江蘇省南京市）稱帝，建立大明，營建皇宮。

清朝建立，也是如此。清努爾哈赤起兵，征戰四十四年，其中最殘酷的是薩爾滸大戰。明軍出動號稱四十七萬大軍，後金軍也號稱二十萬，雙方集中在今遼寧省撫順市薩爾滸地方，雙方軍隊，血戰廝殺，殺得血流成河，森林染成紅色。前後經過撫順、清河、開原、鐵嶺、瀋陽、遼陽、廣寧、寧遠八場激戰，哪一戰不是屍骨遍野，血流成渠！到他兒子多爾袞時，率領清軍進關，「揚州十日」、「嘉定三屠」，「留頭不留髮、留髮不留頭」，孫承宗闔門二十四人同難，僅《欽定勝朝殉節諸臣錄》，就收錄明末殉節之士近四千〇二十三人。這說明清朝皇宮也是血色的。

我們還是回到正題——北京故宮。

故宮六百年，這六百年是怎麼算出來的？

明初皇宮在南京，明太祖朱元璋死後其嫡長孫建文帝繼位。燕王朱棣發動戰爭，取而代之，年號永樂。永樂元年（一四〇三），朱棣下詔以北平為北京；永樂四年（一四〇六），朱棣詔建北京宮殿；永樂十八年（一四二〇），北京宮殿建成，朱棣下詔：明年正月初一日，以北京為京師，正式遷都北京，舉行慶賀大典。從這一天開始，大明皇宮正式登上歷史文化舞臺！

所以，北京皇宮在永樂十八年（一四二〇）建成，到二〇二〇年，正好是六百年！大家喜歡故宮、關注故宮，很想了解故宮、參觀故宮，希望我講故宮六百年。

海峽兩岸現在有兩宮三院：北京故宮、瀋陽故宮，北京故宮博物院、瀋陽故宮博物院、臺北故宮博物院。故宮六百年主要講北京故宮在六百年間的往事，也兼及其他。

我以前在央視《百家講壇》講過「大故宮」一、二、三、四部，共八十三講。這一次我講《故宮六百年》共一百講。有人問：《故宮六百年》與《大故宮》有什麼不同？

第一，《大故宮》以故宮建築空間為順序來講述，如講到天安門，就講發生在天安門的人物和故事；講到午門，就講發生在午門的人物和故事等。許多人把它作為參觀故宮博物院的詳細導覽手冊來學習。而《故宮六百年》是以歷史時間為順序來講述，在明清時期，

故宮西北角樓

皇宮的主人就是皇帝，先後有二十四位明朝和清朝的皇帝，充當了故宮的主人。《故宮六百年》按照這二十四帝的順序，講發生在故宮，或與故宮相關的歷史，這段歷史大約五百年。故宮後一百年的歷史，是故宮變為故宮建築群和故宮博物院，由君到民的歷史。

第二，歷史人物和歷史事件重新組合，特別是增加許多新人物、新事件、新故事，過去沒有講過卻又非常有意思的人物和故事。我們今天可以穿越六百年的時間，看故宮在六百年間發生的有意思、有意義的大故事和小故事。

大家看《故宮六百年》，可以從多方面了解故宮。

多面皇宮

「歷史是勝利者的記錄」，「歷史是勝利者與失敗者共同推動發展的」。世界上，沒有敗哪有勝，沒有陰哪有陽？勝敗、陰陽的演化，共同推動歷史前進。俗話說：「一將功成萬骨枯。」但是，在古代，成名的將軍自以為才能出眾、戰功顯赫，卻往往忘記死難戰友。於是，驕傲狂妄，終致因福得禍而身敗名裂。歷史事例，多不勝舉。

因此，皇宮的存在，要從多側面觀、多角度看。譬如：從建築感受壯麗輝煌，從文化感受豐富多彩，從哲學感受天人合一，從歷史感受興盛衰亡，從服飾感受美輪美奐，從文物感受到真善美，從人物感受立德立業，從宮室學到布置裝潢，從園林學到天然情趣，從教育感受成才培養，從警衛感到安全重要，從禮制感受日常學養。

第02講

大明建立

明清皇宮從明朝開始，明朝皇宮又從明太祖朱元璋開始。朱元璋與明初皇宮的關係，本講分作三個題目：雄才大略、濟濟文臣和熙熙武將。

雄才大略

元朝末年，宮廷腐朽，大臣內訌，瘟疫旱災，民不聊生，屍骨遍野，民變四起，天下大亂，結束這場亂局的是朱元璋。

朱元璋（一三二八～一三九八年），字國瑞，在位三十一年，壽齡七十一歲。廟號明太祖，謚號高皇帝。他生於濠州（今安徽省滁州市鳳陽縣）鍾離東鄉一個貧苦農家。十七歲，連遭父親、母親、長兄三大喪事。又逢災荒，便投皇覺寺為僧。僅五十天，寺裡也沒有飯吃，被遣散托缽遊食三年。後地方大亂，郭子興起兵，朱元璋投其部下，時年二十五

明太祖朱元璋像（臺北故宮博物院典藏）

歲，成為他人生旅途的轉折點。

元末，豪傑四起，群雄逐鹿，朱元璋為什麼能獨占鰲頭？因為他有雄才大略。他提出政治綱領：「驅逐胡虜，恢復中華，立綱陳紀，救濟斯民。」（《明太祖實錄》）這四句話，包含三項主要內容：一是，推翻蒙元統治，建立朱明皇朝；二是，恢復唐宋禮法，重建社會秩序；三是，實現社會穩定，改善民眾生活。朱元璋征戰了十六年，先稱王，後稱帝，擊敗群雄，登上皇位，推翻元朝，開拓了明朝二百七十六年的江山。

朱元璋取勝的根本原因——不僅有正確的政治綱領，而且有眾多的文武人才。

濟濟文臣

「濟濟多士，文王以寧。」一個民族，一個國家，要取得發展、成功，必有一批優秀人才、俊傑之士。朱元璋身邊聚集了一批名士。這裡介紹的兩位：劉基和李善長。

劉基（一三一一～一三七五年），字伯溫，浙江青田人，元末進士。他鬍子很長，挺拔俊秀，為人慷慨，有大氣節。史書說他「博通經史，於書無不窺」，又說他是明初的「諸葛孔明」。朱元璋知道劉基大名，派人用厚金請他，劉基不答應；再以禮邀請，才出山。於是建禮賢館安置他。劉基上言〈十八策〉，朱元璋很欣賞。某年正月初一，朱元璋在中書省設御座，向韓林兒行禮，只有劉基不拜，說：「牧豎耳，奉之何為！」意思是這麼個

劉基像

小子，敬奉他有什麼用！他建議朱元璋另立旗號，建元稱帝。後朱元璋派將迎接小明王韓林兒，途中船翻人亡，朱元璋便自立為吳王，後來就稱帝了。鑒於朱元璋夾在方國珍和陳友諒兩雄之間，腹背受敵，劉基建言方略：其一，先聚力對付陳友諒，陳氏既滅，方氏勢孤，一舉可定；其二，「然後北向中原，王業可成也！」果然，明太祖就是按照這條路徑擊敗群雄、推翻元朝、完成一統的。

劉基善於計算、觀察、謀略、決斷。在鄱陽湖大戰時，「太祖坐胡床督戰，基侍側」。一日，劉基忽然躍起大呼，請朱元璋換船。剛倉促移到別的船上，尚未坐定，飛砲就擊中原乘坐的御舟，立碎下沉。陳友諒乘高望見，大喜。實朱元璋安全無恙。又如，劉基善於觀察人品，一日，明太祖問：楊憲可以做宰相嗎？劉基答：「憲，有相才無相器。夫宰相者，持心如水，以義理為權衡，而己無與者也，憲則不然。」又問：胡惟庸呢？答：「譬之駕，懼其僨轅也。」好比馬拉車，怕馬「僨轅」，就是怕馬把車拉翻了。後來洪武帝命胡惟庸為宰相，劉基說：「使吾言不驗，蒼生福也。」後胡惟庸事發被殺，株連三萬餘人。書評說劉基：「帷幄奇謀，中原大計，往往屬基，故在軍有子房（張良）之稱，剖符發諸葛之喻。」（《明史．劉璉傳》）意思是劉基於軍事，好比張良；於政治，好比諸葛亮。劉基對明太祖執意要在鳳陽建中都，敢於直言：「鳳陽雖帝鄉，非建都地。」劉基不得意，又身體有病，獲准還鄉，隱逸山中，飲酒下棋，口不言功。後劉基死，一說被胡惟庸下藥中毒而死，年六十五。

李善長（一三一四～一三九〇年），字百室，安徽定遠人。朱元璋起兵初，善長就投附，並得到重用，從一個掌管書記的小官，做到左柱國、太師、左丞相，封韓國公。朱元璋稱帝，冊封功勛之臣，列爵公、侯、伯、子、男五等，封公的只有六人：徐達、常遇春（死）子常茂、李文忠、馮勝、鄧愈及李善長，而善長位列第一。

李善長的功勞主要有：

第一，負責糧餉、供給軍食，立下大功。

第二，制定稅收政策，又定錢法，開鐵冶，徵魚稅，國用益饒，而民不困。

第三，負責文書詔令，筆頭快，辭章美，得到朱元璋的讚許。

第四，主持編纂典籍，奉命監修《元史》，編《祖訓錄》、《大明集禮》等開國文獻。

第五，負責建中都宮殿。移江南富民十四萬充實中都人口和經濟，中都宮殿成為南京宮殿範本。

富極而奢，貴極而驕。李善長既驕又奢，連遭舉報，被牽連到胡惟庸案。最後，「遂並其妻女弟姪家口七十餘人誅之」（《明史．李善長傳》）。

熙熙武將

朱元璋不僅有濟濟文士，而且有熙熙武將。

明朝開國武將，有「六王」：中山王徐達、開平王常遇春、岐陽王李文忠、寧河王鄧愈、東甌王湯和、黔寧王沐英。其中四十來歲死的有四位——沐英（四十八歲）、李文忠（四十六歲）、鄧愈（四十一歲）、常遇春（四十歲）。徐達死時才五十四歲。我這裡介紹兩位：徐達和花雲。

徐達（一三三二～一三八五年），安徽鳳陽人，出身農家，二十二歲跟隨朱元璋。率軍攻安慶，斬首萬人，擒三千人，獲大勝。率二十萬軍攻蘇州，大敗張士誠，獲二十五萬人。定軍紀：「掠民財者死，毀民居者死，離營二十里者死」，軍紀嚴肅，秋毫無犯。洪武元年（一三六八），率軍攻克大都（今北京）。派兵千人守宮殿門，使太監護視諸宮人、

徐達像

妃嬪、公主，禁士卒，毋所侵暴。官吏民安居，市場營業。徐達功績顯赫：「平大都二，省會三，郡邑百數，閭井宴然，民不苦兵。」

徐達為什麼出師所向披靡、戰無不勝呢？因為他與兵士同甘苦，兵士無不感恩效死。徐達的可貴之處在於，越是取得大的勝利，越加謙虛謹慎。當他獲得重大勝利之時，部隊凱旋到南京，軍民夾道歡迎，他沒有騎著高頭大馬，卻「單車就舍，延禮儒生，談議終日，雍雍如也」。他官居右丞相、魏國公，卻住房簡陋。

朱元璋給新府，他就是不搬。一天，朱元璋請他喝酒，灌醉，令人把他抬到原朱元璋居住的吳王府床上。他醒來之後，一看不對，就到朱元璋面前跪著請罪，朱元璋大笑。之後徐達還是居住舊府。明太祖嘗稱讚徐達說：「受命而出，成功而旋，不矜不伐，婦女無所愛，財寶無所取，中正無疵，昭明乎日月，大將軍一人而已。」（《明史．徐達傳》）

花雲（一三二一～一三六〇年），安徽懷遠人。體貌雄偉，膚色黝黑，為人忠厚，驍勇絕倫。早年投奔朱元璋，受到重用。他領兵作戰，攻城必克。一次，敵兵數千，圍攻朱元璋，花雲舉起兵器保護朱元璋，並拔劍躍馬，衝陣而進。敵驚道：「此黑將軍勇甚，不可當其鋒。」退散，得勝。一次戰鬥，連戰三天三夜，獲勝。受命急趨寧國，兵陷山澤中八日，花雲操矛，鼓噪出入，斬首千百計，身不中一矢。一次作戰，兵敗被俘。花雲奮身大呼，縛繩裂斷，奪守者刀，殺五六人，終因寡不敵眾，頭顱被敲碎，綁在桅杆上，叢箭射之，但仍罵聲不已，壯烈而死。時年三十九。他的妻子郜氏，赴水而死。死前，將三歲兒子交給姓孫的侍從。孫氏抱著小兒，逃到九江，夜投漁家。後乘船渡江，遇敵軍奪舟把他們拋棄江中。孫氏靠斷木浮游蘆葦中，採蓮餵哺小兒，七日不死。夜半，有一老翁，帶著他們二人，一年後才找到朱元璋住所。這時，「孫氏抱兒拜泣，太祖亦泣，置兒於膝上，曰：『將種也！』」（《明史．花雲傳》）

以上故事，可以知道：一個事業的成功，有多麼艱難。克服艱難，需要優秀領袖，需要濟濟文士，需要熙熙武將。上下文武，團結一心，拚力奮鬥，就沒有戰勝不了的困難，就沒有逾越不了的障礙！

第03講

故宮藍本

相傳，永樂帝派劉伯溫和姚廣孝二人到北京，進行北京城宮殿設計。到第十天，他們同時拿出自己畫的設計圖，不由得哈哈大笑：所畫兩張城圖，竟然都是八臂哪吒圖！然而，劉伯溫在朱棣決定遷都北京時，已經死了二十八年，他不可能參與北京城池皇宮的設計，但是這個傳說也不是空穴來風。

北京故宮，建成於明永樂十八年（一四二〇）。在此之前，明朝已經建立五十二年，都城定在南京。南京皇宮是朱元璋時建造的，後來成為朱棣在北京建造城池宮殿的模本。

洪武元年（一三六八），朱元璋在應天（今江蘇省南京市）稱帝，開啟了大明二百七十六年的基業。他雖然在應天建造了吳王宮殿，但對建都在哪裡，卻是十年之間，三變主意。開始想在南京，又想在北京（今河南省開封市），再想建都鳳陽，最終定都南京。

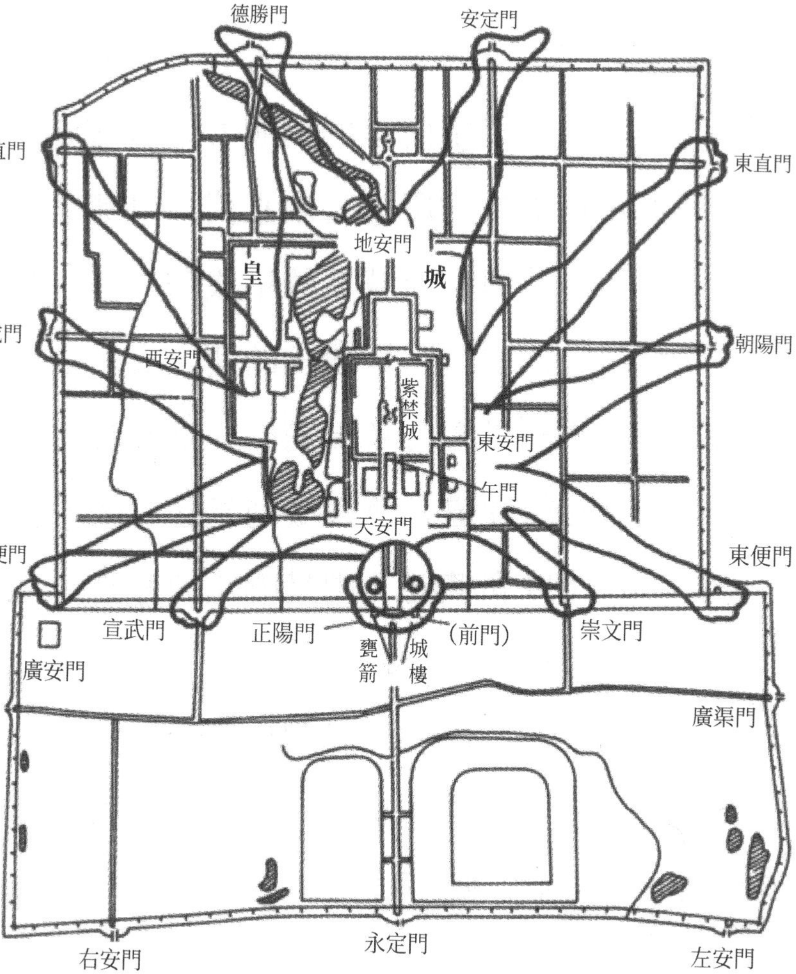

關於北京是「八臂哪吒城」的傳說流傳至今

草創宮殿

元末民變爆發的第六年，即元至正十六年（一三五六）三月，紅巾軍元帥朱元璋率軍攻占集慶（今江蘇省南京市），改集慶路為應天府。七月，朱元璋自稱吳國公，在原元朝江南行御史臺的舊址上，建立江南行中書省。

一三六六年，拓展建康城。建康舊城，地方狹窄，距鍾山又遠。朱元璋命劉基等重新選址，定在舊城之東、鍾山之陽，周長五十餘里，規制廣闊雄壯，盡據山川之勝。同年，營建廟社，建築宮殿。朱元璋親自祭祀山川之神後，宮室建造破土動工。

隨之，營建工程負責人呈上宮殿圖。朱元璋看了之後，對建築奇麗、工藝雕琢很不滿意。他說：宮殿只求完善、堅固就可以，何必過分雕琢！古代帝堯宮室，以黃土為階，茅草為屋，房椽畫色，不加雕琢，極其簡陋啊！千年之後，盛德榜樣，都以堯為首。但是，後世競相奢侈，極宮室苑囿之娛，窮輿馬珠玉之玩，欲心一縱，不可收拾，亂由此起。只要上面崇尚節儉，下面就沒有奢靡。珠玉非寶，節儉是寶。所有宮殿，一以樸素，何必窮極雕巧，浪費天下之力！朱元璋畢竟是貧苦出身，尚不忘初心。

元至正二十七年（一三六七）正月，建國號為吳，稱吳元年。九月，新宮殿落成。只花了九個月時間，規模不太大，「制皆樸素，不為雕飾」（《明太祖實錄》）。

吳王新宮規制：前為奉天門，門內正殿為奉天殿，中為華蓋殿，後為謹身殿。這就是三大殿。奉天殿左右各建一樓，左為文樓，右為武樓。謹身殿之後為宮，前為乾清宮，後為坤寧宮，再後依次排列六宮。外面圍以皇城，四門：南為午門，東為東華門，西為西華門，北為玄武門。

吳王新宮給朱元璋帶來了好運，僅一年，他就稱帝建立明朝。洪武元年（一三六八）正月初四日，朱元璋祀天地於南郊，即皇帝位，定國號為「大明」，年號「洪武」。正月初七日，明太祖朱元璋從舊吳王宮，遷到新宮。（《明太祖實錄》卷二十九）

這時的新宮，還比較簡樸。歷史記載：有一天，朱元璋下朝還宮，見到皇太子朱標和其他皇子，朱元璋指著宮中空地對皇子們說，這裡不是不可以蓋亭館臺榭，做你們遊觀的地方。如今我讓太監種上蔬菜，是因為不忍傷民之財、勞民之力啊（這說明當時宮裡的空地種著蔬菜）。古代商紂王，崇飾宮室，不恤人民，天下怨之，身死國亡。漢文帝想建露臺，因惜百金之費，而沒有建。你們要記住我說的話：「常存儆戒。」（《明太祖實錄》卷三十七）

但是，建立明朝首都還是刻不容緩的。

洪武三都

明朝的都城設在何處——南京、開封、西安、鳳陽、北京?洪武初年，頗有一番周折。朱元璋雖然在應天府稱帝，但對在南京建都並未下定決心。他說：「君天下非都中原不可。今中原既平，必躬親至彼，仰觀俯察，擇地以居之。」（《中都告祭天地祝文》）洪武元年（一三六八）四月，他曾率大軍北去汴梁（今河南省開封市）視察，想就北宋汴梁都城之舊。視察後，改汴梁路為開封府，準備在那裡營建都城。後來，又詔以金陵為南京，大梁（今河南省開封市）為北京。可是，就在下詔後的第二天，徐達率軍攻占了大都（今北京），元順帝逃奔塞北。於是「會議群臣」，並再次親去開封察看。經過一年的反覆斟酌和考慮，最後決定以他的家鄉臨濠（濠州於一三六七年改為臨濠府，今安徽省滁州市鳳陽縣）為中都。

朱元璋在修建吳王宮殿時，天下尚未大定，所以力崇節儉。到修建臨濠中都時，則表現了帝王都城宮殿的氣派。洪武二年（一三六九），以新王朝之威勢，集中人力物力，派李善長等督建臨濠中都。到洪武八年（一三七五）四月，朱元璋「親至中都驗功賞勞」，回應天當日，竟突然改變初衷，以「勞費」為理由，下令把「功將完成」的明中都營建工程停下來。後來將臨濠已建成的部分宮殿拆毀，移建大龍興寺，以紀念龍興之地。

明中都罷建以後，以新吳王府為基礎，「詔改建大內宮殿」。兩年後，到洪武十年

明中都午門遺址

（一三七七）十月，改作大內宮殿成，制度皆如舊，而稍加增益，規模益宏壯矣。同時改建的還有圜丘、社稷壇。洪武十一年（一三七八），南京改稱京師；同時，罷北京，仍稱開封府。開封（汴梁）從洪武元年到十一年稱了十年「北京」，但未曾在那裡建都。

朱元璋晚年，曾想遷都關中。洪武二十四年（一三九一）八月，派皇太子朱標巡撫陝西，圖關洛形勢，經略建都的事情。由於朱標從陝西歸來，一病不起，次年四月就死了，遷都關中的事也就作罷了。同年九月開始，又大規模擴建南京宮殿。

劉基卜地

前面說過，朱元璋在吳王宮殿籌備之

初，即命劉基卜地。這裡有個傳說故事。吳王宮殿正殿基址選好後，洪武帝嫌前方地勢不夠開闊，便將樁橛向後稍做移動，並問劉基：「使得嗎？」劉基無可奈何地一笑，說道：「也好，只是不免遷都。」城牆修好後，劉基陪朱元璋巡視，朱元璋見工程堅固，很是高興，說：「這牆誰能越過。」劉基隨口答道：「除非燕子飛過。」（《九朝談纂》卷一，引《冶城客論》）結果，劉基一語成讖，沒過幾年，燕王朱棣攻破京師南京，又遷都北京。

當朱元璋決定在鳳陽建都時，正巧劉基妻子死了，遂請假還鄉。時帝方營中都，又銳意消滅故元勢力。劉基臨行時奏道：「鳳陽雖帝鄉，非建都地。」果然，中都半途而廢。

劉基善於從戰略上把握全局。朱元璋在營建自己的第一座宮殿城池時，命劉基卜地，規劃建設。吳王宮殿雖簡，但奠定了格局，確定了名稱，為明清兩代五百多年的宮殿奠定了基礎。比如，前殿後宮，左文右武，圍以宮牆，四面開設宮門。特別是三大殿的名稱，一直沿用到明嘉靖年間；乾清宮和坤寧宮的宮名，一直沿用至今；四個宮門的名稱，也沿用至今。

後來，臨濠明中都的宮殿建造參考了吳王宮殿、宋都汴梁和元大都的經驗；明京師南京宮殿，更是在吳王宮殿的基礎上擴建並提高的。

明永樂帝在營造北京城池宮殿時，又以南京宮殿和中都宮殿為模本。北京故宮宮殿布局，如午門，紫禁城四個角樓，三大殿，東西六宮，左祖右社，內外金水河，都比擬中都。中都鳳陽宮殿在萬歲山之南，北京則在宮殿之後築一土山以為紫禁城屏障，也取名萬歲山。鳳陽宮殿左右有日精峰、月華峰，北京紫禁城左右雖無日精峰、月華峰，但在宮殿中則有日精門、月華門作為象徵。

故宮建築六百年的歷史，要追溯到劉基為朱元璋建造的吳王宮殿，以及後來的明中都和明南京宮殿。這應當是北京故宮的模本。民間傳說劉伯溫參與北京城的設計，看來並非全然捕風捉影。

總之，明北京皇宮的第一個模本是明南京吳王府新宮殿。明北京皇宮的第二個模本是中都宮殿。明北京皇宮的第三個模本是明朝南京皇宮。最後，北京皇宮，就是我們今天看到的北京故宮。

第04講

建文下落

建文四年（一四〇二）六月，朱棣率軍打進南京皇宮後，建文帝朱允炆活不見人、死不見屍，下落如何？這就成為明宮六百年來，一樁歷史疑案。這要從一個神祕的「盒子」說起。

神祕盒子

朱棣進入南京皇宮後，第一件大事就是尋找建文帝的下落。他派兵四處搜查，又派人找太監詢問，卻找不到建文帝的蹤影。有人從灰燼裡找到一具燒焦的屍體，朱棣立即上前大聲說：「小子無知，乃至此乎！」（《奉天靖難記》卷四）也就是認定建文帝已經燒死了。當時，沒有DNA檢測，怎麼知道並證明這就是建文帝的遺體呢？清官修《明史‧恭閔帝本紀》，對這件事的記載，卻是含含糊糊：

南京明故宮玉帶橋

都城陷，宮中火起，帝不知所終。燕王遣中使出帝后屍於火中，越八日壬申葬之。或云：帝由地道出亡。

這位二十六歲的建文帝，是死於皇宮火中，還是逃出皇宮了呢？如逃出皇宮，他出去以後幹了什麼呢？最後歸宿在哪裡？

當時就有傳言說建文帝沒有燒死，而是出逃了。後來有人把傳言寫成兩本書：《從亡隨筆》和《致身錄》。清初學者谷應泰集其大成，在《明史紀事本末》中做了詳細敘述。

建文帝得知金川門失守，慌了手腳，長吁短嘆，在宮裡來回亂走，還打算自殺。翰林院編修程濟出主意：「不如出亡」，逃出宮去。怎麼逃呢？少監王鉞跪進說：「昔高帝升遐時，有遺篋，曰：『臨大難，當發。』謹收藏奉先殿之左。」群臣齊言：「急出之！」不久，一紅色鐵皮盒取來，兩把鎖，灌了鐵。「帝見而大慟，急命舉火焚大內。」

程濟砸碎鐵盒，發現三張度牒，也就是和尚身分證：一名應文，一名應能，一名應賢。袈裟、帽鞋、剃刀俱備，白金十錠。還有朱書一紙：「應文從鬼門出，餘從水關御溝而行，薄暮，會於神樂觀之西房。」度牒的「文」指建文。帝曰：「數也！」程濟即為帝祝（剃）髮；吳王教授楊應能（即應能）亦願剃髮隨亡；監察御史葉希賢毅然說：「臣名賢，應賢無疑」，也剃髮。各穿袈裟，分別出逃。

他們逃出皇宮後，見道士王升。王升叩頭稱萬歲，說：「臣固知陛下之來也！」乃乘船到太平門恭候。登船划槳，到達道觀，已經天黑。

上面說的這段朱元璋留下神祕盒子的故事，真是有些像神話裡的故事。

逃亡卅年

跟隨建文帝逃出宮的官員共有二十二人。逃亡的方向，建文帝曰：「吾今往滇南，依西平侯。」有一位名叫史彬的說：「往來名勝，東西南北，皆吾家也……有何不可？」帝曰：「良是。」建文帝四處奔波，既不是遊山玩水、賞心悅目，也不是遊覽名勝、抒懷懷古，而是東躲西藏、南奔北逃，過著非常艱難、朝不保夕的生活。

建文帝一行，先後奔波於雲貴高山野嶺，兩粵峽谷江河，川西高原叢林，江蘇偏僻寺廟，浙江荒野道觀，還有陝西等地。他們穿著袈裟，捧著陶缽，晝不得食，夜不得宿，但最大的享受就是偶爾到原屬下家裡暫避。如一次到蘇州吳江史彬家，全家既恭敬又驚嚇，接待逃亡的建文帝一行。建文帝把他住的小院，改名為水月觀，還親筆篆文。剛住幾天，禮部行文州縣，嚴查建文下落。他們又倉促星散，另行逃亡。第二次到史彬家，建文帝衣舊鞋破，瘦弱憔悴，不堪入目，駐留三日，匆匆而去。一次，工部尚書嚴震直奉使安南，與建文帝相遇於雲南道中，兩人相對而泣。帝曰：「何以處我？」對曰：「上從便，臣自有處。」嚴震直「悲愴，吞金死。」（《明史．張紞傳》）又有書說他「夜縊於驛亭中」。建文帝在雲南白龍山搭個草庵，面色憔悴，形容枯槁，非常狼狽。一次舊臣來訪，隨問曰：「汝等攜有方物否？」各自獻上。因史彬當年職居禁近，知帝所好，所獻頗豐，帝遍嘗之，說：「不食此，已三年矣！」彬等叩首而去。建文帝在逃亡中，也寫寫詩，學點《易經》，給自己算卦。（《明史紀事本末》卷十七）

永樂二十二年（一四二四），建文帝東行，與史彬相遇於旅驛，言及朱棣死於榆木川，稍有喜色。史彬問其道路起居，回答：「近來強飯，精爽倍常。」即同史彬下江南，到史彬家。史彬具酒肴於所居的重慶堂，帝上座，程濟東列，史彬西列。宣德九年（一四三四）五月，建文帝第四次到吳江史彬家，時史彬已死，帝悲悼久之。

老僧進宮

建文帝的歸宿，谷應泰寫道：到正統五年（一四四〇），建文帝已在外顛沛流離三十八年，戰戰兢兢，四處流亡，饑饉於晝夜之時，周旋於險阻之間，從二十六歲的青年成為六十四歲的老人。當年搶奪他皇位的叔叔永樂帝，及其兒子洪熙帝、孫子宣德帝都已去世，當時在位皇帝已是建文帝的姪孫正統皇帝了。所以他下定決心，要回到宮裡。這年三月十三日，建文帝對侍從說：「我決意東行」。於是，作詩曰：

牢落西南四十秋，蕭蕭白髮已盈頭。
乾坤有恨家何在？江漢無情水自流。
長樂宮中雲氣散，朝元閣上雨聲收。
新蒲細柳年年綠，野老吞聲哭未休。

建文帝有北歸之意，御史祕密報告正統皇帝。太監吳亮曾侍奉建文，令密探之。建文帝見亮就說：「汝非吳亮耶？」亮答：「非也。」建文帝曰：「吾昔御便殿，汝尚食，食子鵝，棄片肉於地，汝手執壺，據地狗舔之，乃云非是耶？」亮伏地哭。建文帝左趾有黑子，摩視之，持其踵，復哭不能仰視，退而自縊。於是迎建文帝入西內（今北海公園西南處）。宮中人皆呼為老佛，以壽終，葬西山，不封不樹。

老僧進宮的事，《明史》也有記載：「正統五年，有僧自雲南至廣西，詭稱建文皇帝。思恩知府岑瑛聞於朝。按問，乃鈞州人楊行祥，年已九十餘，下獄，閱四月死。同謀僧十二人，皆戍遼東。」但是老僧就是建文帝，《明史》沒有記載。

朱棣在位二十二年間，竭力找尋建文帝的下落。他派鄭和下西洋的一個目的，便是尋找建文帝。《明史》說：「傳言建文帝蹈海去，帝分遣內臣鄭和數輩，浮海下西洋。」後戶科給事中胡濙密訪仙人張三豐，又「遍行天下州郡鄉邑，隱察建文帝安在」。後派胡濙出巡各地，主要去了江浙、湖廣，在外九年。後又出巡七年，到永樂二十一年（一四二三）才回京。時永樂帝北征，胡濙一直追到宣府（今河北省張家口市宣化區），朱棣已就寢，聽說胡濙來到，急忙起身召見，「漏下四鼓乃出」（《明史．胡濙傳》）。朱棣北征回來後，就不再追查建文帝的下落。八個月後，朱棣去世。朱棣在位二十二年，也找了建文帝朱允炆二十二年。

史學家說，很可能胡濙找到了朱允炆的下落，說他已經死了，或者不會給朱棣帶來威脅。而朱棣如此執著地暗中尋訪建文帝的下落，也從側面證明了建文帝當年可能沒有燒死在宮中。

第05講

永樂遷都

前面講過，明太祖朱元璋在開創明朝基業的過程中，確定以金陵（今江蘇省南京市）為明朝京師。燕王朱棣作為朱元璋的第四子，八歲隨父入住皇宮，十一歲封王，十七歲結婚，十九歲移住鳳陽，直到二十一歲才就藩北平。因為北平的燕王府利用了元朝舊宮，所以朱棣出了鳳陽（中都），又住進了元朝舊宮。在北平，朱棣奉旨多次北征，為明初鞏固安定北邊立下戰功，也多遭磨難，歷練成熟。靖難之役之後，四十四歲的朱棣重回南京，登上皇位。

定都北京

從朱棣決意遷都北平，到北京宮殿壇廟建成，先後經過了十八年。登極伊始，朱棣即改北平為北京。（《明太宗實錄》卷十六）隨即開始北京城池宮殿的籌備和建設。一年半以後，即永樂四年（一四〇六）閏七月，朱棣詔建北京宮殿。永樂七年（一四〇九）以後，朱棣多次北巡，長期住在北京，而以太子朱高熾在南京監國，十八年（一四二〇），北京宮殿建成。朱棣下詔：明年正月初一日，以北京為京師，正式遷都北京，舉行慶賀大典。十九年（一四二一）正月初一，永樂皇帝身著龍袍，端坐在奉天殿（太和殿）的寶座上，接受百官朝賀，慶祝新年的到來，也慶祝新落成的皇宮——紫禁城宮殿正式啟用。從這一天開始，北京正式升格為明朝的都城，南京則成為陪都。也從這一天開始，北京的大明皇宮正式登上歷史文化的舞臺！

永樂帝遷都北京，既是驚天動地的壯舉，更是影響千秋的決策。定都，對於一個政權、一個民族、一個君王、一個國家來說，是頭等大事。當年明太祖朱元璋成了氣候，要建立都城，在鳳陽、金陵、開封、洛陽、西安、北平（今北京）之間猶豫不決。一天，他讓群臣寫詩表示自己的意見。儒士鄧伯言獻詩說：「鰲足立四極，鍾山蟠一龍。」（《七修類稿》卷十二）這首詩契合了朱元璋定都金陵的意向。朱元璋在金鑾殿上拍案高聲朗讀這首詩，鄧伯言誤認為皇帝震怒，自己小命完了，當時嚇得昏死，被抬出東華門時才甦醒過來。

太和殿

遷都，也同樣是驚心動魄的。北魏孝文帝以爭戰為名，脅迫貴族從大同遷都洛陽；金海陵王完顏亮逼迫貴族遷到中都（今北京），並先後毀掉上京（今黑龍江省哈爾濱市阿城區）宮殿、貴族府邸；努爾哈赤為了從遼陽遷都瀋陽，不顧八大貝勒反對，獨自前行。

龍興之地

朱棣遷都北京（永樂元年，改北平為北京）理由為，這裡是「龍興之地」。其實如此重大決策，必有更為複雜的考量：

第一，北京是「龍興之地」，根基穩固。永樂帝認為，北京風水好，圓了他的皇帝夢，而南京有鬼魂犯駕，風水對自己不利。朱棣在北京經營二十多年，基礎深厚，而南京則遍布前朝遺臣，人心不穩，所以，還是回大本營北京為好。

第二，北京是形勝之區，位置重要。北京「北枕居庸，西峙太行，東連山海，南俯中原。沃壤千里，山川形勝，足以控四夷、制天下，誠帝王萬世之都也」（《明太宗實錄》卷一八二）。當時的故元勢力，「控弦之士，不下百萬」，嚴重威脅明朝北方的安全。都城設在北京，「天子守國門」，利於北邊防務。

第三，北京是居中之地，交通便利。古代交通不便，四方入貢，道里均勻，為聯通九州八方，都城位置宜居天下之中。盛明疆土，北到黑龍江入海口的奴兒干和庫頁島（今薩哈林島），南達曾母暗沙，北京的地理位置，約略南北居中。那時候沒有汽車、飛機、高鐵、輪船，交通主要靠陸運和水運——京杭大運河貫通海河、黃河、淮河、長江、錢塘江五條大江河，北京則為這條大運河的起點和終點。

第四，北京是帝王之都，積澱豐厚。北京自遼南京、金中都，到元大都，作為帝都，已延續四百多年。北京歷史文化積澱豐厚，有大氣象，有帝王氣。

第五，北京位於華北大平原北端，平原開闊，沃土千里，四季分明，氣候宜人。北京既不像南國夏天溽熱，也不像北疆冬天嚴寒，而是比較溫和，適於人居。

明成祖朱棣像（臺北故宮博物院典藏）

第六，北京是五種文化的中心。即中原農耕文化、西北草原文化、東北森林文化、西部高原文化、沿海暨島嶼海洋文化的中心。從永樂十九年（一四二一）正月初一開始，北京繼元大都之後，又成了全中國的政治中心、文化中心，而今又是中華人民共和國的首都、中國政治中心和文化中心。總之，永樂帝遷都北京，既是驚天動地的壯舉，更是影響千秋的決策！

雄才偉略

在這裡，我順便說一下對永樂皇帝的評價：永樂帝是一位有著雄才大略的君主。為什麼這樣說？因為他對中國歷史的發展做出了重大貢獻：

第一，維護國家統一，鞏固北方邊境。

第二，派遣鄭和下西洋，完成人類航海史上的壯舉。

第三，派亦失哈赴奴兒干，設立奴兒干都指揮使司，實現了對黑龍江女真和東海女真等族群的招撫和地域管轄。

第四，派太監侯顯五使烏斯藏（今西藏自治區），西藏歸於大明版圖。

第五，編修《永樂大典》，為中華文化史上的盛事。

第六，營建都城北京，為人類增添了一份世界文化遺產。

朱棣和他的皇父朱元璋一樣，雖都有歷史大功績，但也有歷史大罪過——他們都漠視生命，特別是漠視士人生命，對於異己者，濫施淫威，殘暴屠殺。

而北京明清故宮，則是中華文明的精粹，是人類文明的瑰寶，是世界現存最大的宮殿建築群，也是世界著名的文化遺產。

第06講

國家心臟

國家定都，是件大事；國家遷都，更是大事；營造首都，還是大事。北京城池宮殿的營建，從永樂元年（一四〇三）到十八年（一四二〇）整整十八年。明朝南京和中都的營建，為北京的營建提供了翔實的藍本。除此之外，元大都也成為明朝營建北京的基礎。

營建北京

關於都城的規劃建造，中國有悠久的文化傳統。早在兩千年前，儒家經典《周禮·考工記》就論道：

匠人營國，方九里，旁三門。國中九經九緯，經涂九軌。左祖右社，面朝後市。

就是說，都城呈方形，每邊牆長九里，四面各開三門。城中的道路，縱九條、橫九條，路寬可以九輛車並行。宮殿左面是祭祀皇帝祖先的太廟，右面是祭祀土地和五穀之神的社稷壇。前面為皇帝治居的宮殿，後面為人們交易的市場。

在這個都城規劃布局的基礎上，營建北京的法寶，是一個「中」字。正如《呂氏春秋·慎勢》說：「擇天下之中而立國，擇國之中而立宮。」這個「中」字，特別體現為兩個載體：第一，北京城的脊梁是中軸線，中軸線的心臟是皇宮。第二，北京城的心臟是皇宮。

怎麼體現皇宮是北京城的心臟呢？住家戶的住宅，包括豪門貴族的住宅，都是外面一道圍牆，而北京城的皇宮是用四道城牆來層層拱衛的。哪四道城牆呢？

第一道城牆，圍起紫禁城，也叫宮城。宮城裡就是皇宮，也稱大內，是皇帝理政和居住的地方，也是北京的心臟，國家的心臟。按照中國古代對天象的認識，紫微星垣（北極星）高居中天，永恆不移，眾星環繞，是天帝居住的地方，所以叫作紫宮。皇帝是天帝之子，便用紫宮來象徵世間皇帝的居所。而皇帝居住的宮城，宮禁森嚴，如規定：擅入宮城者「杖六十、徒一年」，「持寸刃入宮殿門內者，絞」（萬曆《大明會典》）！因此明清宮城就有了「紫禁城」這個名稱，這就給皇宮抹上了神祕的色彩。宮城四面有城門，南面為正門，有三道門——第一道是承天門（天安門），第二道是端門，第三道是午門，東面為東華門，西面為西華門，北面為玄武門（今神武門）。城牆四隅，建有角

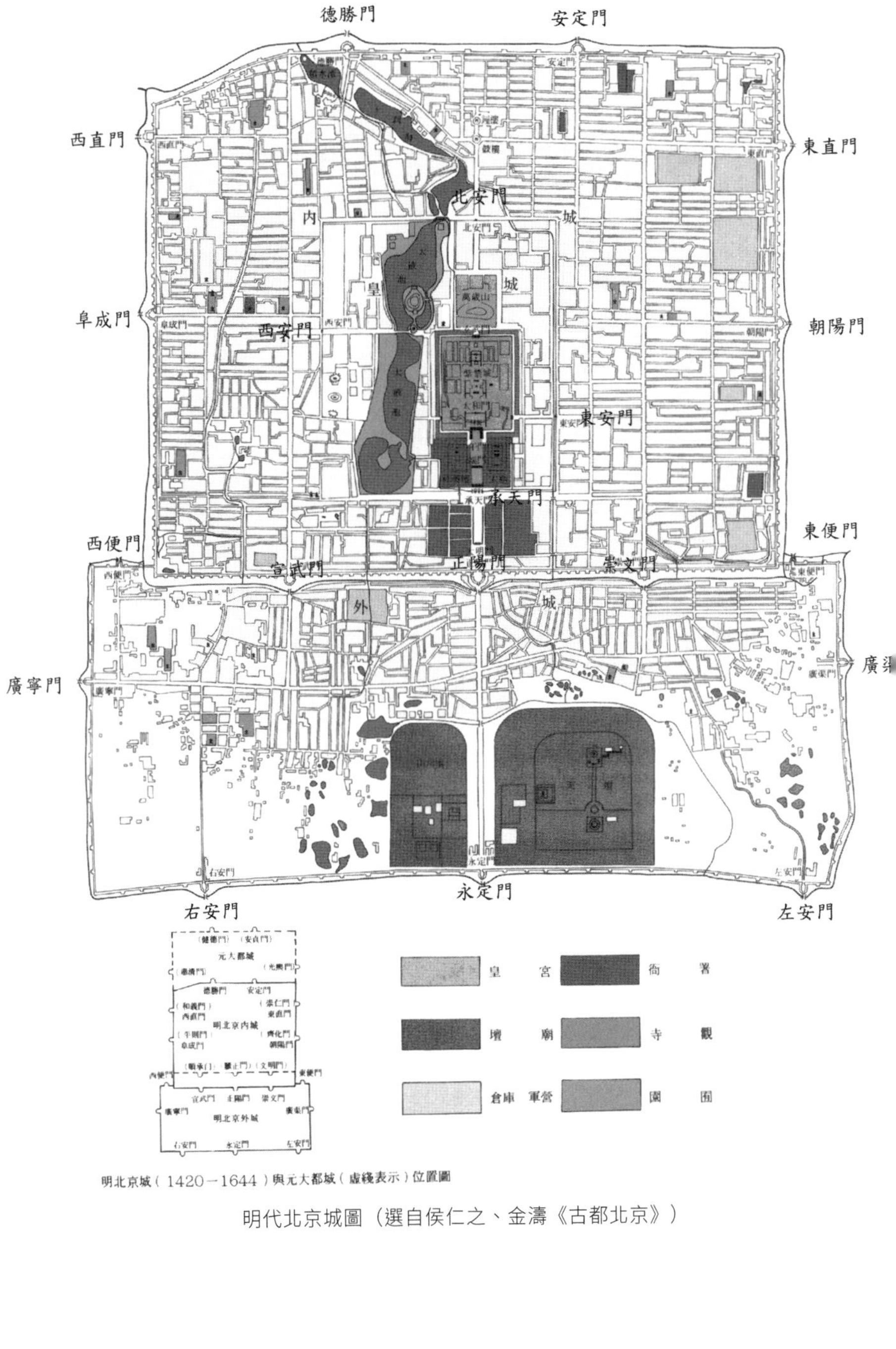

明北京城（1420－1644）與元大都城（虛綫表示）位置圖

明代北京城圖（選自侯仁之、金濤《古都北京》）

樓。外面有護城河和金水河環繞。

第二道城牆，在宮城之外，圍起來叫作皇城。皇城圍繞宮城，設置朝廷辦事機構，是為皇家服務的地方。皇城周圍約十八里，四面開七座城門——南面為正門，有兩道門，第一道為大明門，向東轉有一座長安左門，向西轉有一座長安右門；第二道為承天門（天安門），東為東安門，西為西安門，北為北安門。皇城的城牆用磚包砌，塗以紫紅色，上面蓋著黃色琉璃瓦。我們今天看到的天安門兩側的紅牆就是皇城的南城牆。皇城同樣被列為禁地，民間百姓，擅自闖入，杖責一百（萬曆《大明會典》）。皇家園林西苑在皇城之內。

第三道城牆，在皇城之外，圍起的是為內城。內城圍繞著皇城。城牆四隅，建有角樓。城牆的外面，環繞護城河。內城共設有九座城門：南面麗正門（正陽門）、左為崇文門、右為宣武門，東面南為朝陽門、北為東直門，西面南為阜成門、北為西直門，北面東為安定門、西為德勝門。今北京二號線地鐵是在原內城城牆和護城河的位置修建的，這些城門的名稱，大多是今天地鐵的站名。

第四道城牆，後來在嘉靖年間，在內城之外，又圍起一道城牆，叫作外城。外城圍繞著內城。但是這道城牆只修了南面一段，開七座城門：南面為中永定門、東為左安門、西為右安門；東面南為廣渠門、北為東便門；西面南為廣寧門（今廣安門）、北為西便門。最外面有一條護城河環護。

這樣，外城護衛內城，內城護衛皇城，皇城護衛宮城。那麼，宮城又護衛著什麼呢？

太和殿（奉天殿）寶座

我說，護衛著皇帝的寶座。皇帝的寶座，是皇權的象徵，它才是中國、也是北京的政治心臟。

皇帝的寶座在奉天殿（今太和殿），俗稱金鑾殿。皇帝的寶座，在金鑾殿的正中，俗稱「金鑾寶座」——有須彌座式木基座，明代稱為金臺，北京故宮博物院為它命名為「楠木髹金漆雲龍紋寶座」。基座正面和左右兩側各有三道丹陛（臺階），外有圍欄。基座上安設鏤雕金漆寶座。寶座後設雕龍髹金屏風，寶座前設寶象、甪端、仙鶴、香亭各一對。寶座兩側，六根金柱矗立，六條巨龍盤旋而上，龍頭伸向寶座。而面積達二三七七平方公尺的奉天殿，金磚地面，滿鋪黃絨地毯，下襯棕薦篾席（《青瑣雜記》）。所有這些，都烘托皇帝和皇權的至尊、至高、至上、至聖。

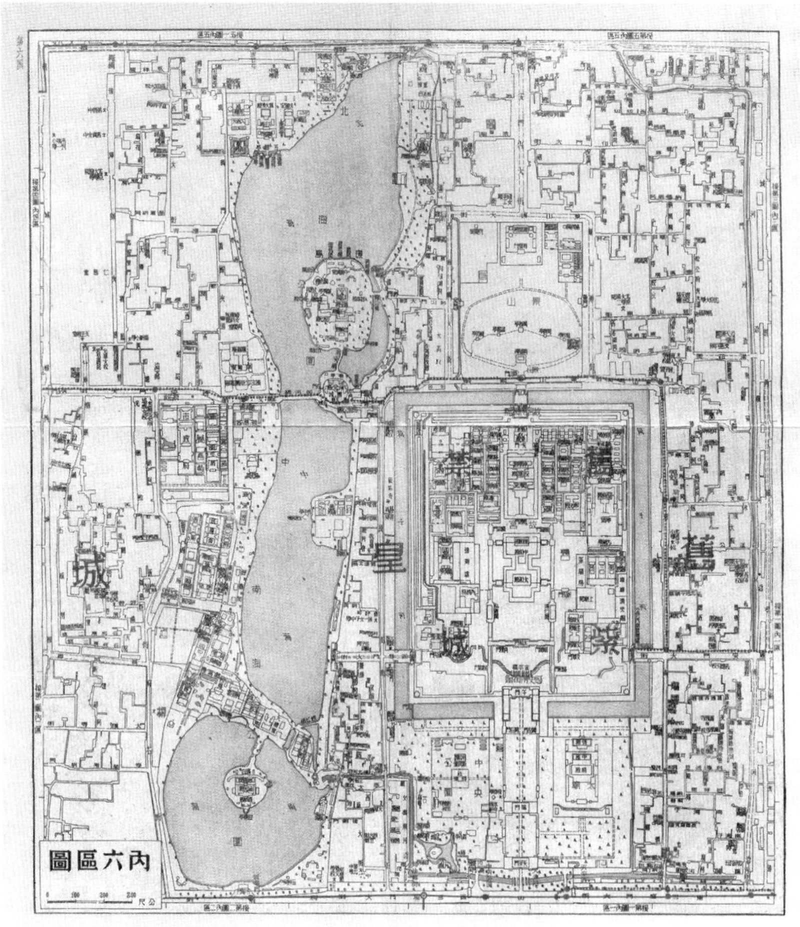

太液池

寶座故事

一九一五年，袁世凱復辟帝制，要在太和殿舉行登極大典，特地趕製高背大椅，替換原來的寶座。後來故宮博物院決定，撤下袁世凱的「龍椅」，換回原來的寶座，但原來的那張寶座竟不知去向。一九五九年，朱家溍對照一張清末太和殿內景老照片，在庫房裡發現了這張寶座。寶座髹金漆歷經數百年，仍然金光燦燦，現已復歸原位。

北京城池宮殿建成後，明朝官方評論說：「初，營建北京，凡廟社、郊祀、壇場、宮殿、門闕，規制悉如南京，而高敞壯麗過之。」（《明太宗實錄》卷二三二）也就是說，明北京城的宮殿壇廟之輝煌壯麗，超過了南京，具有天子之都輝煌壯麗、雄偉博大的氣概。

有趣現象

在結束本講之前，我想再介紹一個有趣的歷史現象。

元大都宮殿布局是以太液池（今中南海、北海）為中心，大內、隆福宮、興聖宮三組宮殿呈「品」字形，夾太液池，形成「太液為主，宮殿為客」的布局。而明北京則將宮城集中在太液池東岸，形成「宮殿為主，太液為客」的布局。為什麼會有如此主客布局的轉換呢？

這有文化上的原因。元朝的游牧民族的部民「逐水草而居」，以牛羊為衣食之源，牛羊以食草而生，草又依水而生，所以水是元朝草原文化的生命。以武力篡奪姪子皇位，遷都北京的明成祖朱棣，生長於農耕文化環境，在北京最缺乏的是安全感，所以把高築紫禁城的城牆放在首位，太液池則是消閒遊憩之地。因此，元大都與明北京的布局之別，是草原文化與農耕文化在城市規劃和宮殿布局上的映現。

總之，以紫禁城為中心的北京城的建成，反映出十五世紀初的中國，國家強大統一，財力豐實雄厚，人民聰明勤勞，建築水平高超。這是中國古代都城史上最輝煌的傑作，也是世界都城史上最宏麗的篇章。

第07講

皇宮氣象

前面講過，皇宮作為北京城的心臟，被宮城、皇城、內城、外城層層包裹，而皇宮的心臟，則是奉天殿（今太和殿）皇帝寶座。跟世界上其他城市的首都相比，北京在規劃上還有一個重要特色，就是以皇宮為中心，有一條中軸線從南到北貫穿北京城，作為全城的脊梁。全城的建築都以中軸線為基線，對稱展開。皇宮在這條中軸線上，前有出，後有靠，使這條中軸線形成一個又一個高潮。

壯美秩序

北京城池宮殿的壯美秩序，始終圍繞著一條子午線（即中軸線，它是繞地球南北的經線），確定之後，整個城市、宮殿、府邸、壇廟等重要建築和主要街道，依次布局。人體也有一條軸線，即脊骨。可以說，人體、自然、社會、天體、哲學、藝術，其中軸線是普遍的。

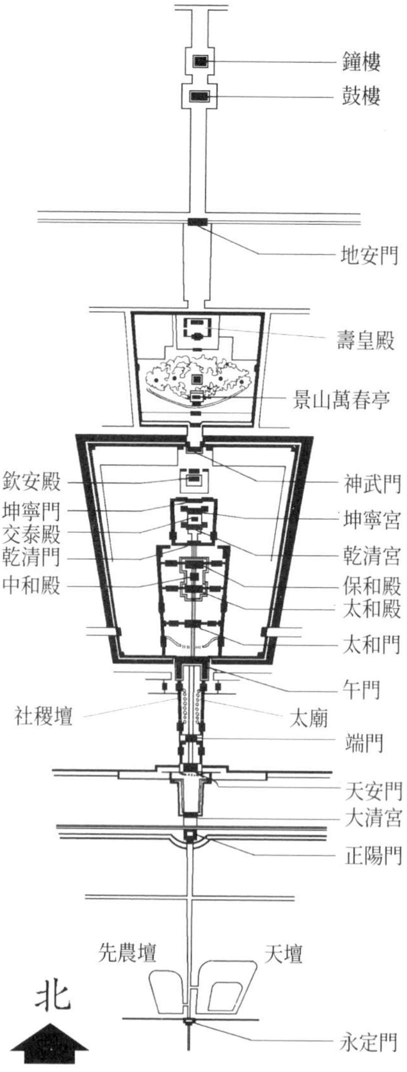

北京城中軸線建築示意圖

明永樂朝營建北京，借鑒了元大都城的中軸線，這條中軸線是規劃設計中最先確定下來的核心要素。也就是先定中軸線，後建北京城。正如著名建築學家梁思成所言：北京獨有的壯美秩序就是由這條中軸線的建立而產生的。

在這條中軸線上，皇宮仍然占據著中間的一段，從南到北矗立著太和殿（奉天殿、皇極殿）、中和殿（華蓋殿、中極殿）、保和殿（謹身殿、建極殿）、乾清宮、交泰殿、坤寧宮，以及欽安殿、壽皇殿等雄偉的宮殿。而皇帝的寶座，就安設在中軸線上的太和殿之中，同時也形成北京中軸線的高潮。

除了宮殿以外，這條中軸線上，從南到北排列著正陽門、大明門（大清門）、天安門（承天門）、端門、午門、太和門（奉天門、皇極門）、乾清門、神武門（玄武門）、地安門（北安門）等九座最重要的城門，縱貫宮城、皇城、內城和外城。後在嘉靖朝添造一座永定門。

這條中軸線自永定門到鐘樓長七．八公里。中軸線上的這些偉大的建築，形制量體，平衡對稱，結構整肅，壯美諧和，高低錯落，井然有序，陰陽之間，不激不隨，構成了一幅世間獨具的雋美畫卷。

除了皇宮建築在中軸線上形成的高潮，在皇宮之南，還有三個坐北朝南、平面呈「凸」字形的建築布局，層層遞進，在中軸線上又形成三個高潮，顯示出向前宏偉大展的磅礴氣勢。

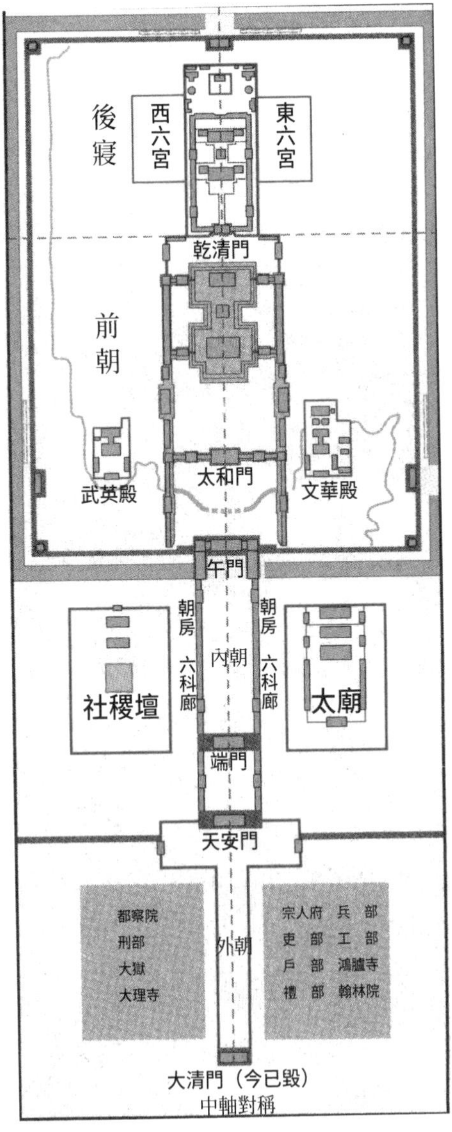
後寢
西六宮
東六宮
乾清門
前朝
太和門
武英殿
文華殿
午門
朝房
朝房
內朝
六科廊
六科廊
社稷壇
太廟
端門
天安門
都察院
刑部
大獄
大理寺
外朝
宗人府 兵部
吏部 工部
戶部 鴻臚寺
禮部 翰林院
大清門（今已毀）
中軸對稱

故宮建築形制

宮前三凸

第一個「凸」字形的布局，依托宮城向南凸出。北依午門，經端門，南望雄偉壯麗的承天門（天安門），東西兩側，各有一道紅牆或廡廊圍合。兩翼分別布置一組對稱的壯麗建築群：左邊是祭祀皇帝祖先的太廟（今勞動人民文化宮），右邊是祭祀社（土地）和稷（五穀）的社稷壇（今中山公園）。前者，是生命的延續，感恩祖先，因為沒有祖先，就沒有子孫；後者，是生活的維繫，感恩土地及其生長的莊稼，因為沒有土地和糧食，就沒有兆民生命，也就沒有皇帝、皇后的生命。「左祖右社」這個「凸」字形的布局，從社會倫理看，體現了對生命的敬畏、對自然的敬畏；從建築格局看，既突出了宮城的雄偉氣勢和帝王的至尊至上，又表現出天之驕子的社會責任。

第二個「凸」字形的布局，依托皇城向南凸出。北依承天門（天安門），中經大明門（大清門），南望正陽門（前門），東有長安左門，西有長安右門，中間為寬闊的御道，兩旁有東西向的千步廊，以紅牆封圍。紅牆外面，又對稱地布列著中央政府主要官署：左邊是吏部、戶部、禮部、兵部、刑部、工部和翰林院等，右邊是中軍、左軍、右軍、前軍、後軍的五軍都督府和錦衣衛等。「左文右武」這個布局，進一步突出了宮城的雄偉氣勢和帝王的至尊至上，又表現出中央政務區集中辦公的特點。

第三個「凸」字形的布局，依托內城向南凸出。從正陽門（前門）往南，到永定門，

紫禁城鳥瞰圖

兩側最重要的建築群，左面是天地壇（圜丘、天壇、大祀殿），右面是山川壇（先農壇、神祇壇、太歲殿）。這兩組建築群，天與地、乾與坤，相互對應，彼此對稱。「左天右地」這個布局，進一步突出了宮城的雄偉氣勢和帝王的至尊至上，又表現出天地對應、天人合一的哲學理念。

以上這三個「凸」字形空間，左祖右社、左文右武、左天右地，在皇宮以南，沿著中軸線節節展開，形成三個高潮，既烘托出皇宮的宏偉氣勢，更延展了城市軸線的開闊氣魄。

宮後三靠

在中軸線上，不僅皇宮前面有

「三凸」，而且皇宮後面還有「三靠」：

第一「靠」是萬歲山（煤山、景山）。在皇宮北側堆土，形成主峰高四十三公尺的萬歲山，收住宮氣，形成皇宮的第一靠。清乾隆十六年（一七五一），又在景山五峰上建起五亭——中為萬春亭，左為觀妙亭、周賞亭，右為輯芳亭、富覽亭，增添了秀麗的景色，也為我們今天欣賞故宮提供了登高望遠之佳境。

第二「靠」是鐘鼓樓。中軸線從南到北綿延近八公里，到鐘鼓樓就此打住，收攏城氣，形成皇宮的第二靠。

第三「靠」是北城牆。內城北城牆正中不開城門，再守城氣，形成皇宮的第三靠。

故宮以北的這「三靠」，還是沿著中軸線恢宏展開，形成三個高潮。既收住皇宮的宏偉氣勢，更挺起城市軸線的空間高度。

中軸線及其前「三凸」和後「三靠」啟示人們：做人做事，為官為民，要持中守正，統觀全局；前面，有望有路，行進通達，左右平衡，互相關照；後面，權守後衛，進退有據，後方堅固，穩定牢靠。

綜上，在中軸線上：南有「三凸」，意境深邃，是起興之筆；中有宮城，宏偉壯麗，是高潮之筆；北有「三靠」，平實厚重，是收束之筆。坐落在這條中軸線上的明清皇宮，在帝制時代看來，既是北京的中心，也是中華的中心，還是天下的中心。

第08講

國門莊嚴

明朝時北京建了那麼多城門，哪一座堪稱國門呢？大明門。

大明國門

在明朝只有大明門是唯一用國號命名的門，門匾題曰「大明門」。清朝定都北京後，將大明門的匾額換為「大清門」。民國初年改大清門為中華門。據說當時本想把門匾翻過來接著用，摘下一看才知已經被清朝翻刻過了，只好另找一塊門匾，刻上「中華門」三個大字。

大明門的重要性，還可以從其門聯看出。這副門聯是明代著名學者解縉題寫的。

上聯是：日月光天德；

下聯是：山河壯帝居。

大明門舊影

這副對聯自然是歌頌皇帝、皇宮、皇權和皇朝的，但就文學層面來說，它有四大特色：

第一，氣勢磅礴。仰望天空的太陽與月亮，俯視大地的山巒與江河，立地頂天，氣貫寰宇。

第二，石破天驚。在此之前，及此之後，還沒有人能用十個字，將大明門的地位、作用、價值、影響，表述得如此精確、深刻、透徹、簡明。

逛一逛

大明門

明代北京皇城正南第一座門。建於明永樂十八年（一四二〇），位於正陽門內北京城中軸線上。清代改稱大清門。

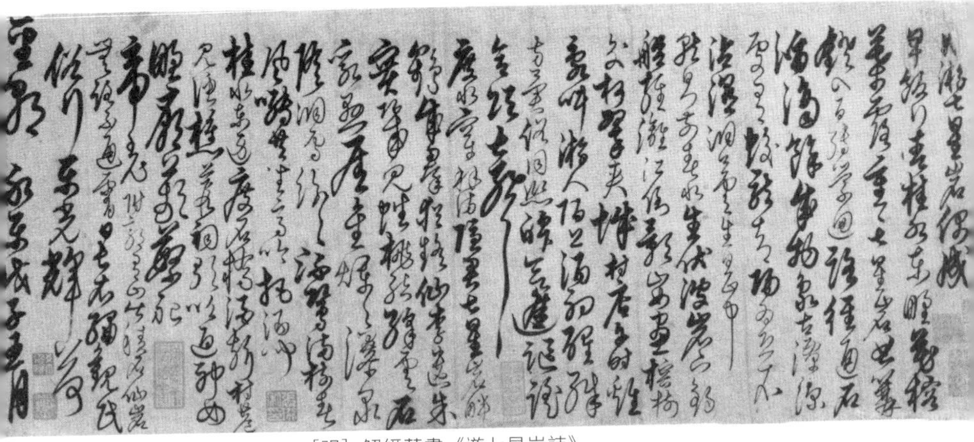

［明］解縉草書《遊七星岩詩》

第三，語言通俗。日月對山河，天德對帝居，蒼天對大地，自然對社會；上下聯，五雙字，對仗和諧，語言樸實，婦孺皆知。

第四，意境高遠。日月之明光，山河之壯美，都為襯托大明而存在，將「天德」與「帝居」，擴充到天日之崇高，川流之長遠。

《孟子·盡心下》說：「民為貴，社稷次之，君為輕。」這副對聯將皇帝、皇宮、皇權和皇朝推高到了極致。

明末清初大學者顧炎武有一首〈京師作〉：「巍峨大明門，如翬峙南向。其陽肇圜丘，列聖凝靈貺。其內廓乾清，至尊儼旒纊。繚以皇城垣，靚深擬天上。其旁列兩街，省寺鬱相望。」

進入大明門，就進入了皇城。中間御道直通皇宮的正門承天門（天安門），御道兩邊是紅牆、廊道和圍房，中央各部衙署按照

「左文右武」分列其兩旁。

大明門作為國門，也是天子五門之一。皇帝到南郊祭祀天地、行耕藉禮，或御駕親征，都要出太和門、午門、端門、承天門和大明門。皇帝的家眷，只有正宮皇后大婚時，才可以乘喜轎從大明門中門進宮。

大明門雖然重要，但規制並不高。沒有城臺，沒有重檐。因為大明門雖為國門，但國家也是在皇權的掌控之下，自然不能與宮城的城門相比。

能為國門撰寫楹聯的，一定不是等閒之輩。解縉確是明初一位具有傳奇色彩的大名士。

國士解縉

解縉（一三六九～一四一五年），江西吉水人，是個大才子、大學問家。他十九歲就中進士、點翰林，才華橫溢，勇敢直率，「甚見愛重，常侍帝前」。朱元璋比解縉大四十多歲，一天他對解縉說：「朕與爾，義則君臣，恩猶父子，當知無不言。」意思是朕與你，雖說是君臣，卻如同父子，你有話可要知無不言啊！率真的解縉當天就給朱元璋上了萬言書。這封萬言書，對朱元璋大到用人、刑名等國務，小到皇帝讀什麼書，都批評一通，特別是嚴肅地指出了朱元璋殺人過多等弊政。奏上後，朱元璋僅稱讚他有才華，對奏書內容未置可否。解縉年少得志，不諳世事，不僅沒有收斂，反而再度直言上書——又上了〈太

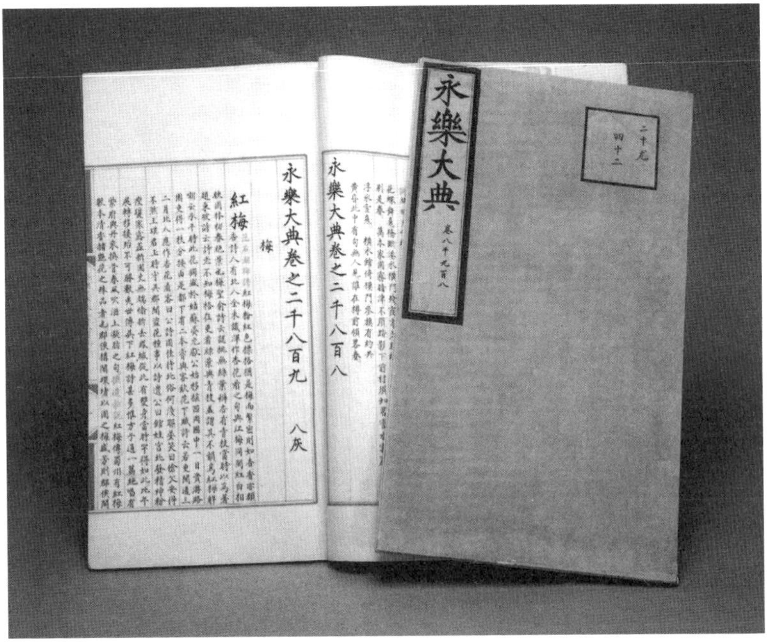

《永樂大典》

平十策〉。朱元璋這次根本就沒搭理他。一次，解縉到兵部索要差役，語多傲慢不恭，就被告到朝廷。朱元璋說：「縉以冗散自恣耶。」命改為御史。意思是解縉散漫放肆，就讓他離開皇帝身邊，去做御史。解縉並沒有從中吸取教訓，又繼續秉筆直書，或為人申冤，或彈劾官員。後來解縉的父親覲見，朱元璋對他說：「大器晚成，若以而子歸，益令進學，後十年來，大用未晚也！」就這樣客氣地把解縉趕走，沒動怒，沒貶官，也沒殺頭。

永樂帝登極，解縉受到重用，擢侍讀。命與黃淮、楊士奇、胡廣、金幼孜、楊榮、胡儼等，並值文淵閣，參預國家機務。明朝內閣參預機務，從此開始。

不久，解縉晉升為侍讀學士，奉命總裁《明太祖實錄》。書成，受到獎賞。永樂二年（一四〇四），永樂帝立皇長子朱高熾為皇太子，封解縉為翰林學士兼右春坊大學士，就是皇太子的老師。短短兩年，解縉一路春風，節節高升，位極人臣，前途無量。

《永樂大典》是永樂帝下令編纂的一部規模空前的類書。就是將許多圖書裡的內容打散，按照不同類別，分類編纂，再按照字韻重新排列起來，便於檢索查閱。清朝的《四庫全書》則屬於「叢書」，就是將整本書直接歸類，再編排起來。

永樂元年（一四〇三），永樂帝令解縉等主持修書並下達了修書敕令：「天下古今事物，散載諸事，篇帙浩穰，不易檢閱。朕欲悉採各書所載事物，類聚之而統之以韻，庶幾考察之便，如探囊取物。……爾等其如朕意，凡書契以來，經史子集，百家之書，至於天文、地志、陰陽、醫卜、僧道、技藝之言，備輯為一書，毋厭浩繁。」（《明太宗實錄》卷二十一）永樂帝修書要求就是兩個字：「全」與「便」。彙集要齊全，使用要方便。解縉顯然沒有理解這個「全」字。他組織了一百多人的編輯部，只花了一年多時間，就編好了一部《文獻大成》，向永樂帝交差。朱棣一看不滿意，加派姚廣孝等為總負責，重新修撰。姚廣孝揣摩帝意，將編修一百多人擴大到二一六九人，加上輔助人員達三千餘人。能請到的先生儘量請，能找到的圖書儘量找。到永樂五年（一四〇七）冬，編成一部收書七、八千種，共二二八七七卷、一一〇九五冊、三．七億多字的大書《永樂大典》。永樂帝為這部新書賜名《永樂大典》，並作序說：「惟有大混一之時，必有一統之製作，所以齊政治而同風俗。序百王之傳，總歷代之典。」（《明太宗實錄》卷七十三）只有大一統國家的盛世，才有鴻篇巨制的問世。《永樂大典》被《大英百科全書》譽為「世界有史以來最大的百科全書」。

解縉之死

《永樂大典》開館之際，解縉仕途達到頂峰。內閣七人各賜五品服，命七人命婦朝皇后於柔儀殿，后勞賜備至。帝曰：「代言之司，機密所繫，且旦夕侍朕，裨益不在尚書下也。」帝嘗召縉等曰：「慎初易，保終難，願共勉焉。」解縉未理解這個「慎」字。他少年登朝，才華過人，鋒芒畢露，言無遮攔，終招來口禍。

一是，陷入太子之爭。永樂帝有三個兒子。朱棣立儲時，在嫡長子朱高熾與次子朱高煦間猶疑，密問解縉。解縉答：「皇長子仁孝，天下歸心。」帝不應。縉又頓首曰：「好聖孫。」他說的是朱高熾的兒子，後來的明宣宗朱瞻基。太子遂定。老二朱高煦由是深恨解縉。太子既立，又失帝意，朱高煦受寵。縉又諫言：「是啟爭也，不可。」永樂帝大怒，說他離間骨肉。永樂八年（一四一〇），解縉進京奏事，順便去看太子。當時朱棣北征，朱高煦就說：「縉伺上出，私覲太子。」朱棣聽後震怒，下解縉詔獄。

二是，諫阻永樂征安南。永樂帝發兵征安南，縉諫。不聽。卒平之，置郡縣。後藉故將解縉貶到交阯。

永樂十三年（一四一五），朱棣閱看在押犯名單，見到解縉名字，對錦衣衛頭目紀綱說：「縉猶在耶？」——解縉還沒有死啊！這句話可有三種解釋：一是怎麼還不死；二是哦，還沒有死；三是沒死還可用啊。紀綱做了第一種理解，在寒冬深夜，把解縉灌醉，立在雪中，活活凍死。並籍其家，妻子宗族徙遼東。一代才俊，四十六歲悲劇謝幕，發人深思。

三殿天火

明永樂十九年（一四二一）正月初一日，在新落成的北京皇宮奉天殿（太和殿），舉行了盛大朝會，慶祝北京宮殿正式啟用。朱棣將宮廷及百官遷到北京，下詔大赦天下。

「福兮禍之所伏」——老子這句名言，飽含哲理，百試百應。正當永樂皇帝與高采烈、躊躇滿志的時候，一位高人講了一句神奇的預言。

神奇預言

事情是這樣的：永樂帝召見欽天監管時間的漏刻博士胡奫，讓他占卜三大殿吉祥。胡奫受命占卜後，跪奏道：永樂十九年（一四二一）四月初八日午時，奉天殿、華蓋殿、謹身殿三大殿會遭火焚毀。午時，是指十一點到十三點，午正是十二點。永樂帝聽

清代復建的三大殿

逛一逛

華蓋殿（中和殿）

故宮外朝三大殿之一。中和殿始建於明永樂十八年（一四二〇），明初稱「華蓋殿」。嘉靖時遭遇火災，重修後改稱「中極殿」，現其天花內構件上仍遺留有明代「中極殿」墨跡。清順治元年（一六四四），清皇室入主紫禁城，清順治二年（一六四五）改中極殿為中和殿。

奉天殿（太和殿）

俗稱「金鑾殿」，為故宮外朝三大殿之正殿，規格最高，量體最大，是紫禁城重大典禮的活動場所。建於明永樂十八年（一四二〇），清順治二年（一六四五）改稱太和殿。經四次（雷）火，八次重建、重修。是紫禁城中建築規模最大的單體木建築。

謹身殿（保和殿）

故宮外朝三大殿之一。明永樂十八年（一四二〇）建成，幾經焚毀、重建。現存主體梁架仍為明代建築。明初名為謹身殿，明嘉靖四十一年（一五六二）改稱建極殿，清順治二年（一六四五）改名保和殿。

夏原吉像

後勃然大怒，下令把這位胡博士下獄。為什麼沒有立刻殺他呢？永樂帝的意思是：到時候若三大殿安然無恙，再殺也不遲。過了正月、二月、三月，三大殿都平安無事。到四月初八這一天，永樂帝靜心地等待正午的時刻。報時官員奏報：現在是午正時刻！永樂帝既高興又憤怒——高興的是三大殿太平無事，憤怒的是胡𣽁胡言亂語，擾亂朕心、官心、軍心和民心。這時，獄卒報：見正午無火，胡𣽁在獄中服毒自殺！但正午剛過三刻，皇宮三大殿遭雷擊都著火了！（朱國楨《湧幢小品》）

三殿初成，天下初定，忽罹火災，朱棣大懼，下詔求直言（《明史·鄒緝傳》）。一些官員上疏反對遷都。永樂帝怒，殺主事蕭儀，並說：「方遷都時，與大臣密議，久而後定，非輕舉也。」命所有非議遷都官員，跪在午門外質辯。

這時有一位大臣奏曰：言官「應詔無罪。臣等備員大臣，不能協贊大計，罪在臣等」（《明史·夏原吉傳》）。這位大臣就是戶部尚書夏原吉。他把責任攬到自己這些皇帝身邊的大臣身上，給朱棣解了圍，「帝意解，兩宥之」。有些同僚不理解，埋怨他。他說：在皇帝焦躁之時，應先寬慰其心，再言治國良策。眾始嘆服。在夏原吉的擔當和調解下，這場由三大殿被燒毀引起的遷都之爭才漸漸平息。

這位尚書夏原吉並非等閒之輩。原吉早年喪父，努力學習，孝養母親。以鄉薦，入太學，選入禁中書制誥。時有諸生喧笑，原吉危坐儼然。朱元璋見了，升他為戶部主事。戶部事務非常繁忙，他都能從容處理。尚書郁新器重他，朱元璋也保護過他。建文初，夏原吉升為戶部右侍郎。

永樂帝即位，有人認為夏原吉屬建文高官，將他逮捕來獻。永樂帝不僅釋放了他，還調他任戶部左侍郎。有人說夏原吉是建文舊臣，不可信。永樂帝不聽，又升夏原吉為戶部尚書。永樂帝對夏原吉為什麼不抓反用、不降反升呢？因為他做了三件大事。

三大貢獻

第一件，用三年時間，治理蘇浙水利。浙江西部，連年水患。夏原吉奏請，巡查大禹三江入海故道，疏浚吳淞下流，上接太湖，設立閘壩，按時蓄泄。永樂帝從之，組織十餘萬民夫施工。夏原吉穿布衣，徒步指揮，日夜經劃，盛暑炎熱，不張傘蓋。他說：民夫勞苦，我能獨自舒適嗎？工程告竣，回到京師，奏報：河水雖由故道入海，而其支流未盡疏泄，非長久之計，請再施工。永樂帝批准。第二年，夏原吉浚白茆塘、劉家河、大黃浦，工竣水泄，蘇松農田大利。

第二件，作為戶部尚書，為永樂帝持家管家。凡中外戶口、府庫、田賦盈虧數據，用小簡書（卡片），揣在懷裡，隨時檢閱。一日，永樂帝問：「天下錢穀幾何？」夏元吉對答詳細具體，帝更加重視。當時，「靖難」初定，功臣封賞、分封藩王、增設官署，又發大兵定安南、造巨艦下西洋，建北京城池宮殿。供應運輸，以萬萬計，都取自戶部。夏原吉悉心籌劃，設計應付，各得所需，國用不絀。他履職九年，任期已滿，永樂帝在便殿舉行宴會，款待吏部尚書蹇義和戶部尚書夏原吉。永樂帝指著二人，跟諸大臣說：高皇帝培養賢臣給我，像古代賢臣，只此二人。

第三件，建議暫緩北征。永樂十九年（一四二一）冬，剛遷都北京，又遭遇天火，永樂帝正要大舉北征沙漠。夏原吉等說「兵不當出」。朱棣召原吉問詢，奏對：「比年師出無功，軍馬儲蓄十喪八九，災眚迭作，內外俱疲。況聖躬少安，尚須調護，乞遣將往征，勿勞車駕。」帝怒，命夏原吉去開平，又抄其家，但見「自賜鈔外，惟布衣瓦器」。結果，不到三年之後，永樂帝在北征途中病死榆木川（今內蒙古自治區多倫縣地域）。朱棣在病危時，顧左右曰：「夏原吉愛我。」消息祕傳到北京，留守的太子朱高熾急忙到監獄，哭著告訴夏原吉，令夏原吉出獄，參與喪禮，並問赦詔事宜。夏原吉提出：急賑饑、省賦役、罷造下西洋寶船，停止在雲南、交阯採辦等，都得到朱高熾批准。朱棣在生命的最後時刻，將太子交給了夏原吉。

朱高熾繼位，是為明仁宗，重新起用夏原吉。夏原吉官復原職，建第於兩京，享受少保、兼太子少傅、尚書三份薪水。因原吉固辭，乃聽辭太子少傅祿。賜「繩愆糾謬」銀章，諭以協心贊務，凡有闕失當言者，用印密封以聞。

宣宗即位，以原吉為舊輔，更加親重。宣德三年（一四二八），夏原吉隨從北巡。再受賜銀印。宣德帝雅善繪事，嘗親畫《壽星圖》及其他圖畫、服食、器用、銀幣、玩好賜給夏原吉，歲無虛日。宣德五年（一四三〇）正月，《明太宗實錄》、《明仁宗實錄》修成，復賜金幣、鞍馬。早上入朝謝恩，晚上回家而卒，年六十五。贈太師，謚忠靖。

伴君如伴虎，我前面講過慘死的大才子解縉就是明證。但是，同樣歷事太祖、建文、永樂、洪熙、宣德五朝，夏原吉卻能得以善終，就個人品性而言，他究竟有什麼過人之處呢？

三點經驗

第一，心胸開闊，善於包容。夏原吉有雅量，同列有善，即採納之；或有小過，必為之掩覆。官吏弄汙所穿的皇帝所賜的金織衣服，原吉說：「勿怖，汙可浣也。」又有汙精微文書者，吏叩頭請死。夏原吉並不問罪，而是自入朝引咎，帝命易之。呂震嘗傾原吉。震為子乞官，原吉以震在「靖難」時有守城功，為之請。平江伯陳瑄初亦惡原吉，原吉則時時稱瑄之才。有人問原吉：「量可學乎？」回答：「吾幼時，有犯未嘗不怒。始忍於色，中忍於心，久則無可忍矣。」（《明史．夏原吉傳》）

第二，謹而慎之，多思少語。嘗夜閱爰書（案宗），撫案而嘆，筆欲下輒止。妻問，回答：「此歲終大辟奏也。」又一次，與同列飲他所，夜歸值雪，過禁門，有欲不下者，原吉曰：「君子不以冥冥墮行。」其慎如此。夏原吉「雖居戶部，國家大事輒令詳議。帝每御便殿闕門，召語移時，左右莫得聞。退則恂恂若無預者」。

第三，勤勉做事，清廉做官。夏原吉身歷洪武、建文、永樂、洪熙、宣德五朝，掌管戶部二十七年，仁、宣兩朝，外兼臺省，內參館閣，與三楊（楊士奇、楊榮和楊溥）同心輔政。夏元吉管理天下錢糧、稅收，家裡沒有錢財、珍玩，惟有布衣、瓦器而已。夏原吉識大體，重團結，勤職守，能清廉，有古大臣之風烈。

第10講

永樂使者

明朝永樂年間，有一個重大文化現象，就是欽派使臣東南西北四處交流，為版圖一統，也為重開海上和陸上「絲綢之路」，做出新的貢獻。

七下西洋

宦官，不一定都是壞人，其中有壞人，也有好人，特別是有對歷史做出重大貢獻的人。本講的鄭和、亦失哈、侯顯，都是太監中對歷史有貢獻的人。

明朝三寶太監鄭和，回族，今雲南晉寧人。小時候隨父親去過麥加，後到宮裡做了太監，受到永樂帝的信任。從永樂三年（一四〇五）開始先後七下西洋。第一次，鄭和將士卒二萬七千八百餘人，乘寶船六十二艘，最大的長四十四丈、廣十八丈，從今蘇州太倉東瀏河鎮出發，經過占城（今越南）、爪哇、蘇門答臘、錫蘭（今斯里蘭卡），通使西洋（《明

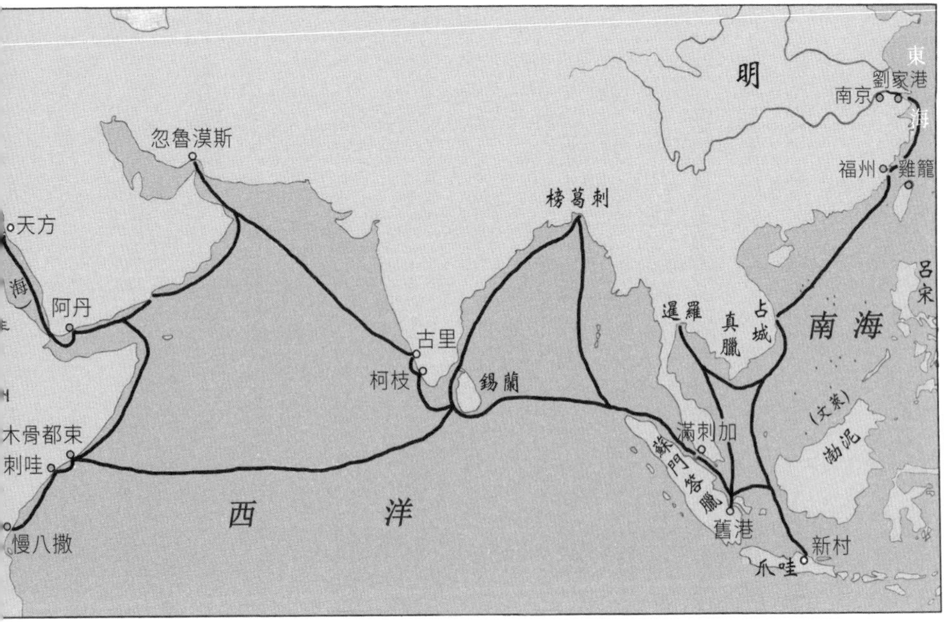

鄭和下西洋路線示意圖

史．鄭和傳》）。第二次為永樂七年（一四〇九），下西洋之前，鄭和在南京用中文、泰米爾文和波斯文鐫刻石碑，即《布施錫蘭山佛寺碑》，隨船帶到錫蘭，碑現藏該國可倫坡國家博物館，成為中斯文化友誼的象徵。其後又有四次。宣德五年（一四三〇），鄭和第七次下西洋。鄭和七下西洋，前後二十八年，經歷三十餘個國家、地域、部落，最遠到地中海、非洲東海岸。這比哥倫布、達．伽馬的大航行早半個多世紀。不僅壯大明朝國威、加強文化交流，而且是人類航海史上空前的壯舉。鄭和下西洋是明代「海上絲綢之路」的一個高潮。

在東北，明朝經過洪武、建文、永樂、洪熙、宣德四代五朝的艱苦經營，把秦始皇、漢武帝、隋煬帝、唐太宗等所沒有解決的高麗之事，完全解決。時高麗權知國事李成桂，在取得政權後，要改國號，派遣使臣，到達明朝，請求賜名。明太祖朱元璋說：「東夷之號，惟朝鮮之稱最美，且其來遠矣！宜更其國號曰朝鮮。」（《明太祖實錄》卷二二三）從此，高麗不僅改國號為朝鮮，而且開啟朝鮮國王受明清皇帝冊封的禮制，直至清季。

永樂帝於開拓東北版圖，邁越元朝，功勛尤嘉。明朝在永樂七年（一四〇九），設「奴兒干都指揮使司」（《明太宗實錄》卷九十一），並設置官員，統屬其眾，歲貢海東青、毛皮、人參、鹿茸、珍珠等物，仍設站赤傳遞。而後奴兒干都司都指揮同知康旺等來朝，「貢貂鼠皮等物，賜賚有差」（《明太宗實錄》卷一五五）。明初派太監亦失哈到奴兒干，永樂五次，宣德三次，共有八次。船由今吉林市起航，順松花江而下，到其與黑龍江匯流處（今同江），再轉順黑龍江而下，直至黑龍江入海口附近的特林（中國傳統名稱為廟街，今尼古拉耶夫斯克），全程約五千里。在奴兒干豎立兩塊石碑，碑文寫道：「永樂九年春，特遣內官亦失哈等，率官軍一千餘人、巨船二十五艘，復至其國，開設奴兒干都司。」（羅福頤《滿洲金石志》）這表明：整個奴兒干都司轄境內滿—通古斯語族的族群，均歸明朝管轄。明朝實現了對外興安嶺以南，包括庫頁島（今薩哈林島）的管轄。

亦失哈八下奴兒干的壯舉，同鄭和七下西洋的壯舉，相互媲美，彼此輝映。

奉使絕域

在西南，永樂帝派太監侯顯，前往烏思藏。永樂元年（一四〇三）四月，侯顯奉使，陸行數萬里，至四年（一四〇六）十二月，始與其僧哈立麻偕來南京。後在南京靈谷寺舉行大法會。敕封哈立麻領天下釋教，給印誥制。史載：「顯有才辨，強力敢任，五使絕域，勞績與鄭和亞」（《明史·侯顯傳》）。侯顯先後五次受派遣，前往西藏等地，為國家一統、文化交流，做出了與鄭和、亦失哈不相上下的貢獻。

在明洪武、永樂年間，朝廷多次派遣使臣通西域。如洪武二十八年（一三九五），派兵部給事中傅安出使哈烈（今阿富汗赫拉特），留在撒馬爾罕（今烏茲別克斯坦的第二大城市）十三年。當地頭目聽說永樂皇帝即位，就遣使臣同傅安等一起回到南京，並進貢方物（《明太宗實錄》卷六十八）。此後，明廷派吏部員外郎陳誠等先後五次出使西域。

洪武二十九年（一三九六）三月，遣行人陳誠往西域撒里畏兀兒為安定衛指揮使司。是為第一次。

永樂十一年（一四一三），遣太監李達、吏部員外郎陳誠等往哈烈。是為第二次。此

明人繪《大明混一圖》

行，途經西域哈烈、撒馬爾罕、八答商、迭里迷、沙鹿海牙、塞藍、渴石、火州、吐魯番、失剌思、俺都淮等國（部），各遣使貢文豹、西馬、方物。回朝後，陳誠「上《使西域記》，所歷凡十七國，山川、風俗、物產悉備焉」。此書流傳至今。

看一看

哈烈

又譯稱黑魯，今阿富汗城市赫拉特，離嘉峪關一一九〇〇里。據《明史·地理志》統計：北京距西安二六五〇里，西安距甘州二六四五里，甘州距肅州五一〇里。合計約五八〇五里，再加嘉峪關到哈烈一一九〇〇里，從北京到哈烈總計約一七七〇五里，往返一次約三五四一〇里。

翌年，遣中官魯安、郎中陳誠等賚敕，隨撒馬爾罕等朝貢史臣偕行。是為第三次。翌年隨哈烈、撒馬爾罕的貢使回到北京。陳誠因西行之勞，受封為廣東布政司右參議。

永樂十八年（一四二〇），命廣東布政司右參政陳誠同中官郭敬等，往哈烈諸國敕所賞彩幣等物。是為第四次。

永樂十九年（一四二一），再遣中官魯安、郎中陳誠等賚敕偕行，往哈烈、撒馬爾罕等處頭目賜文綺等。是為第五次。

陳誠先後五使西域、一使安南（越南），不遠萬里，經歷千辛萬苦，不受友邦黃金白銀饋贈，清廉儉素，品格高貴。

綜上，在《明史》記載中，鄭和八百餘字，侯顯四百餘字，亦失哈只見附傳裡七十五字（只記其過而不書其功），陳誠官從五品的員外郎升為從四品的布政使右參議，二十年間僅升一品，且《明史》無傳。為此，明朝沈德符發出不平的感慨。重言輕行、重用輕褒是二十四史的一個通病。

第11講

永樂宮案

皇宮後宮深深，留下許多遺案。永樂帝朱棣在位二十二年，發生多起宮案。我先從徐皇后說起。

賢惠徐后

徐皇后是明朝開國元勛徐達的長女，自幼貞靜，喜好讀書，稱女諸生。朱元璋聽說此女賢慧淑靜，召她父親徐達說：「朕與卿，布衣交也。古君臣相契者，率為婚姻。卿有令女，其以朕子棣配焉。」徐達頓首謝。

洪武九年（一三七六），冊為燕王妃。她頗得婆母馬皇后喜歡，跟隨燕王到北平後，馬皇后死，守喪吃素三年，恪守禮節。馬皇后遺言，全能背誦。

明成祖徐皇后像（臺北故宮博物院典藏）

永樂帝的長陵明樓

燕王兵起，率軍往攻大寧，朝廷派李景隆乘虛圍北平。這時世子朱高熾居守，要事多稟命於母親。景隆攻城急，城中兵少，燕王妃激勸將校士民妻，都授鎧甲，登陴拒守，城得以保全。

燕王即位，冊為皇后。徐后說：「南北每年戰鬥，兵民疲敝，宜與休息。」又說：「當世賢才都是高皇帝遺留的，陛下不宜分新臣舊臣。」還說：「帝堯施仁，自親開始。」永樂帝都採納。徐皇后之弟徐增壽曾以內情密報燕王，為建文帝所殺。皇帝要贈爵位，徐后力言不可。帝不聽，竟封定國公，命其子景昌襲，告訴皇后。徐后說：「非妾志也。」終不謝。徐后曾說：漢、趙二王性不順，身邊的官員應選朝臣兼任。一天，后問：「陛下，誰與您治國？」帝答：「六卿理政務，翰林職論思。」徐后便請召見他們的夫人，賜冠服鈔幣。並說：「婦之事夫，豈止飲食衣服，必有助焉。朋友之言，有從有違。夫婦之言，婉言勸說，容易接受。我旦夕侍上，惟以生民為念，你們共勉之。」曾採〈女憲〉、〈女誡〉作〈內訓〉二十篇，又選編古人嘉言善行，作《勸善書》，頒行天下。

永樂五年（一四〇七）七月，徐后病危，惟勸永樂帝——愛惜百姓，廣求賢才，恩禮宗室，毋驕畜外家。又告皇太子：「過去北平將校妻為我荷戈城守，不要忘記賞賜體恤。」不久崩，年四十五。永樂帝悲慟，營建陵寢，埋葬皇后於長陵，後來不再立皇后。

永樂帝的后妃，《明史．后妃傳》僅記載三人，實際上卻是妻妾成群，到底有多少，誰也說不清。他最喜愛的徐皇后、王貴妃、權妃三位，都先他而死。永樂帝有四子、五女，都出生在他奪取帝位之前。

看一看

長陵

位於北京市昌平區天壽山中峰之下，為明十三陵的第一陵，也是主陵。陵內安葬明成祖朱棣和徐皇后。長陵於永樂七年（一四〇九）開始修建，永樂十一年（一四一三）初步建成。長陵的享殿是陵中主要建築，坐落在高三的三層臺基上，為九五之尊大殿，形制與太和殿相仿。

朱棣後宮裡有不少從朝鮮選來的妃子。永樂六年（一四〇八），太監黃儼奉旨到朝鮮，向其國王宣諭皇帝請國王選擇「生得好的女子」進獻。於是朝鮮召「進獻色」機構，專管採進良家十三歲到二十五歲童女，怨聲盈庭，哭聲載路。有知州事權文毅，他的女兒頗具姿色，黃儼知道後要速見，權文毅推托說女兒有病。黃儼發怒，訴於國王。於是文毅獲罪入獄。最後，黃儼等在近百名佳麗中選出五人。

被選中的五名朝鮮童女為：工曹典書權執中之女，十八歲；仁寧府左司尹任添年之女，十七歲；恭安府判官李文命之女，十七歲；護軍呂貴真之女，十六歲；中軍副司正崔得霏之女，十四歲。她們與從者使女十二名、火者（太監）十二名，一同被送往北京。上路之日，她們的父母哭聲載道，與女兒道別。她們進宮後分別被冊封，權氏為賢妃，任氏為順妃，李氏為昭儀，呂氏為婕妤，崔氏為美人。她們的父兄也都被授予了官職。

永樂帝最寵愛的權妃，不僅長相好看，還善於吹簫。朱棣見到她，問她有何所長。她拿出隨身攜帶的玉簫吹奏，窈渺多遠音，朱棣大為高興，立刻把她選拔在眾妃中。宮中的女官王司彩（司彩是掌管儲藏緞疋的官），朱棣曾命她與權妃同輦而行，她很熟悉權妃，曾寫宮詞歌詠道：「瓊花移入大明宮，旖旎濃香韻晚風。贏得君王留步輦，玉簫嘹亮月明中。」在進宮之初，權妃以玉笛和容顏吸引朱棣；之後更善於伺候朱棣用膳進酒。權妃伺候的酒飯很對朱棣的口味，所以就連出征北邊也帶權妃同行。朱棣說她「凡進膳之物，惟意所適」。朱棣喜歡吃朝鮮出產的蘇魚、紫蝦、文魚，但好景不長。永樂十年（一四一二），在永樂帝北征凱旋途中，權妃竟死於臨城（今在山東省棗莊市一帶）。朱棣將她葬在嶧縣，打算將來把她遷葬在徐皇后陵中。在對權妃哥哥授升餉時，朱棣不禁含淚傷嘆，悲痛得說不出話來。

永樂帝晚年，身體欠佳，脾氣暴躁，發作起來，後宮遭殃，如著名的「二呂案」。

二呂之案

權妃為什麼突然死去？事情揭露於四年之後。一天權妃宮女與呂美人吵架時揭短說：呂美人因爭風吃醋，串通宦官，從銀匠家裡買了砒霜，放在權妃的胡桃茶裡，將她毒死。永樂帝得知此情，頓時暴怒，將有關宮女、宦官、銀匠等處死。呂美人，則命用烙鐵烙她，折磨一個月後，才將她殺死。這起案件，株連廣泛，被殺者數百人，還命朝鮮王廷將呂美人的母親抓來殺了。

其實，這是一樁冤案。原來宮裡有兩位姓呂的美人。兩位呂美人之間，也互相爭風吃醋。權妃猝死，呂美人甲便乘機誣告呂美人乙毒死了權妃，鑄成了這樁慘案。

這件宮案之後，朱棣的後宮又發生一個案子。

呂美人甲和宮人魚氏行為不檢點，與宦官私通。呂、魚二人知道隱祕泄露，竟然懼罪自縊。永樂帝認為壞事都因呂氏所起，便把呂美人甲的侍婢都拘來審訊。這些侍婢不勝拷問，便胡說八道，說是要謀殺永樂皇帝。於是一場刑殺大禍，鋪天蓋地而來。永樂帝愈是濫殺，愈覺得問題嚴重。宮內宮外，上上下下，彼此揭發，互相牽連，女子連娘家，親戚連友人，被連坐殺者竟達兩千八百人！這時朝鮮諸女大都被殺，只有崔氏因在南京得以倖免。慘殺開始時，韓氏被幽閉在空室，好幾天不給飲食。守門宦官可憐她，有時在門口放些吃的，因而沒有餓死。但她的從婢全部被殺了。韓氏的乳母金黑也被囚於獄中，事後才得赦免。

朱棣寵愛的權貴妃死，這讓他更加肆無忌憚，喪心病狂，成為一個虐待狂、殺人魔王。他讓畫工把呂美人甲與小宦官相抱的情景畫下來。每次處死宮人時，他都要「親臨剮之」。

在永樂帝瘋狂殺人時，一場天火將奉天（太和）、華蓋（中和）、謹身（保和）三大殿燒毀。永樂帝對外發布詔書，表示自責，但對內的殺戮沒有停止。

後來，又發生了「殉葬案」。

殉葬慘案

歷史上部落酋長、帝王死後的生人殉葬，事例之多，不勝枚舉。但到了明朝，已經進入十五世紀，竟然在皇宮還有黑暗的殉葬制。明清皇帝死後妃嬪殉葬，最為殘酷的是永樂帝。據史書記載：

> 及帝之崩，宮人殉葬者三十餘人。當死之日，皆餉之於庭。餉輟，俱引升堂，哭聲震殿閣。堂上置木小床，使立其上，掛繩圍於其上，以頭納其中，遂去其床，皆雉經而死。韓氏臨死，顧謂金黑（麗紀韓氏乳母）曰：「娘，吾去！娘，吾去！」語未竟，旁有宦者去床，乃與崔氏俱死。（《李朝世宗大王實錄》六年十月戊午）

這是一幅慘絕人寰的生人殉葬的黑暗圖畫。三十多位妃嬪、宮女等，臨死之前，被集合在乾清門內庭院的案桌前，已擺好了送行宴席，被賞一頓酒飯；而後，被引向停放大行皇帝朱棣梓宮（棺槨）的乾清宮內，立在案旁啜泣。這時大堂已安設許多小木床，殉葬的妃嬪在床上立著，放聲大哭，聲震殿堂（查繼佐《罪惟錄．皇后傳》）。她們被迫把頭伸進吊好的繩套裡，站在旁邊的宦官將床一撤，這些宮人便「升天了」！就連最受寵愛的韓氏和崔氏也在其中。韓氏臨死前，呼喊著自己的乳母說：「娘，我去了！娘，我去了！」喊聲未絕，床已撤去。殉葬者家屬被稱為「天女戶」，受到優恤，父兄升官，輩輩世襲。

明朝太祖、成祖、仁宗、宣宗四朝都殉葬。景帝以郕王死，也有殉葬，各藩王都是如此，直到英宗遺詔，始罷除宮妃殉葬。

永樂三子

永樂帝朱棣有四個兒子，徐皇后生長子朱高熾，洪武十一年（一三七八）生於中都鳳陽，次子朱高煦，生於洪武十三年（一三八〇），三子朱高燧，生於洪武十五年（一三八二），次子和三子都生於北平燕王府，三個兒子都相差兩歲。另一子早死，生母不詳。他們同胞三人，一起長大，又一起從燕王府中都、南京到北京。朱棣起兵奪位，為明朝藩王軍事政變開了先例。他的三個兒子的「世子」、「太子」、「天子」之位爭奪，上演了骨肉相殘、魚死網破的家國悲劇。

爭奪世子

長子朱高熾自小端重沉靜，言動有序。稍長習射，發無不中，又好學問，深受爺爺朱元璋的喜愛。次子朱高煦性凶悍，言行輕佻，不肯讀書，為爺爺厭惡。洪武二十八年

（一三九五），朱元璋冊封朱高熾為燕王世子，這一年，他十七歲。

兄弟三人都經歷過一場生死煉獄。洪武三十一年（一三九八）朱元璋去世。各地藩王們得知皇父駕崩，都趕往京師奔喪。燕王朱棣到達淮安時，受到朝廷使臣的阻攔，遂派三個兒子趕赴京師。朱棣回到北平後，暗自準備起兵奪位，但三個兒子還留在京師。直到將近一年之後，這三個兒子才回到燕王府。二子高煦暗盜舅父徐輝祖的良馬，奔馳趕回。

靖難師起，朱高熾奉命以世子居守北平。在朱棣起兵的四年中，他曾經和母親徐皇后、道衍（姚廣孝）等一起，以萬人頂住李景隆五十萬眾攻城，北平賴以全城。

老二朱高煦則跟從朱棣，護侍左右，爭當先鋒。一戰白溝河，朱棣被包圍，危在旦夕。高煦率精騎數千，直前衝突，救出朱棣。二戰東昌，朱棣隻身敗走，高煦引師突至，擊退南軍，解救朱棣。三戰舅父徐輝祖，時朱棣兵大敗，高煦驅騎奔來，朱棣大喜曰：「吾力疲矣，兒當鼓勇再戰！」高煦麾騎力戰，打敗南軍等。朱棣屢臨險境，轉敗為勝，高煦功多。高煦以此自負，恃功驕傲，心懷異志，多為不法。

朱高熾還曾受到建文帝的離間。建文帝派人到北平賜世子書，世子高熾不啟封，立馬馳報朱棣。而太監黃儼先潛報燕王曰：「世子與朝廷通，使者至矣。」很快世子所遣使到，燕王朱棣開啟呈書，嘆道：「差點兒殺了我的世子！」

爭奪太子

燕王朱棣稱帝，命長子朱高熾居守北京，但沒有立太子。太監和朝臣形成兩股力量，煽風點火，互不相讓。特別是高煦、高燧，都有寵於朱棣。本來高煦就自恃從軍有功，朱棣也暗許他做太子；而太監黃儼又同老三高燧結黨，陰謀奪嫡——兩面都說世子的壞話。世子朱高熾是怎樣對待兩個弟弟及其黨羽的陰謀呢？有人問朱高熾：「亦知有讒人乎？」曰：「不知也，吾知盡子職而已。」高熾就是四個字：不為所動。他以「誠敬」獲得最後勝利。自然，他也得到朝中大臣的支持，如解縉就曾力挺他。

經過短暫的猶豫，朱棣於永樂二年（一四〇四），召長子朱高熾從北京到南京，立為皇太子。這一年，朱高熾二十六歲。並封二十四歲高煦為漢王，二十二歲高燧為趙王。從此，皇父六次北征，都由太子監國。四方水旱災荒，太子處置得當，仁聲傳布四方。

朱棣立朱高熾為太子的同時，安排朱高煦封藩於雲南。朱高煦曰：「我何罪！斥萬里。」不肯行並力請到南京。朱棣不得已，應允。

永樂三年（一四〇五），太子高熾京師監國，次子高煦隨父出征，三子高燧據守北京。高燧恃寵，多行不法，又與漢王高煦謀奪嫡，時時譖太子。永樂七年，帝聞其不法事，大怒，誅其長史顧晟，褫高燧冠服，以太子力解，得免。另選擇兩位老師教育，高燧稍有收斂。

但是，永樂帝聽到讒言多了，有時也有猜疑。而且朱高熾成年後，體態很胖，無法弓馬，令朱棣很不滿意。而高煦長七尺餘，輕趫善騎射，兩腋若龍鱗者數片。既負其雄武，又每從北征，在朱棣左右，到永樂十年（一四一二）北征還，朱棣便以太子遣使後期，且書奏失辭為由，悉懲太子宮官黃淮等下獄。

永樂十三年（一四一五）五月，朱棣將高煦改封青州，其又不欲行。祖始疑之，賜敕曰：「既受藩封，豈可常居京邸！前以雲南遠憚行，今封青州，又托故欲留侍，前後殆非實意，茲命更不可辭。」然高煦遷延自如。私選各衛健士，又募兵三千人，不隸籍兵部，縱使劫掠。兵馬指揮徐野驢擒治之。高煦怒，手執鐵瓜撾殺野驢，眾莫敢言。遂僭用乘輿器物。朱棣聞之大怒。永樂十四年（一四一六），朱棣還南京，盡得其不法數十事，切責之，褫冠服，囚繫西華門內，將高煦廢為庶人。高熾涕泣力救，乃削兩護衛，誅其左右狎昵諸人。明年三月徙封樂安州（樂安州，今在山東省東營市廣饒縣一帶。永樂十五年，漢王府遷於此。宣德元年廢。西南距府城兩百四十里），趣即日行。高煦至樂安，怨望，異謀益急。高熾數次寫信勸誡。

永樂十六年（一四一八），黃儼等復譖高熾擅赦罪人，宮僚多坐死者。侍郎胡濙奉命察之，密疏高熾誠敬孝謹七事以聞，朱棣才算了事。

二十一年（一四二三）五月，朱棣有疾。護衛指揮孟賢等結欽天監官王射成及內侍楊慶養子造偽詔，謀進毒於帝，俟晏駕，詔從中下，廢太子，立趙王高燧。總旗王瑜姻家高以正，為孟賢等謀劃，謀定告王瑜。王瑜將此事告訴朱棣，朱棣說：「豈應有此！」於是立捕孟賢，得為偽詔。孟賢等皆伏誅，提拔王瑜為遼海衛千戶。朱棣回頭問高燧：「是你幹的不？」高燧大懼，不能言。高熾力為之解曰：「這肯定是手下人幹的，高燧一定不知情。」自此，高燧有所收斂。

爭奪天子

永樂二十二年（一四二四）七月，朱棣崩於榆木川。遺體送回皇宮的仁智殿。四十七歲的太子朱高熾繼位，是為仁宗洪熙皇帝。

仁宗繼位後，對弟弟高煦顧益厚遇。遺書召至，增歲祿，賜賚萬計，仍命歸藩。封其長子為世子，餘皆郡王。朱高煦和他的兒子朱瞻圻素來不和。朱瞻圻怨父殺其母，屢次揭發其父過惡。而高煦入朝，也悉數將其子瞻圻在朱棣去世後，在北京前後覘報中朝事。仁宗借此機會命瞻圻守鳳陽皇陵。這就削弱了高煦的力量。

仁宗在位不到一年，崩於欽安殿，年四十八。太子朱瞻基繼位，是為宣宗。高煦、高燧覬覦皇位並沒有因此而結束。

宣德元年（一四二六）八月，高煦反叛。在山東立五軍、命官員、放兵器、備馬匹。又遣親信枚青等潛至京師，約舊功臣為內應。御史李浚偷偷到京師報告。

宣德帝遣中官侯泰賜高煦書。侯泰至，高煦盛兵見侯泰，南面坐，大言曰：「永樂中信讒，削我護衛，徙我樂安。仁宗徒以金帛餌我，我豈能鬱鬱居此！汝歸報，急縛奸臣夏原吉等來，徐議我所欲。」接著，高煦遣百戶陳剛進疏，更為書與公侯大臣，多所指斥。

宣德帝嘆曰：「漢王果反。」於是，御駕親征，直搗漢王大本營樂安，圍城，勸降。朱高煦本來對他這個姪子就有些發怵，聽說新帝親征，非常害怕。「乃密遣人詣行幄，願假今夕訣妻子，即出歸罪。帝許之。是夜，高煦盡焚兵器及通逆謀書。」第二天，高煦潛從間道出見宣德帝，頓首言：「臣罪萬萬死，惟陛下命。」廢高煦父子為庶人，築室西安門內加以禁錮。後高煦及諸子相繼死。事後，宣德帝殺了此案牽連的兩千八百餘人。

第二年，朱瞻基派妹夫袁容將有關事項通知高燧。高燧大懼。四年之後就死了。

逛一逛

仁智殿

明代永樂年間建紫禁城時所建宮殿，俗稱白虎殿。明代時是皇帝駕崩後停放靈柩的地方，也是宮廷畫士作畫的地方。清代改為內務府署所在地及造辦處各作坊。

永樂帝兩個兒子漢王與趙王反叛朝廷，有兩點值得借鑒：

其一，永樂帝立太子，寵溺其餘兩子，教育不嚴，猶猶豫豫，患得患失，導致身後皇權動搖。

其二，「打鐵還要自身硬」。朱高熾面臨危境，孝敬父皇母后，禮待兩弟，王妃誠篤，兒子優秀為「好聖孫」，善待大臣，仁愛施政，博得上下好評。特別是培養了一位好兒子繼位。如永樂帝曾命朱高熾同朱高煦謁孝陵，朱高熾身體肥重，且有足疾，兩太監扶掖行走，失足，差點摔倒。高煦在後面說：「前人蹉跌，後人知警。」

這時皇太孫朱瞻基在後，隨即應聲道：「更有後人知警也。」高煦回頭一看大驚失色。後來，也正是這位「皇太孫」朱瞻基解決了漢王、趙王叛亂的難題。

逛一逛

明朝皇家給男孩起名字，很有講究。朱元璋為其兒孫們起名，希望朱明代代相傳，子子孫孫，無窮無盡。因此，給每個兒子後代選了二十個字，每代用一個字。如太子朱標後代用「允文遵祖訓，欽武大君勝，順道宜逢吉，師良善用晟」；燕王朱棣後代用「高瞻祁見祐，厚載翊常由，慈和怡伯仲，簡靖迪前猷」。名字第二個字，按木、火、土、金、水五行排序選字。朱元璋兒子的名字都從木，為木字旁；因木生火，孫子名字都從火，為火字旁；而火生土，曾孫一代名字從土，為土字旁；然後土生金，再下一代名字從金；金生水，後面一代從水；然後再從木，又開始一輪，周而復始。

這只是朱元璋的美好願望，實際上明朝傳了十三代十六帝。明朝延續兩百七十六年，最終滅亡。這「木、火、土、金、水」，也只轉了兩圈。比如，明末崇禎帝朱由檢，他的「由」字，在朱棣後代起名字的二十個字中才排到第十個字，「檢」字從木字旁，以「木、火、土、金、水」起名轉了兩圈，又轉到以木字旁來起名。這些規定在《大明會典》中有記載。

第13講

立斬國師

永樂帝於永樂二十二年（一四二四）七月十八日病死榆木川，因六師在外，祕不發喪。每日三餐，照常進膳。龍轝日夜兼行，路上二十二天，八月初十日，永樂帝遺體運到北京，安放在皇宮仁智殿，入殮蓋棺。皇太子朱高熾繼位，年四十七歲，改年號為洪熙，這就是洪熙帝。洪熙元年（一四二五）五月，朱高熾在位不到十個月，就病死在皇宮欽安殿。這時，皇太子朱瞻基在南京，急忙趕回北京，繼承皇位，年二十八歲，年號宣德，這就是宣德皇帝。宣德帝登極不久，就要立斬御史李時勉。

這是為什麼呢？話要從洪熙帝遺言和宣德帝繼位說起。

欽安殿

逛一逛

欽安殿

位於故宮御花園正中，南北中軸線上。始建於明代，嘉靖十四年（一五三五）開始修建城垣，自成格局。殿內供奉玄天上帝，清朝每年元旦，皇帝在此拈香行禮。

洪熙遺言

宣德帝剛繼承皇位，就在朝廷會議上，要立斬御史李時勉。這是為什麼呢？李時勉是個什麼樣的人呢？

李時勉（一三七四～一四五〇年），江西省安福縣人。家境非常貧寒，童年讀書時，天氣陰濕寒冷，他在身上裹著被子，兩腳放在熱水

李時勉像

桶裡取暖，堅持讀書，吟誦不已。永樂二年（一四〇四）中進士，年三十歲，選庶吉士，後官翰林侍讀、御史。

李時勉身任御史，為人正直，敢說真話，因言獲罪，遭到四大磨難。

永樂第一難。永樂十九年（一四二一），北京皇宮的奉天殿（今太和殿）、華蓋殿（今中和殿）、謹身殿（今保和殿）發生大火。三殿全毀，永樂帝下詔，徵求直言。知道永樂帝心情不好，非常鬱悶，諸位大臣都很謹慎，不敢吭聲，但李時勉上疏，列出十五件事，指陳弊端，諫議糾正。其中一條是說，不該營建北京宮殿；

另一條說，遠方來進貢的人不應成群結夥居住在京師。這兩條，觸犯了永樂帝的神經，他臉色陰沉，很不高興，就把這份奏章扔在地上。過一會兒，永樂帝冷靜了些，說再看看其他幾條說了些什麼，讓太監從地上撿起奏章給他接著看，覺得有些說得對，也有道理，採納許多。不久，李時勉因被誣告，打入監獄。關了一年多，才獲釋出獄，官復御史原職。李時勉一難剛完，另一難又起。

洪熙第二難。永樂帝死後，兒子朱高熾繼位，改年號為洪熙。洪熙元年（一四二五），李時勉再次上疏。洪熙帝看了之後暴怒，滿臉紅漲。把李時勉招到便殿，批評他，指責他，但李時勉不屈，並進行辯論。洪熙帝命武士們，將李時勉撲倒在地，用「金瓜」——金色瓜形擊打兵器，痛打李時勉，打斷了三根肋骨，拽出殿外，幾乎死掉。第二天，命李時勉為交阯道御史，並懲罰他：每一天必須審理一名囚犯，每天必須奏一件重要事情。到第三天，李時勉上第三封奏章時，又被下錦衣衛監獄。這時，同僚們都認為李時勉是死定了，出不了監獄。但是，李時勉曾對錦衣千戶某人有恩，這位千戶恰好到監獄得知此事，就祕密召來醫生，精心治療，使他得以不死。是為李時勉第二難。

但是，洪熙帝臨終前，留下一句話，成為我在開頭說的要立斬李時勉的原因。洪熙帝臨終前說了什麼，怎麼會引起宣德帝發那麼大的火，要立斬時勉呢？

立斬時勉

上面講到，宣德帝繼位後，李時勉遭遇人生第二次大難。洪熙帝病危，跟戶部尚書夏原吉說：「時勉廷辱我。」李時勉在朝廷上羞辱我。說完，大怒，當晚駕崩。這句「遺言」，造成了李時勉的第三難。

宣德第三難。宣德帝聽說李時勉得罪先帝皇父的事，大為震怒，立命使者：「縛以來，朕親鞫，必殺之。」意思是把李時勉抓著捆綁帶來，我要親自審訊，一定要殺了他！命令下達後，宣德帝氣不僅未消，反而更加暴躁——又令錦衣衛王指揮，立即去捆綁李時勉，押到西市（刑場）斬首，不必來見。

事情也巧。王指揮出的是端門的西旁門，而前使者已綁縛李時勉從端門東旁門入，兩個人一個從西門出，一個從東門進，一進一出，沒有碰見。這時，前使者押著李時勉走來。宣德帝迫不及待，高聲罵道：「爾小臣，敢觸先帝！疏何語？趣言之。」你小子，膽敢觸犯先帝，都說了些什麼，快說給我聽。李時勉叩頭說：「臣言諒暗中不宜近妃嬪，皇太子不宜遠左右。」宣德帝聽後，氣消了些，讓他全說了。李時勉回答道：「臣惶懼不能悉記。」又問：「草安在？」（草稿在哪裡？）李時勉曰：「焚之矣。」（我給燒了！）宣德帝嘆息，稱讚李時勉忠心，立命赦免，官復侍讀原職。等王指揮回來，見李時勉已冠帶整齊地站在殿前。是為李時勉第三難。

逛一逛

端門

位於天安門內、午門之前的一道城門。明初期所建，下面有五個門，上面建有城樓，重檐歇山頂，面闊九間，進深五間。端門朝房以北，東邊是太廟右門，西邊是社稷左門。龍脈口四門分別為中華門、端門、長安左門和長安右門。

說到這裡，我插個故事。李時勉參與修纂《明成祖實錄》告成，遷侍讀學士。宣德帝到史館，撒金錢賞賜諸學士。諸學士都俯身拾取，唯獨李時勉正立不屈。宣德帝便取出餘下的錢賜給他。後他參與修《明宣宗實錄》成，升內閣學士，兼經筵講官。

宣德帝死了之後，兒子朱祁鎮繼位，改年號為正統，這就是正統帝。李時勉在正統朝遇到第四次災難。

正統第四難。正統六年（一四四一）李時勉為國子監祭酒，就是國家唯一一所大學的校長。這個職務，級別不算高（局級），品級也不高（五品），但社會地位、學術地位、政治影響都非同一般。正統帝九歲登極，他奶奶——老太皇太后健在，管教嚴，他也算聽話。正統七年（一四四二），太皇太后崩駕後，幾位輔政大臣年老退休，這時大太監王振掌握大權，任意擺布十六歲的小皇帝。這時李時勉又倒楣了。

李時勉為官正直、清廉，從不向王振奉承、行賄。王振記恨在心，借機找碴，進行打擊。一件小事被王振利用：國子監彝倫堂前，古松柏樹旁枝下垂，妨礙師生走路，祭酒李時勉下令修剪。一天，王振到國子監知道此事，借題發揮，上綱上線，誣奏：李時勉擅伐官樹入家。王振假借聖旨派錦衣衛到國子監，當時時勉正在閱生員考卷，立即被押到院裡，在師生前，戴枷示眾。時值酷暑，天氣炎熱，戴枷三日，苦不堪言。千餘生員跪在皇宮前請願——「諸生圜集朝門，呼聲震徹殿庭。」助教李繼感於李時勉舊恩，請於太后的父親孫忠——正好孫忠過生日，太后派人到娘家賀壽。孫忠將這件事附奏太后，太后跟皇帝說了。原來皇帝根本不知此事，命立刻釋放李時勉。是為李時勉第四難。

善有善報

俗話說：「善有善報。」正統九年（一四四四），正統帝到國子監視學。李時勉進講《尚書》，辭旨清朗，氣宇軒昂，皇帝大悅。

李時勉在國子監受到敬重——英國公張輔及諸侯、伯奏請，到國子監聽祭酒李時勉講課。李時勉升師席，諸生以次立，講「五經」各一章。講畢，設宴，諸侯、伯謝讓道：「受教之地，當就諸生列坐。」他以學生身分入座。諸生歌〈鹿鳴〉之詩，賓主雍雍，盡暮散去。

李時勉過了年齡，請求退休，連疏三年，方才允准。朝臣及國子監師生三千人，在都城門外為之祭酒餞行。還有的遠送登舟，船啟航後，師影漸遠，方才離去。

景泰元年（一四五〇），李時勉病故，年七十七。李時勉一生，蒙四難，歷五朝，為祭酒六年，訓勵嚴格，學風醇正，督令讀書，燈火達旦，吟誦聲不絕。他教育學生：重誠正，崇廉恥，抑奔競（套關係），別賢否，培養出一批傑出人才。貧窮生員，不能婚葬，他節省餐錢，給予補助。

李時勉的一生，屢屢度過難關，每每逢凶化吉，為什麼？《明史》史官評價李時勉說：「方廉清鯁，表範卓然。」又說：「以直節重望，為士類所依歸者，莫如時勉。」（《明史·李時勉傳》）以正直和氣節獲得很高威望，成為士人的楷模，沒有比得上李時勉的。

五全皇后

在明清五百多年宮廷史上，作為一名宮中女子，一步步從世子妃、太子妃、皇后、皇太后直到太皇太后的只有一人，這就是洪熙帝的張皇后。她是朱元璋的孫媳婦、朱棣的兒媳婦、洪熙帝朱高熾的皇后、宣德帝朱瞻基的生母、英宗朱祁鎮的祖母。我給她起個代稱，叫作「五全皇后」。

張氏，出生於河南永城的一戶普通人家。父張麒，因女兒被封為燕王世子妃，授兵馬副指揮，死後追封彭城伯。

張氏嫁給燕王長子朱高熾後，因為朱高熾為世子，即被皇爺爺朱元璋封為燕王世子妃；後朱高熾為太子，即被皇父朱棣封為太子妃；朱高熾為皇帝時，被冊為皇后。長子朱瞻基繼位做皇帝時，她被尊為皇太后；後長孫朱祁鎮繼位做了皇帝，她又被尊為太皇太后。可以看出，張氏的「五全」，是依賴做皇帝的爺爺、公公、丈夫、兒子、孫子五代敕封得來的。這樣的福氣，需要天合、地合、人合、己合（自身的修煉）。先從世子妃說起。

世子之妃

洪武二十八年（一三九五），明太祖朱元璋封燕王長子朱高熾為燕世子，其妻張氏被封為世子妃。身為世子妃，張氏的最大貢獻是生了三個兒子：長子朱瞻基、三子越王朱瞻墉、五子襄王朱瞻墡。連續幾位孫子的出生，使燕王對世子和世子妃非常滿意。特別是在長孫出生前夕，燕王朱棣夢見明太祖授他大圭（寶玉）並說：「傳之子孫，永世其昌。」剛滿月，祖父燕王見了小瞻基，說：「兒，英氣溢面，符吾夢矣。」意思是孫子瞻基英氣滿面，符合我做的夢。

在燕王起兵的戰爭歲月，世子妃張氏陪伴世子朱高熾、婆母徐妃等，堅守北平。在守北平的陣列裡，為公公奪得皇位做出重要貢獻。

永樂二年（一四〇四），朱棣封長子高熾為皇太子、張氏為太子妃。身為太子妃，她首先是操婦道賢惠，博得公婆喜歡。丈夫多次被小叔漢、趙二王所離間，他們揚言「太子身體肥碩，不能騎射」。一天，朱棣與徐后在內苑小宴，太子高熾隨侍。朱棣見到他後，臉上變了顏色，又唾又罵，直指張妃對高熾說：「此佳婦，他日當承我家，脫微此，

明仁宗張皇后像（臺北故宮博物院典藏）

廢爾久矣。」張氏連忙起身叩頭謝恩。過了一會兒，張氏就從宮廷廚房裡端出親手做的湯餅，呈奉給公婆。朱棣和徐皇后又歡喜又感動，就招呼高熾與張氏同飲，盡歡而散，太子因此得以不廢（程嗣章《明宮詞》）。

既然太子因肥胖惹怒了皇父，張氏遂精心幫助太子減肥：一是控制飲食，二是督促騎馬射箭（《明史·后妃傳》）。這就是民間常說的「管住嘴，邁開腿」。無論監國，還是伴駕，張氏始終陪伴朱高熾，朱高熾以「后故，得不廢」，驚險保住了太子之位。

張氏還精心養育兒子。永樂九年（一四一一）長子瞻基剛成年，便被封為皇太孫。永樂十一年（一四一三）端午，朱棣率諸王大臣在東苑射柳，文武群臣、各國使臣、京城耆老都來觀看。皇太孫朱瞻基連連射中，讓朱棣感到臉上有光。據說還故意當眾給朱瞻基出題道：「萬方玉帛風雲會。」朱瞻基叩頭對道：「一統山河日月明。」（沈德符《萬曆野獲編補遺．宣宗擊射》）這更足以使朱棣炫耀了。皇太孫朱瞻基既有祖父朱棣的英武，又有父親高熾的睿智。逐漸地，他在朱棣的心目中完全取代了覬覦太子之位的漢王和趙王。

皇后太后

朱高熾繼承皇位僅一年，便病死於皇宮欽安殿，才四十八歲。所以張氏作為皇后，也僅僅一年。她在這一年中，中外政事，莫不周知，協助洪熙帝調整治策和治理朝政。

在不到一年的時間裡，兩任皇帝先後去世，長子朱瞻基繼承皇位，正當二十八歲年華。張氏為皇太后，她留用了永樂、洪熙時期老臣，形成可靠的內閣，軍國大議多稟聽裁決，輔佐年輕的皇帝穩定政局。閣臣英國公張輔，尚書蹇義、夏原吉，大學士楊士奇、楊榮、金幼孜、楊溥請見行殿。太后慰勞之，且曰：「爾等先朝舊人，勉輔嗣君。」後來宣

明仁宗朱高熾像（臺北故宮博物院典藏）

德帝對楊士奇說：「皇太后謁陵還，道汝輩行事甚習。言輔，武臣也，達大義。義，重厚小心，第寡斷。汝克正，言無避忤，先帝或數不樂，然終從汝，以不敗事。又有三事，時悔不從也。」（《明史．后妃傳》）表達對閣臣的信任。

這時，明朝自朱元璋奠定基業，已經六十多年，海內寧泰，國力充裕，政治穩定，史稱「永宣之治」。年輕英武的宣德帝，史稱「太平天子」，能文能武，對皇太后張氏非常孝順，入奉起居，出奉遊宴，四方貢獻，雖微物必先上皇太后。兩宮慈孝聞天下。

張太后遊西苑，皇后皇妃侍，帝親掖輿登萬歲山，奉觴上壽，獻詩頌德。謁長、獻二陵，帝親鞬騎引導。到河橋，下馬扶輦。畿民夾道拜觀，陵旁老稚，山呼拜迎。太后顧曰：「百姓戴君，以能安之耳，皇帝宜重念。」返程時，過農家，召老婦問生業，賜鈔幣。有獻蔬食酒漿者，取以賜帝，曰：「此田家味也。」（《明史．后妃傳》）

鮮為人知的是，外表孝順能幹的宣宗朱瞻基，為人風流倜儻，愛好聲色禽獸，縱情遊獵雜戲，讓張太后操碎了心。《菽園雜記》說：「宣德年間，朝廷起取花木鳥獸，及諸珍異之好，內官接跡道路，騷擾甚矣。」《皇明紀略》則記：「宣廟好促織之戲（鬥蟋蟀），遣取之江南，其價騰貴至十數金。」沈德符《萬曆野獲編》又載：「我朝宣宗最嫺此戲，曾密詔蘇州知府況鍾進千個。一時語云：『促織瞿瞿叫，宣德皇帝要。』」

宣宗最為人詬病者是為以天子之尊，從朝鮮藩國徵召處女為後宮，選擇善於烹飪的婦女入侍以飽口福，又不時求索「海東青」，以供遊獵娛樂。這些事件詳載於朝鮮《李朝實錄》。

宣宗在皇位十年，僅三十八歲就病逝了。張太后萬分悲痛，她命人將景德鎮御窯燒製的蛐蛐罐全部砸碎掩埋，以致故宮舊藏很難看到宣德時完整的蛐蛐罐，而在景德鎮御窯遺址發現了大量蛐蛐罐碎片。《萬曆野獲編》記英宗即位後，曾遣返朝鮮婦女自宣德初年來者凡五十三人，減廚役六千四百餘名，減牲口料糧四萬石。

張氏為太后時，特別重視對皇孫的培養和教育。她命戶部尚書夏原吉受命陪侍皇太孫朱祁鎮，在鄉村行走，觀民間疾苦。原吉取齏黍請皇太孫吃並說：「願殿下食此，知民艱。」（《明史．夏原吉傳》）張皇后很注意從幼小起培養皇孫的知識和品德，了解民間疾苦，不要忘記庶民。

太皇太后

宣德帝崩，長孫祁鎮，繼承皇位，年方九歲。大臣請太后垂簾聽政，她說：「毋壞祖宗法。第悉罷一切不急務。」（《明史．后妃傳》）她委任股肱大臣，督促幼帝用功讀書，雖太監王振受寵於帝，但太后在世時其不敢專政。在二十年間，她親眼看到永樂十九年（一四二一），皇宮三大殿被焚毀的悲慘狀況；又親眼看到正統六年（一四四一），

紫禁城城牆與角樓

明宮三大殿重建告成的輝煌情景。有詩云：「日月光三殿，乾坤闢兩宮。」（陳政《東井集》，見《日下舊聞考》）在正統四年（一四三九），修造京城九門城樓、城壕、橋閘完工：正陽門正樓一座、月城中左、右樓各一，崇文門、宣武門、朝陽門、東直門、阜成門、西直門、安定門、德勝門八座門正樓各一、月城樓各一，各門外樹立牌樓，城四隅建築角樓。又深挖城壕，兩岸砌以石。九門原有木橋，全部換成石橋。兩橋之間，各設水閘。護城河水，自西北流入，環城而過，穿流九橋九閘，從東南流入通惠河，經通州進入北運河，匯入渤海。這項偉大工程，是在張太皇太后臨朝期間，君臣一心，萬眾協力，動用軍夫工匠數萬人完成的。工程完竣，價值重大：「煥然金湯鞏固，足以聳萬年之瞻矣。」（《明英宗實錄》卷五十四）而後，京師城牆，原來外牆已經包磚，內牆仍為黃土，遇雨頹塌。此期，內牆包磚。特別是承天門（天安門）城樓，也是這時修建的，瑰麗輝煌，光耀天下。

正統七年（一四四二）十月，張太皇太后去世。張氏身歷洪武、建文、永樂、洪熙、宣德、正統六朝，從世子妃、太子妃，到皇后、皇太后、太皇太后，作為一名宮中女子，可謂達到了人生頂峰。就她個人而言，有什麼值得借鑒的呢？對公婆尊敬孝順，對小叔寬容大度，對丈夫體貼勸慰，對後宮統攝安寧，對兒子教育勖勉，對孫子撐腰輔佐，對大臣信任鼓勵，對娘家規矩嚴格，對百姓愛戴親民，對自己心地良善。

第15講

宣德廢后

北京故宮的景仁宮，同其他十一座後宮一樣，建成於明永樂十八年（一四二〇）。它初名長安宮，嘉靖十四年（一五三五）更名為景仁宮。明朝宣德帝的皇后胡氏，就曾經住在景仁宮裡。皇后不是應該住在坤寧宮嗎？她怎麼住在景仁宮呢？請讓我往下講。

景仁廢后

「景」字，《說文解字》曰：「景，日光也，從日，京聲。」「景」字本意是日光。南朝江淹《別賦》云：「日出天而耀景，露下地而騰文。」引申意為「大」，為「慕」。「仁」字，主要意思是仁愛、慈善、溫淑、賢惠。皇帝希望居住在景仁宮裡的后妃，能仰慕和修養大仁、大愛、大慈、大善的精神和品格。景仁宮的名稱，清沿明舊，沒再改動。

景仁宮院內石影壁

景仁宮基本保持了明永樂初建的格局，是一座獨立的四合宮院，前有宮門，用圍牆和建築圍合成前後兩進的四合院。第一進，前院，正殿五間，東西配殿各為三間，整齊莊重；第二進，後院，後殿五間，殿的兩側各有耳房，東西配殿也各三間。

景仁宮與其他宮院不同的是，在景仁門內，豎立有一座以大理石為材質的屏風，屏風的基座和邊框，均為漢白玉石雕，屏風主心為天然大理石，約有兩公分厚，兩面圖案卻不同，一面雲霧繚繞，一面山川溝壑。這座石屏，風格古樸，相傳為元代皇宮的遺物，自然天成，極為難得。

逛一逛

景仁宮

內廷東六宮之一。明永樂十八年（一四二〇）建成，起初名為長安宮，嘉靖十四年（一五三五）更名景仁宮。清代沿用明朝舊稱。

下面我來講一講宣德帝的皇后胡氏住在景仁宮的原因：

胡皇后，名善祥，山東濟寧人。一個山東姑娘，怎麼進到皇宮呢？永樂十五年（一四一七），她被選為皇太孫朱瞻基妃。後朱瞻基被立為皇太子，她也就成為了太子妃。宣德帝朱瞻基繼位，她則順理成章地被冊封為皇后。

這時，宣德帝身邊有個孫貴妃，和胡皇后爭寵。胡皇后為陽，孫貴妃為陰。陰陽相爭，是陽剋陰，還是陰剋陽？這就要看兩個人怎麼辦了。

胡皇后，為人寬厚，但身體多病，未生子，這就給孫貴妃以陰剋陽提供了機會。

孫貴妃，山東鄒平人，幼有美色，又機敏聰慧。她的父親在永城（今河南省永城市）

做主簿，和洪熙帝張皇后是老鄉。經張皇后娘家人介紹，孫氏十餘歲就入宮，由張皇后養育。後來，張皇后的兒子朱瞻基成婚，詔選濟寧胡氏為妃，鄒平孫氏為嬪。

洪熙帝死，宣德帝（朱瞻基）立，冊立胡氏為皇后，孫氏為貴妃。這時，胡皇后居於主位，可怎麼輸給孫貴妃了呢？與胡皇后相比，孫貴妃頗工於心計，她接連施出五條計謀。

后妃之爭

第一計：求寵。孫貴妃利用自己的美色和嬌媚，博得宣德帝的寵愛。第一計得手，便施第二計。

第二計：求寶。明朝制度：皇后既有金冊，又有金寶（璽印）；貴妃則只有金冊，沒有金寶。宣德元年（一四二六）五月，孫貴妃既已受寵，便慫恿宣德帝出面向皇太后請示：賜給孫貴妃金寶。皇太后雖覺得違制，但為照顧兒子的顏面，還是勉強答應了。明朝貴妃有金寶就是從孫貴妃開始。第二計得手，又施第三計。

第三計：求子。孫貴妃自己沒生兒子，經過長期精心策劃，於宣德二年（一四二七）十一月十一日，在心腹宦官、宮女的參與下，暗裡取了宮女生的兒子，做成是自己生的兒子，這就是後來的明英宗朱祁鎮。然而，朱祁鎮的生母是誰？《明史・后妃傳》說：「人卒無知之者。」就是沒有人知道朱祁鎮的親生母親到底是誰。因為有了兒子，孫貴妃就更

明宣宗朱瞻基像（臺北故宮博物院典藏）

加受到宣德帝的眷寵。連著三計，頻頻得手，便施四計，最為關鍵，是什麼呢？

第四計：求封太子。朱祁鎮出生後名義上是四個月，實際上是八十四天，就被冊封為皇太子。在明朝，皇子出生實際不足三個月就被立為皇太子，這是僅有的。最後一計，便是求后。

第五計：求后。胡皇后請早定朱祁鎮為太子，主動表示退位。孫貴妃雖心裡暗喜，卻假意謙辭說：「后病痊自有子，吾子敢先后子耶？」（《明史．后妃傳》）就是說，皇后您的病好了以後，自然會懷孕生兒子的，我的兒子哪敢排在您兒子的前面呢！因為明朝家法，皇后生的兒子為嫡子，妃嬪生的兒子為庶子。嫡庶分明，不能違反。宣德三年（一四二八）三月，宣德帝命胡皇后上表辭去皇后，就是寫辭職報告。胡皇后被迫「辭去皇后」，從坤寧宮退居到長安宮（景仁宮）。宣德帝為安撫辭位的胡皇后，賜號靜慈仙師，而冊立孫貴妃為皇后。這一上一下，雖然詔書說是皇后力辭，貴妃謙讓，最後貴妃迫不得已才就位皇后的，但宮內外許多人都知道，皇后辭位並非自願，而是被迫的。史書記載：「后無過被廢，天下聞而憐之。」（《明史．后妃傳》）

宣德帝的母親張太后，憐憫「退位」的胡皇后，常召她到自己住的清寧宮來居住。在後宮的宴會上，張太后命胡「皇后」位居孫皇后之上。孫皇后常為此怏怏不樂，但也毫無辦法。後來宣德帝為廢后而後悔，嘗自我解嘲說：「此朕少年事。」但潑出去的水，已無法收回。

福禍無常

「禍兮，福之所倚；福兮，禍之所伏。」這胡皇后跟孫皇后比起來，雖是倒楣的，但也有幸運的時候。宣德帝去世後，她躲過妃嬪殉葬一劫。事情是這樣的：宣德帝在位十年，過於淫樂，三十八歲（虛歲）就離開了人世。怎麼知道他過度淫樂呢？宣德帝死後兩個月，新帝命「放教坊司樂工三千八百餘人」（《明史・英宗前紀》）。宮廷音樂、歌舞的人，僅裁掉的竟高達三千八百餘人！宣德帝死後，殉葬妃嬪有一個長長的名單：「正統元年八月，追贈皇庶母惠妃何氏為貴妃，謚端靜；趙氏為賢妃，謚純靜；吳氏為惠妃，謚貞順；焦氏為淑妃，謚莊靜；曹氏為敬妃，謚莊順；徐氏為順妃，謚貞惠；袁氏為麗妃，謚恭定；諸氏為淑妃，謚貞靜；李氏為充妃，謚恭順；何氏為成妃，謚肅僖。冊文曰：『茲委身而蹈義，隨龍馭以上賓，宜薦徽稱，用彰節行。』蓋宣宗殉葬宮妃也。」（《明史・后妃傳》）這十個美麗年輕的生命，被繪入殘暴黑暗的圖畫中。殉葬者中有一位郭嬪，鳳陽人，善文辭，入宮二旬而殉葬。入宮二十天就殉葬，青春美麗，聰明伶俐，遭逢死的劫難，自然淚流滿面，泣不成聲。傳謂她「自知死期」，曾書楚聲自哀，其辭曰：

修短有數兮，不足較也。
生而如夢兮，死則覺也。

先吾親而歸兮，慚予之失孝也。
心淒淒而不能已兮，是則可悼也。

胡皇后雖躲過殉葬之劫，但七年之後，張太皇太后病死，她痛哭不已，翌年也哀病而死，以嬪禮葬於金山（西山）。

至於孫皇后，兒子朱祁鎮登極，她做了太后。她在經歷了英宗即位、被俘、南宮復辟等大喜大悲之後，於天順六年（一四六二）病死，謚孝恭皇后，合葬景陵。

到英宗朱祁鎮病危時，其后錢氏泣訴：「皇上非孫太后所生，實宮人之子，死於非命，久無稱號。胡皇后賢而無罪，廢為仙姑。其死也，人畏孫太后，殮葬皆不如禮，胡后位未復，惟皇上念之。」（王錡《寓圃雜記》卷一）英宗遂復胡后號位，追謚為恭讓皇后。

永宣國寶

明朝在永樂、宣德期間，中原之區社會穩定，經濟恢復，版圖一統，睦鄰友好，萬國來朝，恢復唐宋禮法，文化再現繁榮，繼漢「文景之治」、唐「貞觀之治」之後，出現了一個「永宣之治」的局面。這一時期的皇宮寶庫，增加了宣德爐、鑲嵌掐絲琺瑯等名聲遠播的名器寶物。而《永樂大典》則是這一時期的一個文化標誌。

宣德寶爐

宣德爐，就是明宣德朝生產的銅香爐，以質量優、造型美而流傳於世，成為那個時代具有代表性的文化象徵。宣德爐的出現不是偶然的。明朝經過從洪武到宣德五朝，近七十年的開創和經營，成就了「永宣之治」，而且在文化上出現了一種嶄新的氣象。

一是，「驅逐韃虜，恢復中華」。在文化上著重於唐宋文化傳統的恢復與傳承，帶

宣德爐

著創業的勃勃生機和宏大氣象，這正是「治隆唐宋」、「遠邁漢唐」的文化表現。

二是，四面睦鄰，文化交流。從其他國家汲取多種文化營養，開拓了文化視野，也豐富了中華文化寶庫。

三是，朝廷重視，皇帝文采。這對國家文化建設產生了巨大推動力。

十年前，二〇一〇年，我在北京故宮博物院看到一個非常好的展覽，就是「明永樂宣德文物特展」，當時是為紀念紫禁城落成五百九十週年。轉眼十年過去了，在紀念紫禁城落成六百週年的時候，我依然對那次看到的永宣時代的文物念念不忘。因為，包括宣德爐在內的精粹文物，是那個時代的文化奇葩，我們可以從這些瑰

明宣德紅釉描金雲龍紋盤

寶看出永宣時期的文化氣勢，領略永宣時期的文化精髓。

永宣名瓷

在永樂、宣德年間，鄭和率領龐大艦隊七下西洋，開通海上絲綢之路；又多次派使臣到西域，陸上絲綢之路也已開通——這就給永宣瓷器，注入了新的生機。

同時，明代設立「御用監」，專門製作精美的家具、琺瑯器、玉器、漆器等，不僅為當時宮廷所用，而且傳承有序，成為故宮博物院的珍貴藏品。其中，最為大家所熟悉的，恐怕就是瓷器。洪武二年（一三六九），明朝在景德鎮元朝浮梁磁（瓷）局舊址的基礎上，加以擴大，設御器廠，為宮廷燒造瓷器。御窯燒造瓷器，全部屬於宮廷。遵照皇帝旨意，宮廷發放官樣，御窯照樣生產，產品嚴格驗收，入選瓷器運送皇宮，落選瓷器打碎掩埋。總之，御窯的瓷器，從官樣、燒製、使用、保管以及落選瓷器處理，都由皇宮嚴格掌控。

御器廠實行「匠籍制」，集中了全國優秀的陶瓷工匠，有朝廷特設的畫局，負責設計燒製瓷器紋飾，又壟斷優質原料，幾乎不計成本，生產出了大批精美的御製瓷器。

永宣時期燒造了大量精美的瓷器。「宣窯」就是當時最精美瓷器的代名詞。給人留下最深刻印象的是紅、白、青三個字：紅——紅釉為貴，白——甜白為美，青——青花大氣。

紅釉為貴。朱元璋以紅為貴，以紅為吉。紅巾、紅塔、紅官服，以及宮裡盛行紅瓷器。還有明朝的「明」，左為「日」，右為「月」，都屬火，都尚紅。《明史》記載：「洪武元年命制公服、朝服，以賜百官。」官服的顏色，命禮部議奏。洪武三年（一三七〇），禮部奏：

「歷代異尚。夏黑，商白，周赤，秦黑，漢赤，唐服飾黃，旗幟赤，今國家承元之後，取法周、漢、唐、宋，服飾所尚，於赤為宜。」從之。（《明史·輿服志三》）

所以，明朝宮廷用瓷也一度以紅為貴。紅釉瓷器，非常難燒，有時一窯、甚至數窯，

青花纏枝蓮紋壓手杯

才能燒成一件。所以，明初宮廷紅釉瓷器，數量特少，極為罕見。

甜白為美。永樂帝偏愛甜白釉瓷器。永樂時由景德鎮御器廠創製一種白色瓷器，因釉色甜潤而潔白，故稱甜白釉。這種甜白釉瓷器，受到了永樂帝的青睞。《明太宗實錄》記載了一個故事：西域部落首領，向他進貢用和闐玉做的「玉枕」，可以說是萬分珍貴，但他說：「朕朝夕所用中國瓷器，潔素瑩然，甚適於心，不必此也。」永樂帝日常使用的瓷器，大多是御器廠燒製的白瓷，潔白晶瑩，潤澤素雅，合於心意，即使枕頭，也用瓷枕。在他的心目中，這玉枕比不上中國瓷器，自然不必接受來自西域的玉枕。甜白釉瓷器，瓷胎細膩，造型秀美，白釉潔淨，色澤柔潤，精美如玉。

青花大氣。如青花纏枝蓮紋壓手杯，高五．四公分，口徑九．一公分，足徑三．九公分。因杯子從口沿到杯底，胎體越來越厚，放在手上感覺杯子壓手，俗稱「壓手杯」。這只杯子內底，有青花篆體四個字：「永樂年製」，底款有所不同。這是至今所知唯一署有永樂年款的青花瓷器。這種壓手杯，兩岸故宮博物院都有收藏。谷泰撰《博物要覽》記載：「若我永樂年造壓手杯，坦口折腰，砂足滑底，中心畫有雙獅滾球，球內篆書『大明永樂年製』六字或『永樂年製』四字，細若粒米，此為上品。」

永宣御窯進入明代高峰期。不僅質量精美，而且數量大得驚人。如宣德八年（一四三三），尚膳監題准燒造各樣瓷器，一次達四四三五〇〇件。而一次賞賜朝鮮國王李裪的瓷器，足夠十套餐桌使用。

掐絲琺瑯

明永樂、宣德時期另一項文化瑰寶，就是掐絲琺瑯。

掐絲琺瑯，通常是銅胎（也有瓷胎、鐵胎、錫胎、木胎等），用銅絲（也有金絲）按照胎上已繪的紋飾，如荷花，每個花瓣、每個葉片，都沿其邊緣掐焊銅絲，然後點上不同釉彩，再入爐窯，溫度約攝氏八百度，火中燒造，出爐後，打磨拋光。據傳，一件琺瑯器約需一百零八道工序，方能完成。

明宣德掐絲琺瑯番蓮紋僧帽壺

琺瑯技藝，傳自外域。融合中華文化，經過藝師工匠之手，精采奪目，巧奪天工，成為中國工藝品中一朵絢麗的鮮花。

琺瑯器自元代傳入中國以來，到了明永樂、宣德年間，達到一個高峰。因為當時掐絲琺瑯，多無年款，傳到後來，竟不知為何朝所作。景泰年間，製品精細，多有年款，所以一般人認為景泰藍是琺瑯器的輝煌，但從故宮收藏看，宣德時期不乏其他琺瑯器精品。

永宣文化，更有書畫。永宣時期，朝廷致力於營造「以能納其心於規矩之中」的政治情懷和文化氛圍，最具有時代風格的書法形式，就是「臺閣體」，也就是嚴謹的楷書，書風端莊典雅，運筆自然流暢，極具功力，美不勝收。二二八七七卷、總字數三．七億的《永樂大典》，就是以臺閣體謄寫的，當時組織了一千三百多人參與謄寫。抄完以後裝訂成書，存放在文淵閣裡。

《永樂大典》修成一百多年以後，嘉靖帝組織人員再抄寫一部。一百八十人抄，每人每天抄三頁，每頁三十行，每行二十八個字，一直抄了六年，直到隆慶元年（一五六七），嘉靖帝駕崩之後，才告完成。這樣，除了文淵閣收藏一部外，在皇史宬也保存一部。這個文淵閣不是現在北京故宮裡的那座文淵閣，北京故宮文淵閣是清朝乾隆時期修建的，用來保存《四庫全書》和《古今圖書集成》。而存放《永樂大典》的文淵閣，現在已經看不到了。皇史宬現今還在，位於天安門東邊南池子大街路東，是明清兩代皇家檔案館。《永樂

皇史宬

大典》現在還能看到副本殘存三百七十卷，已經影印出版。

無論是永宣青花、宣德寶爐，還是掐絲琺瑯、書法繪畫，或是玉器、漆器等，在帝制時代，只能是君享——只有皇帝和家人等少數人可以享受。如今早已變為民享，成為中華民族、甚至人類文化的寶貴遺產。

第17講

四朝重臣

明朝有一位著名四朝——永樂、洪熙、宣德、正統的重臣楊士奇，他連續做了四十三年內閣輔臣，其中二十一年為首輔，在明史中為孤例。楊士奇是個什麼樣的人呢？他的為官之道又是什麼呢？

為人德善

楊士奇（一三六六～一四四四年），名寓，泰和（今江西省吉安市泰和縣）人。早孤，隨母改嫁羅姓而姓羅，不久歸宗仍姓楊。家特貧，學勤勉，教書自給。建文初，纂修《明太祖實錄》，被召入翰林，充編纂官。永樂帝即位，改編修。不久入閣，典理機務。後進侍講。永樂二年（一四〇四），選士奇做了皇太子朱高熾的老師。

楊士奇為人：德善器廣。人有小過，多為掩飾。廣東布政使徐奇帶著嶺南土產饋送

楊士奇像

廷臣，有人把所謂受賄名單報給朱棣。朱棣看名單上沒有楊士奇的名字，就召他來問，他回答說：徐奇赴廣時，群臣作詩文贈行，臣適得病沒有參加，所以沒有我。接著勸慰道：徐奇送點土特產答謝詩文贈行的人，應該沒有其他意思，況且是否收了也不一定，也沒什麼值錢的，一點土特產而已。「帝遽命毀籍」。一場風波就這樣平息了。

朱高熾在做太子監國時，不滿意御史舒仲成，當了皇帝後就想加罪於他。楊士奇說：陛下即位，詔向忤旨者皆得宥。要是懲治仲成，則言而不信，會有更多人害怕。朱高熾遂作罷。大理少卿弋謙以言事得罪朱高熾。士奇說：「謙應詔陳言，若加之罪，則群臣自此結舌矣。」於是洪熙帝升弋謙為副都御史。

宣德時，閣中惟楊士奇、楊榮、楊溥三楊。楊榮疏闊堅毅，遇事敢為。在永樂朝曾為內閣首輔，多次隨從永樂帝北征，能知邊將優劣、厄塞險易遠近、敵情順逆，但他曾接受邊將饋送的良馬。明宣宗朱瞻基知道後問楊士奇。楊士奇力言：「榮曉暢邊務，臣等不及，不宜以小過眚介意。」朱瞻基笑著說：「楊榮嘗說你及原吉的壞話，你不報復他？」楊士奇說：「願陛下以曲容臣者容榮。」意思是希望陛下能像寬容我一樣寬容楊榮。這件事後來傳到楊榮的耳朵裡，楊榮覺得過去愧對楊士奇，於是二人相處融洽。

楊士奇還雅善知人，好推轂寒士，所舉薦的有人從未謀面。像于謙、周忱、況鍾等都是楊士奇推薦的，都居官一、二十年，廉能冠天下，為當世名臣。

為官盡責

楊士奇為官：盡職盡責。永樂六年（一四〇八），永樂帝北巡，命楊士奇等留輔太子高熾。太子喜文辭，讚善王汝玉以詩法進。楊士奇說：殿下當留意《六經》，暇則觀兩漢詔令。詩詞小技，不足為也。太子稱善。

洪熙帝即位，升楊士奇為禮部侍郎兼華蓋殿大學士。帝御便殿，蹇義、夏原吉奏事未退。帝望見士奇，謂二人曰：「新華蓋學士來，必有正直之言，咱們一塊兒聽聽。」楊士奇入言：「恩詔減歲供，剛下二日，惜薪司傳旨徵棗八十萬斤，這與前詔相違。」帝立命減其半。

時藩司守令來朝，尚書李慶建議，發軍伍餘馬給有司，讓他們按年繳納馬駒。士奇說：「朝廷選賢授官，乃使牧馬，是貴畜而賤士也，何以示天下後世！」楊士奇復力言。又不報。過了一段時間，洪熙帝御思善門，召士奇說：朕怎麼能真忘了你的諫言呢！聽聞呂震、李慶等都不喜歡你，朕念卿孤立，恐為所傷，不便因你的諫言而取消，今有借辭了。說完，手裡拿出陝西按察使陳智言養馬不便疏，命人起草諭旨，立即執行。楊士奇頓首拜謝。這可以看出：楊士奇盡職盡責，洪熙帝極力維護，君臣關係良好。

宣德帝以四方屢有水旱災害，召楊士奇議商舉措。楊士奇請：蠲逋賦薪芻錢，減官田額，梳理冤案，裁汰工役，以廣德意。結果，百姓大悅。兩年後，帝問楊士奇說：「恤民詔下已久，今更有可恤者乎？」楊士奇說：「前詔減官田租，戶部徵收如故。」帝怫然曰：「從今天開始，不執行者，以法處之。」楊士奇再請撫恤逃民，嚴察貪官，興舉文學，鼓勵勇士，並令受極刑家的子孫也可以參加科舉考試。又請廷臣大員，各舉賢能之人，以備郡守官員。宣德帝皆批准同意。

這個時期，宣德帝勵精圖治，楊士奇等同心輔佐，「海內號為治平」。

為臣恭慎

楊士奇為臣：舉止恭慎。永樂年間，朱棣為立太子一事，猶豫不決。永樂九年（一四一一）永樂帝還南京，召楊士奇問太子朱高熾監國的情況。楊士奇以「孝敬」對，說：「殿下天資高，即有過必知，知必改，存心愛人，決不負陛下託。」永樂帝很高興。第二年，永樂帝北征，楊士奇仍輔太子居守。永樂帝還，因為迎駕遲緩，東宮官黃淮等下獄。楊士奇後至，卻寬宥了。召問太子事，楊士奇頓首言：「太子孝敬如初。凡所稽遲，皆臣等罪。」帝意稍解。行在（北京）諸大臣競相彈劾楊士奇不應該單獨被寬宥，永樂八年（一四一〇）將其打入錦衣衛獄，但後來就被釋放出獄了。

永樂十四年（一四一六），帝還京師，微聞漢王奪嫡密謀及其不軌情狀，便問蹇義。蹇義不答，又問楊士奇。楊士奇說：「臣與義俱侍東宮，外人無敢為臣兩人言漢王事者。然漢王兩遣就藩，皆不肯行，今知陛下將徙都，輒請留守南京。惟陛下熟察其意。」永樂帝不說話，便回宮了。

在這場奪嫡風波中，才華橫溢的解縉丟了性命，而沉著老成的楊士奇卻擁立太子成功。

當時有上書頌揚太平者，永樂帝出示給諸大臣看，大家都深以為然。楊士奇獨說：「陛下雖澤被天下，但是，流徙尚未歸，瘡痍尚未復，民食尚艱難。如果再休息數年，天下太平可期。」帝曰：「然。」因對蹇義等曰：「朕待卿等以至誠，望匡弼。惟士奇曾五

［明］謝環《杏園雅集圖》（局部）
圖中左起：少詹事王直、少傅楊士奇、大學士楊榮

上章，卿等皆無一言。豈果朝無闕政，天下太平耶？」諸臣慚愧謝罪。

宣德元年（一四二六），漢王朱高煦謀反。宣德帝親征，平息之。師還，途經獻縣單家橋，侍郎陳山迎謁，言漢、趙二王實同心，請乘勢襲擊彰德擒趙王。楊榮極力贊成。楊士奇說：「事當有實，天地鬼神可欺乎？」楊榮厲聲道：「你要阻撓大計嗎！今逆黨言趙王實際與其共謀，何謂無辭？」楊士奇說：「太宗皇帝三子，今上惟兩叔父。有罪者不可赦，其無罪者宜厚待之，疑則防之，使無虞而已。何遽加兵，傷皇祖在天意乎？」這時惟楊溥與楊士奇合。將入諫，榮先入，士奇繼之，閽者不納。尋召義、原吉入。二人以士奇言於帝。帝初無罪趙意，出兵事不再提了。直到還京，帝思楊士奇言，謂曰：「今議者多言趙王事，奈何？」士奇說：「趙王最親，陛下當保全之，毋惑群言。」帝曰：「吾欲封群臣奏章示王，令自處何如？」士奇說：「善，更得一璽書幸甚。」於是發使奉書至趙。趙王得書大喜。哭泣地說：「吾生矣！」即上表謝，且獻護衛，言者始息。宣德帝對楊士奇說：「趙王之所以得到保全，都是你的功勞啊」，然後賜給他金幣。

宣德五年（一四三〇）春，宣德帝奉皇太后謁陵，召英國公張輔、尚書蹇義及楊士奇、楊榮、金幼孜、楊溥，朝太后於行殿。太后慰勞之。帝又語楊士奇說：「太后為朕言，先帝在青宮，惟卿不憚觸忤，先帝能從，以不敗事。又誨朕當受直言。」士奇對曰：「此皇太后盛德之言，願陛下念之。」

宣德帝嘗微行，一天夜裡幸楊士奇家。楊士奇倉皇出迎，頓首曰：「陛下奈何以社稷宗廟之身自輕？」帝曰：「朕欲與卿一言，故來耳。」後數日，獲二盜，有異謀。帝召楊士奇，告之故。並說：「今而後知卿之愛朕也。」

宣德帝崩，英宗即位，剛九歲。軍國大政奏報太皇太后。太皇太后推心任用楊士奇、楊榮、楊溥三人，有事派太監到內閣商量，然後裁決。三人也自信，能侃侃陳述自己的意見。楊士奇首先請訓練士卒，嚴守邊防。又請以次蠲租稅，慎刑獄，嚴核百司。皆允行。

正統之初，朝政清明，皆士奇等之力也。

是時宦官王振受寵於正統帝，大臣建言，往往下獄。王振藉故整楊榮。楊榮沒多久就去世了，此後，楊士奇、楊溥就更加勢單力薄了。其明年興師麓川，庫藏耗費，士馬死了數萬。尤其是太皇太后死後，王振更加囂張。朝廷大臣，人人惴恐。這時，楊士奇已老，不久病卒，年近八十。

「三楊」退出政壇，標誌著明朝結束了「永宣之治」的局面。楊士奇身歷五朝，輔佐四位皇帝，長期在宮中值守，尚能保住善終。他為人、為官、為臣的三個法寶——德善器廣、盡職盡責和舉止恭慎，值得後人借鑒。

第18講

孩童皇帝

宣德十年（一四三五）正月初三，還在過年期間的乾清宮傳來噩耗，三十八歲的宣德皇帝駕崩。繼承皇位的是明英宗朱祁鎮，實足年齡只有九歲，他成為明朝歷史上第一位孩童皇帝。實際上在此之前，朱祁鎮已經創下了明朝宮廷史上兩項第一：明代年齡最小的太子，當時他出生才兩個多月；他是第一位出生在北京皇宮裡的皇帝。適逢永宣之治，這位小太子可以說是在安樂窩裡長大的。

宣德帝對這位太子非常喜愛，期待很高。有一次他把朱祁鎮抱在膝上問：將來做了天子，能讓天下太平嗎？剛會說話的太子朱祁鎮答：「能！」又問：「如果有犯上作亂的，敢親率大軍去討伐嗎？」答：「敢！」這個稚嫩的回答，讓宣德帝非常欣慰。這個九歲的孩童做了皇帝，幸福短暫的皇子孩童生活就結束了。

五全太后

正統帝治國大政，靠太皇太后。這位太皇太后，就是前面我講過的「五全皇后」張氏。張太皇太后，是朱祁鎮的祖母，她從燕世子妃、太子妃、皇后到太后，現在又做了太皇太后，成為幼小正統帝的主心骨。因為朱祁鎮年齡太小，曾經有一種意見是召長沙襄王進京繼位，是張太皇太后宣召大臣們到乾清宮，手指著朱祁鎮，流淚說道：「這位就是新天子！」確定由朱祁鎮繼位。在朱祁鎮登極後，張太皇太后給朝政制定三條原則：

一、停止一切不急需的事務，減少開支。

二、加強對年幼的皇帝的教育培養。

三、倚靠前朝老臣處理國事。

在幼帝繼位的風雨飄搖中，張太皇太后給朱祁鎮撐腰，幫助他登上帝位，為他主政。

在正統帝繼位前期，有一件大事得到了解決，這就是明朝定都的問題。朱元璋開國，定都南京；朱棣決計遷都北平，改名北京。永樂十九年（一四二一）正月初一，北京宮殿建成後正式遷都北京。不料不到百日，三大殿遭雷電焚毀。洪熙帝繼位，仍以南京為都，北平為行在。宣德帝仍稱北京為行在，但實際以北京為都。

正統二年（一四三七）正月，開始興修北京城門樓，修造京師門樓、城壕、橋閘：正

紫禁城景山中間筒子河

陽門正樓一，月城中左、右樓各一；崇文、宣武、朝陽、阜成、東直、西直、安定、德勝八門，各正樓一、月城樓一。各門外立牌樓，城四隅立角樓，又深其城壕，護城河的兩側全部砌以磚石。九門舊有木橋，全部用石撤換。兩橋之間，各有水閘，壕水自城西北隅，環城而向東，歷九橋九閘，從城東南隅流出大通橋，匯入北運河，注入渤海。正統四年（一四三九），工程完成。每座城門都修成堅固的防禦體系，煥然金湯鞏固，足以聳萬國之觀瞻。正統五年（一四四〇），又將城牆內牆也包磚，極大提高了北京城牆的防禦能力。同時，開始重建三大殿和乾清宮、坤寧宮。到正統六年（一四四一）十一月竣工。於是宣布定都北京。這樣，長期懸而未決的定都這件大事，終於落定（《明英宗實錄》卷八十五）。

正統七年（一四四二）五月十九日，由太皇太后做主，為十六歲的朱祁鎮舉行盛大婚禮。朱祁鎮又創造了明朝宮廷史上的第三個第一：第一位在皇宮奉天、華蓋、謹身三殿和乾清、坤寧二宮舉行大婚典禮的皇帝，而他的皇后錢氏，則成為明朝第一位從大明門抬進皇宮的皇后。

四朝老臣

正統帝讀書教育，靠四朝老臣。著名的老臣楊士奇、楊榮、楊溥，時稱「三楊」，在張太皇太后的支持下，繼續為官內閣。當時，朱祁鎮連啟蒙教育都沒有接受過，「三楊」等大臣們針對他的情況，建立起嚴格規範的經筵制度。什麼是「經筵」？「經」指經典，主要是儒家的「五經」，即《詩》、《書》、《禮》、《易》、《春秋》等。「筵」的本意為竹席，引申指座位，此處是「講席」的意思。合起來，「經筵」就是儒臣給皇帝上課，講授儒家經典或治國之道等，也就是皇帝學習的制度。給皇帝講課的官員叫作「經筵講官」。通過經筵，君臣之間學習經典，相互研討，結合朝政實際，闡發儒家思想。每年二月至五月、七月至十月，每月二日、十二日、二十二日舉行經筵。經筵之外，還有日講，日講不求禮儀繁瑣，但求皇帝反覆誦讀規定的功課。這樣，年幼的朱祁鎮便開始在皇宮文華殿，接受正規系統的儒家傳統教育。

文華殿

逛一逛

文華殿

位於外朝協和門以東，始建於明永樂十八年（一四二〇）。文華殿在明代是皇太子的東宮，清代為舉行經筵的地方。殿後的文淵閣是藏書樓，《四庫全書》曾收藏於此。清沿明制設大學士，秩正一品，乾隆後，文華殿大學士常列四大學士之首。

武英殿

建於明永樂十八年（一四二〇），位於故宮西南部，西華門內，建築面積六千五百多平方公尺，其西、南均被內金水河環繞。清同治八年（一八六九）遇火重建，清光緒二十七年（一九〇一）再次被焚，光緒二十八年（一九〇二）進行大修，現為典籍館和書畫館。武英殿與位於外朝之東的文華殿相對應，即一文一武。

但是，後來的事實證明，「三楊」對朱祁鎮的教育並不成功，甚至是失敗的。究其原因在於：

經筵進講圖

於教學——讀書過程應當是：一讀，二講，三寫，四行，而經筵日講，有讀，有講，有寫，但缺乏行，重知輕行。

於教育——教師（講官）、家長（太皇太后或皇太后）、社會（宮廷氛圍）難以協調一致。

於體制——「立嫡以長」、皇帝終身的君主制度。

總之，朱祁鎮長大一些後，常用各種理由取消經筵日講，一會兒說身體不好，一會兒說天氣太冷或太熱。而他感興趣的是什麼呢？

精神依賴

正統帝精神上非常依賴太監王

振。洪武初期，明太祖朱元璋嚴禁宦官干預朝政和交結外臣。永樂帝朱棣授予宦官出使、專征、監軍、分鎮等大權，建立特務機構東廠。宣德帝朱瞻基在大內設內書堂，培養通文墨的宦官，司禮監成為太監二十四衙門之首，司禮監秉筆太監享有「批紅」的權力，可以代替皇帝批答奏章。但若宦官犯法，處以極刑，不敢放肆。然而，事有例外，譬如王振。

王振，蔚州（今河北省張家口市蔚縣）人。少年選入內書堂。侍太子朱祁鎮於東宮，為五品局郎銜。正統帝登極，年齡幼小。王振狡黠，深得帝喜歡，遂掌司禮監，引導皇帝用重典御下，以防大臣欺蔽。於是大臣下獄者不絕，而王振得以濫用皇權。但是當時，張太皇太后賢能，閣臣楊士奇、楊榮、楊溥皆四朝元老，王振心憚之，未敢亂來。到正統七年（一四四二），張太皇太后崩，楊榮已先卒，楊溥老病，楊士奇以其子楊稷論死（死刑尚未執行）不出，王振跋扈，遂不可制。

王振在皇城東建造豪宅，又建智化寺，窮極土木，賣官鬻爵。出兵麓川，西南騷動。侍講劉球因雷震上言陳得失，語刺王振。王振下劉球大獄，使指揮馬順肢解之。大理少卿薛瑄、國子監祭酒李時勉，素不禮王振。王振藉故誣陷薛瑄，幾乎將其整死，而李時勉則戴枷國子監。御史李鐸遇王振不跪，被謫戍鐵嶺衛。駙馬都尉石璟詈其家閹，王振惡賤己同類，下璟獄。又械戶部尚書劉中敷，侍郎吳璽、陳瑺於長安門。所有他忤恨的，皆加罪謫戍。內侍張環、顧忠，錦衣衛卒王永心裡不平，以匿名書揭發王振罪狀。事發，磔於市，不奏報。

朱祁鎮從幼年起就在精神上依賴王振，傾心王振，常稱王振為「先生」。後來正統帝說：「朕自在春宮，至登大位，幾二十年。爾夙夜在側，寢食弗違，保護贊輔，克盡乃心，正言忠告，裨益實至。」孩童皇帝對王振情感上和生活起居上的依賴，是真摯的，這使王振手中的權力日益積重，公侯勛戚呼王振為「翁父」。其私黨馬順、郭敬、陳官、唐童等都肆行無忌，惡貫滿盈。於是，畏禍的官員，爭附王振免死；貪婪的官員，攀附王振求升，朝廷內外，廟堂上下，逐漸形成「閹宦集團」——王振黨。

大太監王振的氣焰，如此狂悖，如此囂張，埋下了正統帝在土木堡兵敗被俘的禍根。

第19講

英宗被俘

明正統十四年（一四四九）是多災多難的一年：一是火災，南京謹身殿等火災；二是水災，黃河改道，淹沒田地，運道梗阻；三是人禍，明英宗被俘。

皇帝被俘

明朝正統年間，蒙古瓦剌部崛起。瓦剌部首領也先（額森），雄傑一時，騎兵所向，橫掃大漠。蒙古各部，重新統一。其兵力所至，西起阿爾泰山，東達鴨綠江邊，南到長城，北到黑龍江，成為全蒙古的大汗。也先驕橫，屢犯塞北。

正統十四年（一四四九），瓦剌太師也先到北京進貢馬匹互市，太監王振減其直（馬價），瓦剌使者氣憤而去。同年七月，也先率領大軍入犯，騎兵浩大，來勢凶猛，進到今河北宣化地區。軍情緊急，事態嚴重，怎麼辦？這是明朝軍政的頭等大事，大太監王振慫恿英宗朱祁鎮親征。這位正統帝，自幼不愛詩書，喜歡騎馬遊獵，特別好大喜功。當時，他才二十三歲，既不懂軍事，又年輕好勝，想建奇功，經王振鼓動，決定親征。大臣叩諫，不聽；勸做準備，不聽；請選將領，不聽；請定兵略，也不聽。正統帝沒有充分準備，沒有周密計畫，沒有作戰方略，沒有作戰兵器，沒有敵前偵察，沒有後勤保障，卻率五十萬大軍親征，文武大臣，隨軍陪同。行至宣府，遇大風雨，有人建言，停止前進，王振益加囂怒。成國公朱勇等進見王振言事，都跪著挪步行進。兵部尚書鄺埜、戶部尚書王佐，忤犯王振，被罰跪草中。公侯伯子男，六部諸尚書，在太監王振面前，或跪著用膝蓋行路，或在路邊草中罰跪，這在五十萬大軍面前，哪裡還有大臣的尊嚴，哪裡還有皇朝的禮法，朝綱是何等混亂，法制遭何等破壞！

八月初二日，皇帝駐大同。鎮守太監郭敬以敵勢告，王振始懼，急命班師。至雙寨，雨特大。王振初議經過紫荊關，由蔚州邀皇帝到他家，光宗耀祖，彰顯權勢。而這時的王振，因擔心踩踏家鄉的莊稼，遭鄉親埋怨，便調轉路線，改道宣府。軍士迂迴奔走，十四日，到土木堡（今在河北省張家口市懷來縣一帶），選擇高地，安營紮寨。

十五日，明軍連遭六個不利：一是掘井無水，遠離河流，人渴馬饑；二是官兵斷糧，人情洶洶；三是連日風雨，沒有雨具，全身濕透；四是兵無鬥志，指揮無方，秩序混亂；五是臨時拔營，改換駐地，糧草不繼；六是三軍無帥，聽一個全然不懂軍事的太監王振瞎指揮。而瓦剌兵早已先退到谷地設伏，等待時機。見明軍移動陣地，便以逸待勞，以靜制

明英宗朱祁鎮像（臺北故宮博物院典藏）

動，突擊明軍駐地，明軍惶恐混亂，自相踐踏，六師大潰。大學士張輔等五十多名高官皆死，王振也為亂兵所殺，明軍騾馬損失二十餘萬頭（匹），官兵「死者數十萬」（《明史．英宗前紀》）。

這時，正統皇帝居然毫髮無損，席地而坐。大明天子就這樣做了俘虜。明軍因錯誤時間、錯誤地點、錯誤對象、錯誤主帥、錯誤路線、錯誤兵略，鑄成了悲劇的後果。這就是震驚朝野的「土木堡之變」。

這一年，明英宗二十三歲，已經做了十四年皇帝。從此，開始了他長達一年的戰俘生活。在中國歷史上，除亡國之君外，還沒有一位統一皇朝的皇帝被俘過。堂堂大明皇帝，淪為瓦剌俘虜，朱祁鎮又創造了一個明史上的第一。

黃金籌碼

明正統帝先被帶到也先弟弟賽罕王面前，他主動問：您是也先乎？還是伯顏帖木兒乎？賽罕王乎？大同王乎？這種不卑不亢而又咄咄逼人的氣勢，令賽罕王驚異。也先趕緊派出使過明廷的人前來辨認，確定是大明正統皇帝。也先驚喜，以被俘皇帝做討價還價的籌碼，比黃金籌碼還珍貴，所以將之叫作「黃金籌碼」。

第二天，也先就挾持正統帝來到宣府城下，後又到大同城下，索要金銀彩緞。兩城守將都拒不開門，但也先拿到了大同守將送來的大量金銀彩緞，正統帝的母親孫太后和皇后錢氏也從北京送來八馱金銀財寶，也先便挾持他回到大漠深處的老營。一個月後，也先再次挾持正統帝到大同，城門不開，便直抵北京城下。十月十三日，瓦剌軍攻城，明軍據城堅守，兩天後，也先放棄攻城，返回大營。正統帝熱切期盼能夠回到皇宮，但希望一次次破滅。

回到大漠深處的瓦剌老營，也先給正統帝身邊安排了三個人：錦衣衛校尉袁彬、翻譯哈銘和衛士沙狐狸。得蒙這三個人的悉心照料，正統帝焦躁的心逐漸平靜。他們住在蒙古包裡，擠在一起，席地而眠。大漠天氣，冬天極冷，袁彬用身體給正統帝焐腳，哈銘睡熟了會把手臂搭在正統帝身上。也先命給正統帝，每兩天送一隻羊，七天送一頭牛，牛奶、羊奶每天都送。逢五、七、十還擺筵席，眾人聚在一起，演出吹拉彈唱、歌舞摔跤。

返回南宮

正統帝被俘在大漠，朝廷不能沒有君主。在國難、家難的危急關頭，當年九月初六日，正統帝的異母弟郕王朱祁鈺，被推上帝位，改年號為景泰，尊被俘的皇兄、正統帝為太上皇。轉眼到了第二年七月，景泰帝終於開始考慮接嫡長兄回家的難題。

景泰帝本無做皇帝之心，但做了以後，感覺做皇帝不錯，便貪戀皇帝寶座，因此當也先幾次表示要送回正統帝時，他都沒有表態。直到兵部尚書于謙表示：「天位已定，孰敢他議？答使者，冀以舒邊患，得為備耳！」景泰帝這才放心，派使臣前往瓦剌議和。在瓦剌部首領也先送行宴會上，使臣向也先提出迎回正統帝之事，也先說：大明皇帝敕書內，只說來講和，沒說來迎駕。太上皇帝留在這裡，又做不得我們皇帝，是一個閒人。我還你們，千載之後，只圖一個好名兒。你們回去奏知，務要差太監一、二人、老臣三、五人來接，我便差人送回去。

正統帝被俘已經十一個月，這次景泰帝派來使者，並沒有給皇兄正統帝帶來信函或衣物，但正統帝見到宮裡派來的使臣，往事回憶，百感交集。他經過幾個月的磨鍊和思考，更加成熟了。他請使者向景泰帝轉達，回去後或守祖陵，或做百姓，無意復位。

正統帝的使臣還沒回到北京，之前派去回訪的右都御史楊善等也到了也先大營。這次楊善帶來的敕書仍然只言議和，未提迎回皇兄。但楊善真心要迎回正統帝，他典賣了自己的家產，又向宦官借貸，購買了一批禮物帶給也先。能言善辯的楊善，說動了也先，不等宮裡派太監和老臣來迎，親自送正統帝南歸北京。

景泰元年（一四五〇）八月初二日，做了一年俘虜的正統帝，終於踏上回家的路。也先率眾首領送了半天的路程，在分別時，也先下馬叩頭跪，送良馬、貂皮，解所帶弓箭、撒袋（箭囊）、戰裙以進，與眾酋羅拜伏地，慟哭而去（《明英宗實錄》卷一九五）。正

安定門箭樓

統帝接受禮物，也很受感動。負責看守正統帝的大將伯顏帖木兒，送了兩天，灑淚而別。經過土木堡時，正統帝祭奠了戰死於此地的將士亡靈。

但在明朝宮裡，迎接太上皇回來的態度和禮儀上，始終存在兩種鮮明的差別：是積極還是消極，是隆重還是儉素？景泰帝屬於後者，朝臣多屬前者。例如：

八月十二日，早朝剛退，有侯、伯、尚書、都御史等官員，在午門前手持一帖，聚集圍觀，議論不一，後各散去，將帖隱匿。景泰帝聞知，讓奏報實情。原來工部尚書兼翰林院學士高谷等，舉著詳載當年唐肅宗迎接太上皇唐玄宗的故事——應盛備法駕，在安定門外，公侯、駙馬、五府、六部等衙門，文武百官並監生等，到土城外，隆重迎接。景泰帝則堅持——車駕入東安門，在門內迎接，行叩頭禮畢，同文武百官，到南宮便殿，太上皇帝升座，景泰帝行禮畢，文武百官行禮。爾等悉遵朕命，不許再行變更（《明英宗實錄》卷一九五）。

八月十五日，正統帝由北京安定門入城，改乘法駕，入皇城東安門，景泰帝在門內迎接，一番禮儀後，送入南宮。隨從勇士二十人送駕，白天不離左右，夜間圍帳警衛，就是都御史楊善也不能靠近。完成任務後，他們揭開轎簾，查看無誤，叩頭而退。而後，正統帝在南宮宴請送行的人答謝。

從此，正統帝朱祁鎮開始了長達七年的南宮囚禁生涯。

逛一逛

安定門

明清北京內城北垣東門。始建於明洪武元年（一三六八），正統四年（一四三九）建城樓，甕城東西約六十八公尺，南北約六十二公尺。安定門是征戰得勝回歸的收兵之門，京師九門中有八門甕城內建有關帝廟，只有安定門內建真武廟，祀奉真武大帝，這在諸門中獨具一格。京師九門分別為正陽門、崇文門、宣武門、朝陽門、阜成門、東直門、西直門、安定門和德勝門。

第20講

于謙定亂

正統十四年（一四四九）八月十五日，正統帝率軍親征蒙古瓦剌部，在土木堡，全軍覆沒，正統帝被俘。敗報在當天夜裡傳到皇宮，皇宮震動，后妃大哭。孫太后和錢皇后打算先封鎖消息，籌集金銀彩緞，把皇帝贖回來。但是，消息很快傳開，朝野大震，官民驚恐。

在危難的關頭，穩定亂局，關鍵人物，首推于謙。

清官于謙

于謙（一三九八～一四五七年），錢塘（今浙江省杭州市）人。幼聰穎，又好學，中進士。在正統年間，任山西、河南巡撫。他在任上興利除弊，賑貧濟困，辦水利，促興農，心繫百姓，為民求福。當時官場賄賂成風，特別是大太監王振公然索賄。于謙作《入京詩》

于謙像

道：「手帕蘑菇及線香，本資民用反為殃。清風兩袖朝天去，免得閭閻話短長。」拒不與貪官同流合汙。他剛正不屈，被王振捏造罪名，定為論死。山西、河南民眾上千人請願，頌揚于謙的功德，王振被迫釋放于謙。不久，于謙因政績卓然，調任北京，為兵部侍郎。在土木堡之變中，于謙成為臨危定亂安邦的棟梁之臣、馳名四方的中華英傑。

于謙同里後學孫高亮，在章回體小說《于少保萃忠全傳》（《于謙全傳》）的第五回，有于謙觀石灰窯所感，口占七絕〈石灰吟〉一首云：

千錘萬擊出深山，
烈火焚燒若等閒。
粉身碎骨全不怕，
要留清白在人間。

〈石灰吟〉映現出于謙生命歷程的四種境界。

反對遷都

斥遷都。正統十四年（一四四九）八月十八日，孫太后在午門召集百官，宣布敗報，命郕王朱祁鈺監國。孫太后和郕王讓朝臣們商議對策。在一片哀嚎聲中，翰林院侍講徐珵（有貞）說，天象示警，只有儘快南遷，才能避開劫難。兵部侍郎于謙大聲說：建議南遷的人應該斬首！京師是天下根本，根本一動，大勢去矣，大家都想想宋朝南遷的教訓吧！孫太后和郕王朱祁鈺來了精神，把戰守重任交給了于謙。于謙等建議朱祁鈺採取一系列措施，加強京師防衛，人心逐漸安定。

八月二十日，孫太后立正統帝兩歲的兒子朱見深為皇太子。這是孫太后為自己打的小算盤。她是因為有了正統帝這個兒子，才取代胡皇后而成為皇后、太后，萬一正統帝回不來，郕王的母親豈不成為太后了。所以她立自己的孫子為太子，以保住自己的太后地位。

與此同時，明廷辦了幾件大事：

懲閹奴。八月二十四日，郕王朱祁鈺在午門左門臨朝視事，大臣們彈劾太監王振，認為是王振誤國。王曰：汝等所言皆是，朝廷自有處置。話剛說完，百官下跪，慟哭不起，揚言道：聖駕被留，皆振所致，殿下若不速斷，何以安慰人心！有個叫馬順的太監，為王振黨羽，擔任錦衣衛指揮。他不斷地大聲呵斥眾臣退下，惹惱了朝廷眾官。官員王竑振臂而起，揪住馬順的頭髮喝道：「若曹奸黨，罪當誅，今尚敢爾！」邊罵邊追，還上前「囓其面」——咬他，群臣也一擁而上。有的官員脫下馬順的靴子，捶擊毆打，追到奉天門庭院東側的左順門附近，將馬順打死。朝班大亂，群臣聚哭，號啕之聲，震動殿堂。郕王被這陣勢嚇住，起身想走。王竑率領群臣緊跟著郕王不放，說：太監毛貴、王長隨，也是王振一黨，請求將他們法辦！遂於門縫間抽出二人，大臣們又把這兩個人捶死了。王振的姪子、錦衣衛千戶王山也很快被抓來，眾相戒勿捶死，使伏法，遂縛王山赴刑場，凌遲處死。史書記載這個場面說：「血漬廷陛」。

午門舊影

逛一逛

午門

紫禁城的南門。建於明永樂十八年（一四二〇），清順治八年（一六五一）、嘉慶六年（一八〇一）重修。平面呈「凹」字形，墩臺高十二公尺，正中有三門，兩側各有一個東西向的掖門，為「明三暗五」的形式。墩臺上正中建有門樓，是紫禁城內最高的建築。

神武門

紫禁城的北門，建於明永樂十八年（一四二〇），初名玄武門，後因避康熙皇帝玄燁名諱改稱神武門。內設鐘鼓，與鐘鼓樓相應，用以起更報時。城臺有三門，帝后走中間正門，餘者由兩側門出入。清代選秀女、迎嬪妃均入此門。

東華門

紫禁城的東門。位於紫禁城東城牆的南段，紅色城臺大約有十公尺高，漢白玉的須彌座，城臺上闢有三個拱形門。大行皇帝梓宮、皇太后梓宮、皇后梓宮都從東華門出。

西華門

紫禁城的西門。建於明永樂十八年（一四二〇），萬曆二十二年（一五九四）被雷擊起火，歷時兩年修復。西華門位於紫禁城西門，與東華門相對。內務府、修書處、咸安宮官學均在西華門內。出西華門，正對西苑。清代帝后遊幸西苑、西郊園林，主要由此門出入。庚子年（一九〇〇）八國聯軍攻占北京，慈禧太后攜光緒皇帝出逃西安，就是由西華門出宮。

在朝班大亂之時，兵部侍郎于謙挺身而出，排開眾人，上前拉住郕王衣服，並曉之以利害。於是郕王宣諭：馬順等人論罪該死，打人之事，不再追究！這才把群臣的情緒安定下來。在這場亂局中，于謙「袍袖為之盡裂」，朝袍和衣袖都被撕破。王振家族全部被斬，朝廷籍沒王振家產，得金銀六十餘庫，玉上百盤，高六、七尺大珊瑚二十餘株，其他珍玩，不計其數。

立新君。九月初一日，群臣聯合上奏孫太后，請立郕王朱祁鈺為皇帝，孫太后無奈下懿旨批准，朱祁鈺躲到郕王府，再三推辭，于謙正色說：臣等誠憂國家，非為私計。這時，都指揮使岳謙出使瓦剌回來，得到正統帝口信，說可由郕王繼承帝位。

九月初六日，朱祁鈺正式即皇帝位，遙尊正統帝為太上皇，改明年為景泰元年。這樣，明朝終於度過了正統帝突然被俘帶來的嚴重政治危機。

主戰守。于謙為兵部尚書，主持京師防守大計。他精心備戰：分派官將，嚴守九門；繕備器械，簡兵補卒；支出倉糧，堅壁清野。他提督各營軍馬，列陣九門外，抵擋瓦剌也先來犯。他移檄切責主和者，由是「人人主戰守，無敢言講和者」。他申約束、嚴軍令：「臨陣，將不顧軍先退者，斬其將；軍不顧將先退者，後隊斬前隊。」

衛京師。十月，也先率軍，挾持正統帝，兵臨北京城下。于謙「躬擐甲冑，率先士卒，以死自誓，泣諭三軍」。官兵皆受感奮，勇氣百倍，矢志「捐軀效死，以報國恩」。于謙提督各營軍馬，鎮守九門，奮力禦守。明軍在德勝門、西直門、彰義門（廣安門），先後分別擊敗瓦剌軍。也先弟孛羅、平章卯那孩中砲死。也先又移軍京師北土城，「居民皆升屋，以磚瓦擲之」，號呼擊寇，嘩聲動天。軍民合力，奮勇打拚，激戰數日，擊退瓦剌，取得保衛京師的勝利。

慘遭殺害

後來在景泰元年（一四五〇）春夏間，敗瓦剌軍於萬全，並加強了居庸、大同、宣府的禦守。也先兵攻不勝，用間不逞，始有送還正統帝之意。

迎英宗。正統帝被俘將近一年了，瓦剌首領也先多次表示要送還正統帝，但景泰帝始終不言聲。他在文華殿召見大臣們商議，禮部尚書王直說：「上皇蒙塵，理宜迎復。乞必遣使，勿使有他日之悔。」景泰帝非常不高興。于謙看懂了景泰帝的心思，說：「天位已定，孰敢他議？答使者，冀以舒邊患，得為備耳！」景泰帝才放下心來，說「從汝，從汝！」《明史．于謙傳》記載：「上皇以歸，謙力也。」這是對當時輿論界認為于謙反對迎歸正統帝的最好的辯駁。

遭殺害。七年後，正統帝南宮復辟，重新奪回皇位，于謙被殺。于謙成了朱祁鎮、朱祁鈺兄弟爭奪皇位的替罪羊。

于謙以國為家，白天上班，夜間值宿，不問家產。偶爾得閒，「清風一枕南窗臥，閒閱床頭幾卷書」。刑死之日，陰霾四合，萬眾悲哀，天下冤之。抄家時，家無餘資，唯獨正室，鐍鑰甚固，打開一看，原來都是皇帝賜的蟒衣、劍器。妻子和兒子也被流放，無人收屍。女婿朱驥，歸其喪杭州，葬之。

而後不久，加害于謙的三個人，果然不得好報：徐有貞（珵）戍金齒，石亨下獄死，曹吉祥因謀反罪被族誅。而于謙忠心義烈，與日月爭光，後得平反，謚號忠肅，有《于忠肅集》傳世。子于冕後官應天府知府。

耄耋者說二

穩定與繁榮

皇宮的主人是明代宗朱祁鈺景泰帝（在位七年）、英宗朱祁鎮天順帝（在位八年）、憲宗朱見深成化帝（在位二十三年）、孝宗朱祐樘弘治帝（在位十八年）、武宗朱厚照正德帝（在位十六年）、世宗朱厚熜嘉靖帝（在位四十五年）、穆宗朱載坖隆慶帝（在位六年）七朝，共一百二十二年（景泰元年至隆慶六年）。這個時期，明朝雖表面強大繁盛，卻已經開始顯露衰勢。

其前者，中原沒有大的動亂，皇宮沒有大的震盪。東南沿海的「倭寇」被戚繼光等平息，西北「隆慶和議」後開始貢市，東北女真——滿洲尚基本安定。

其後者，國家處於經濟上升期，社會比較安穩。嘉靖時的「大禮議」，帶來皇宮和郊社壇廟禮制的重要變化。正德帝、嘉靖帝演繹出許多荒唐的宮廷故事。恰在這個時期，西方大國萌動，開始迭次崛起。

本部分為二十一至四十三講，主要展示明朝中期，重臣、名士同奸臣、臟官的搏鬥，講述于謙、林瀚、商輅、蔣欽、李東陽、王守仁、楊廷和、楊慎、海瑞、何𤅷、陳以勤、陳于陛、鄭洛、俺答汗、三娘子等可歌可泣的歷史人物。

北京故宮平面圖

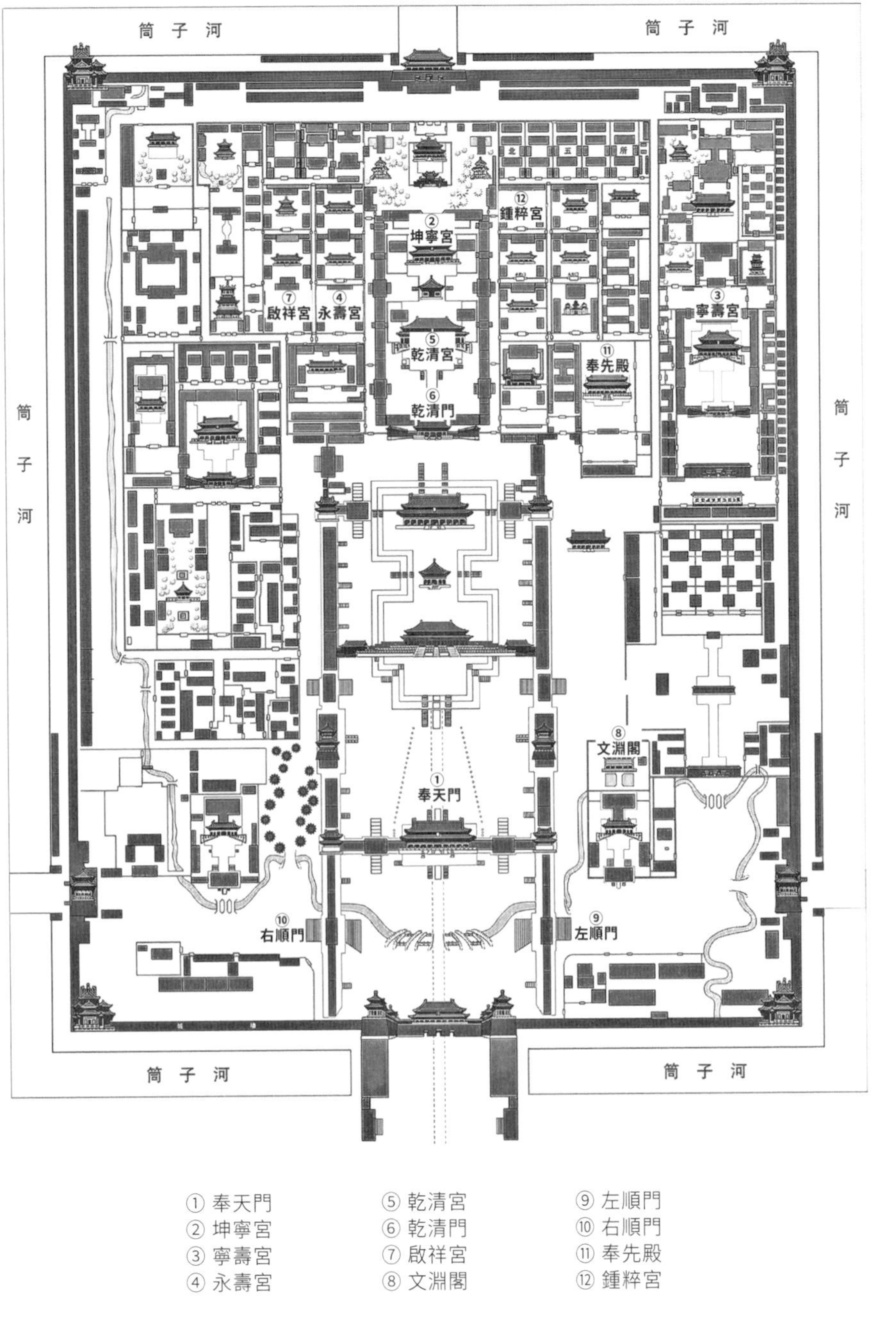

① 奉天門
② 坤寧宮
③ 寧壽宮
④ 永壽宮
⑤ 乾清宮
⑥ 乾清門
⑦ 啟祥宮
⑧ 文淵閣
⑨ 左順門
⑩ 右順門
⑪ 奉先殿
⑫ 鍾粹宮

第21講

南宮復辟

「南宮復辟」的南宮在什麼地方？「復辟」的原因和經過怎樣？其後果和影響又如何？

機不可失

南宮復辟的策源地在南宮。明朝北京皇宮之外，還有三組宮院，南宮、西宮和豹房。在這三組宮殿庭院，都曾發生過以皇帝為主角的驚心動魄的故事。我在本書中，會逐一講述。這裡講的南宮復辟，是明正統帝朱祁鎮以太上皇的身分，從南宮發動政變，奪回皇位的重大歷史事件。

南宮，在紫禁城以外，皇城以內，因位於皇宮東側偏南，所以稱為南宮。南宮的具體位置，在今北京南池子以東、南河沿大街以西的地帶，是一個獨立的宮廷院落，永樂帝為

明南宮遺址

皇太孫朱瞻基而建，有前殿、後殿，有高牆環繞。清初曾為攝政睿親王多爾袞的王府。清朝北京王府，在皇城以內的，只有睿親王府一座。這座南宮，明朝曾做過「皇帝監獄」，清朝王府主多爾袞身後被「焚屍揚灰」，認為很不吉利，誰也不願意住。後改王府為廟宇，名為普度寺。今有殿宇遺存，附近為菖蒲河公園。

明英宗朱祁鎮，在正統十四年（一四四九）土木堡之變中，八月十五日被俘，第二年八月十五日回到北京。回京後，他被稱為太上皇，一家人從此就被軟禁在南宮，從景泰元年（一四五〇）八月，到八年（一四五七）正月，將近七年。景泰八年正月十六日，明英宗從南宮發動復辟，裡應外合，重登皇位，這就是「南宮復辟」。太上皇朱祁鎮南宮復辟，既有深層原因，也有直接原因。

深層原因是當時天上有兩個「太陽」：景泰帝朱祁鈺和太上皇朱祁鎮（年齡差不到一歲）。他們兄弟矛盾的焦點是皇位。景泰帝將太上皇軟禁在南宮，派兵駐守，正旦、生日，不許朝賀，形同囚犯。太上皇起碼的生活得不到保障：「膳饈從竇入，亦不時具。」（沈德符《萬曆野獲編．南內》）他的人身安全也受到威脅：增高南宮城牆，伐去城邊大樹，宮門之鎖灌鐵，派兵嚴加戍守。太上皇曾在城邊樹蔭下乘涼，不久大樹被砍伐，問原因——內臣說出實情，原來是有大臣進言「城南多樹，事叵測」，景泰帝遂下令「盡伐之」。太上皇朱祁鎮害怕了。

朝廷既有兩個「太陽」，大臣便有兩派勢力。景泰帝不予重用的，原忠於太上皇帝的，或者有野心的大臣，便站在太上皇一邊，同氣相投，祕密謀劃，尋找機會，發動政變。

直接原因是廢立太子。明英宗朱祁鎮有九個兒子，已將皇長子朱見深立為太子。景泰三年（一四五二）五月，景泰帝廢皇太子朱見深為沂王，出京就藩。景泰帝只有一個兒子朱見濟，他要立見濟為皇太子，「恐文武大臣不從，乃分賜內閣諸學士金五十兩，銀倍之」（《明史紀事本末》卷三十五），籠絡朝臣，兼作收買。然新太子朱見濟被立後，第二年就死了。那麼，再立誰呢？有人主張再立被廢的皇太子沂王朱見深。禮部郎中章綸、御史鍾同等，上疏力倡立朱見深，被下詔獄，嚴刑鞫訊，殘酷折磨，體無完膚。立太子之事懸而未決，景泰帝患病不能上朝，這就為明英宗南宮復辟提供了有利的時機和條件。

復辟經過

南宮復辟經過了密謀、政變和鎮壓三個階段。

密謀。景泰八年（一四五七）正月十五，景泰帝朱祁鈺因病，免文武百官宴賀。他實際上已經因病三天不上朝了。景泰有病，群臣洶洶。太上皇勢力在暗中做準備：司禮監太監曹吉祥，文臣副都御史徐有貞、武官都督張軏、武將石亨等，在密室策劃，謀迎太上皇復位。先是，十四日夜，政變策劃者，會聚在徐有貞家。徐有貞大喜，說：「須令南城知此意。」意思是必須要讓太上皇知道我們的意思。張軏說：「陰達之矣。」意思是一天前已祕密奏達了。又讓太監曹吉祥入宮告訴孫太后。

十六日夜，他們又在徐有貞家聚會。徐有貞登上屋頂觀看天象，說：「事在今夕，不可失矣！」這時恰有邊吏報警，徐有貞建議以此為名，兵入大內，一定沒有人敢阻攔！計定，徐有貞焚香祝天，與家人訣別，說：「事成，社稷之利；不成，門戶之禍。歸，人；不歸，鬼矣！」（《明史紀事本末》卷三十五）深夜，復辟政變，祕密發動。

政變。石亨掌管宮門鎖鑰，夜四鼓，開長安門，進兵千人。入門後，立即關門，理由是怕「外兵」進來。另一股兵，趕到南宮。宮城大門錮鎖，叩門不應。徐有貞命取巨木懸起，數十人舉木撞門。又令勇士翻牆進入，與外兵合毀牆垣，牆壞門開，石亨、張軏等入南宮。太上皇掌燈出來問是怎麼回事，徐有貞等俯伏請登大位，遂呼請太上皇上肩輿。兵士惶懼，連轎都抬不起來了，徐有貞帶領大家幫忙，才得以行進。到了東華門，守門不讓進。太上皇說：「朕太上皇帝也！」開門進入，到奉天門。時皇帝寶座尚在殿隅，眾人搬到正中，遂升座，鳴鐘鼓，啟諸門。十七日晨，百官入候景泰帝視朝。徐有貞出列，跟眾官說：「太上皇帝復位矣！」（《明史．徐有貞傳》）徐有貞等穿常服，三跪九叩，高呼「萬歲」。眾官跪拜。就這樣，太上皇朱祁鎮奪回了皇位，年號天順，改景泰八年為天順元年。廢景泰帝為郕王。郕王朱祁鈺廢後七日薨，葬於西山。

鎮壓。徐有貞即日入內閣，參預機務。明日，加兵部尚書，後兼華蓋殿大學士。兵部尚書于謙、大學士王文在官員行列中被抓下獄。其理由呢?徐有貞向前秉奏英宗：「不殺于謙，今日之事無名。」（《明史紀事本末》卷三十五）罪名是于謙「意欲」迎立外藩，就是想迎立藩王進京，繼承皇位。王文不服，辯道：「召親王須用金牌信符，遣人必有馬牌，內府、兵部可驗也！」于謙笑道：「辯什麼?他們不講事實有無，就是要我們死罷了！」明英宗決定，將于謙和王文等斬首，妻子戍邊。從前景泰帝賜于謙府第，于謙辭謝。於是于謙在屋裡放置景泰帝前後所賜璽書、袍鎧、弓劍、冠帶等，加上封條，歲時拜視。于謙以國務繁忙，寓宿直房，夜不回家。到于謙被斬，抄其家，

奉天門（太和門）前的明代銅獅

然無餘貲，蕭然僅書籍耳。而正室鎖鑰堅固，打開一看，皆帝賜也。謙死之日，陰霾翳天，行路嗟嘆，天下無不冤之。兒子于冕也被流放（《明史．于謙傳》）。後于謙事平反，子于冕官應天府府尹，他收集整理父親生前遺稿，刻印《節庵存稿》傳世。後有《于忠肅集》，今人編《于謙集》。

逛一逛

奉天門（太和門）

紫禁城內外朝的正門。始建於明永樂十八年（一四二〇），初名奉天門，後改稱皇極門，清順治二年（一六四五）開始稱太和門。門前的廣場寬敞、開闊，有內金水河環繞，南與午門相向。明代曾是每日早朝和奏事的地方。

後人思考

南宮復辟，多有評論，同情景泰帝者多，贊同正統帝者少。但是，我們可從另一側面，思考歷史經驗。

正統帝的錯誤在於殺害保衛江山社稷、生民百姓的大功臣——于謙和王文。

景泰帝的錯誤在於舉措失度，其主要原因是一個「貪」字。景泰帝雖在危難關頭對穩定明朝統治做出貢獻，但貪戀皇位，以致在對待太上皇和皇太子的問題上，出現重大錯誤。

對待太上皇帝，應當只有兩條：留，則敬之以禮；否，則祭之以鬼。既不敬，又不祭，自招禍，天難救。

對待皇太子廢立的大事，廢姪子朱見深，立兒子朱見濟，屬情有可原。但自己兒子死了，自己又重病在身，還遲遲不讓原太子復立，造成人心渙散、太上皇孤注一擲的危局。

朱祁鎮，畢竟遭過大難，受過奇辱，吃過大苦，見過大世面，是經過政治磨鍊的人。他復辟後執政的七年間，於敬天法祖、朝廷政務，格外重視，認真去做，做了幾件「仁德之事」。

第一，恢復他父親宣德帝廢后胡氏的皇后名位，並上尊謚。

第二，釋放建文帝次子朱文圭，並在鳳陽建造房屋以安排侍者，讓他自由居住。可憐這位朱文圭，當年只有兩歲，在高牆中被幽禁竟達五十五年。

第三，臨終時廢除妃嬪殉葬制度。明朝皇帝死後妃嬪殉葬，從太祖朱元璋開始，經永樂、洪熙、宣德四朝，終於廢止。

第四，景泰帝死後，允許其廢后汪氏母女遷回郕王舊府，並可攜帶其在宮中所有財物。

然而，明英宗復辟之後，並沒有徹底反思土木堡之變的根本原因，沒有做過自我批評，沒有發表「罪己詔」，卻對太監王振招魂以葬，祀之智化寺，賜祠曰「精忠」。可見，國君之認錯、改過，難矣！

第22講

英宗皇后

朱祁鎮是明朝第一位在北京皇宮坤寧宮舉行大婚的天子，他的皇后錢氏也是第一位在北京皇宮坤寧宮舉行大婚的皇后。

錢后命苦

明英宗皇后錢氏（一四二六～一四六八年），海州（今江蘇省連雲港市）人。正統七年（一四四二），立為皇后。錢皇后有件事情被《明史》稱讚。中國帝制時代，皇后娘家被稱為「外戚」。女兒一旦貴為皇后，娘家人便雞犬升天。漢、唐的外戚之禍，危害不淺，史不絕書。明英宗考慮錢皇后娘家一族身世單微，要給其娘家封侯爵，這還只是公、侯、伯、子、男五等爵位的第二等——「侯」，尚不是第一等的「公」。因錢皇后幾次遜辭，始終沒封。《明史．后妃傳》說：「故后家獨無封。」在整個明朝歷史上，皇后家「獨無

坤寧宮內景

封」的，只有錢皇后家。但是，錢皇后經歷了八件不幸的事。

一**是日夜哀泣**。英宗皇帝被俘期間，她「夜哀泣籲天，倦即臥地，損一股。以哭泣復損一目」（《明史．后妃傳》）。她夜夜哭泣，哭瞎了一隻眼，且長時間坐在涼地上哭，又損傷一條大腿，可能是一側股骨壞死吧！

二**是傾囊贖君**。「英宗北狩，傾中宮貲佐迎駕。」（《明史．后妃傳》）明英宗被蒙古瓦剌部首領也先俘虜後，要花錢贖回。錢皇后將自己嫁妝首飾、珠寶和私房錢拿出來，期望贖夫君正統帝回朝、回家。

三是陪住南宮。明英宗放歸後，被迫住在南宮，錢皇后也陪住，如同囚徒。但她「曲為慰解」，就是耐心勸慰、開導失意的夫君。有時還做女紅換錢，用來補貼生活。

四是中年喪偶。明英宗雖然南宮復辟，重新登上皇帝寶座，但是三十八歲病故，錢皇后年輕守寡。

五是徽號之爭。明英宗死後，太子朱見深繼位，是為成化帝。他的生母周貴妃，就成為太后。這位周太后，處處跟錢太后爭高下、比地位。幾番折騰，錢太后才獲徽號，很不順利。

六是同葬風波。明英宗臨死前，遺囑錢皇后「與朕同葬」。但錢太后薨，周太后不同意。成化帝把球踢給大臣們討論，自然有拍周太后馬屁的，也有堅持朱明家法的，上下反覆，意見不一，竟然鬧到「吏部尚書李秉、禮部尚書姚夔集廷臣九十九人」相爭的地步，甚至於「百官伏哭文華門外」。成化帝請示周太后，周太后還是不同意。皇上不答應，群

逛一逛

坤寧宮

內廷後三宮之一。位於交泰殿後，中軸線上。始建於明永樂十八年（一四二〇），正德九年（一五一四）、萬曆二十四年（一五九六）曾兩次毀於大火，萬曆三十三年（一六〇五）重建。在明代，坤寧宮是皇后的寢宮。

明英宗錢皇后（臺北故宮博物院典藏）

臣就跪在地上不起，「自巳至申」四個時辰，約八個小時，周太后才勉強同意讓錢太后同葬裕陵（《明史・后妃傳》）。但事情還留個尾巴。什麼尾巴呢？

七是冥間阻隔。明英宗裕陵埋葬明英宗、錢皇后和周貴妃。周貴妃對錢皇后，不但在生前，而且在身後，仍然「爭寵」。死了怎麼「爭寵」呢？明英宗的棺槨兩側，左側壙穴，安放錢皇后的棺槨；右側壙穴，是預留安放周貴妃的棺槨。但周貴妃堅持要將錢皇后棺槨的壙穴，隔開數丈遠，並要「窒之」

（不通，堵塞），而自己棺槨的壙穴，要與明英宗的棺槨之間相近相通。

八是不設牌位。在奉先殿祭祀，周太后安設牌位，錢太后不設牌位。這就是說，錢皇后死後在宗廟裡沒有位置。

錢皇后雖是第一位從大明門坐花轎抬進坤寧宮的正宮皇后，卻遭受到八大不幸。其實這八個不幸，最大的不幸是她沒有生兒育女。周貴妃為什麼後來處處壓著錢皇后？就是因為她的兒子做了太子、做了皇帝！

周后狹隘

周氏是北京昌平人。因生兒子朱見深，被立為太子，母以子貴，周氏被封為貴妃。朱見深十八歲繼承皇位，改年號為成化，尊她為皇太后。成化帝死後，她的孫子弘治帝朱祐樘繼位，尊她為太皇太后。

除了生育之外，錢皇后跟周貴妃還有一個差距，就是壽命短。錢皇后守寡不久就去世了，而周貴妃則享受到兒子成化帝的孝順。明朝十六位皇帝，文化素養、個人品德差異很大，各不相同，甚至有的皇帝做出許多荒唐之事。但是，明朝所有的皇帝，對待母親、對待祖母，都極孝順，無一例外。《明史》記載：「憲宗在位，事太后至孝，五日一朝，燕享必親。太后意所欲，惟恐不歡。」（《明史．后妃傳》）這是可信的。成化十四年（一四七八），周太后懿旨出內帑重修京師西郊名剎大覺寺（《御製重修大覺寺碑記》）。其從弟周雲瑞（吉祥）為僧錄司左善世（正六品），兼大覺寺住持，於弘治五年（一四九二）圓寂。今存寺南「周雲瑞和尚塔」及碑記可作史證。

兒子成化帝去世後，弘治帝即位，她又被封為太皇太后。弘治帝事太后也至孝。周太皇太后病瘍，久之愈，誥諭群臣說：「自英皇厭代，予正位長樂，憲宗皇帝以天下養，二十四年猶一日。茲予偶患瘍，皇帝夜籲天，為予請命，春郊罷宴，問視惟勤，俾老年疾體，獲底康寧。以昔視今，父子兩世，孝同一揆，予甚嘉焉。」（《明史・后妃傳》）

弘治十一年（一四九八）冬，清寧宮火災，周太皇太后移居仁壽宮。第二年，清寧宮修繕完工，周太皇太后仍回清寧宮。

外戚周家

周太皇太后之弟長寧伯周彧，家有賜田，官員請求加以核查，皇帝說算了。周太皇太后說：「奈何以我故骫皇帝法！」意思是怎麼能因為我而不遵守國法呢！於是，將超出土地歸於官府。

明英宗周貴妃娘家與錢皇后娘家相反，周貴妃的父親周能為錦衣衛千戶。周能死後，其長子周壽嗣職。後升周壽為左府都督同知（從一品），後來又晉升為伯。周壽依仗為

北京大覺寺舊影

當朝太后的弟弟、皇帝國舅，驕橫貪婪。

其一，時正值嚴禁勛戚乞請莊田，唯獨周壽冒禁乞請通州田六十二頃，即六千二百畝。皇家全數劃給他。在寶坻（今在天津）占田五百頃，又要再得七百餘頃，合計約一萬二千畝，受到彈劾，皇帝卻全許之。

其二，周壽的家人經常劫掠商船，為非作歹。

其三，成化十七年（一四八一）周壽升為侯，子弟同日授錦衣官者七人。成化帝死，弘治帝立，加周壽太保，其勢更為囂張。

其四，周壽又與建昌侯張延齡爭田，兩家家奴，相互鬥毆，群臣不滿，紛紛上章。太后二弟長寧伯周彧與壽寧侯張鶴齡至聚眾相鬥，都邑震駭。

其五，兄弟並為侯、伯，位三公，史稱「前此未有也」！

外戚周家，從天順，經成化、弘治、正德、嘉靖五朝，在七、八十年間，倚仗皇家，受爵升職，侵奪民利，為所欲為，為害一方，既損害皇家的根本利益，更侵奪百姓的重大利益。又與建昌侯張延齡爭田，家奴相毆，交章上聞。還多次撓亂鹽法，侵公家利，有司厭苦之。

弘治九年（一四九六）九月，吏部尚書屠滽同九卿聯合上書，說：

勛戚諸臣不能恪守先詔，縱家人列肆通衢，邀截商貨，都城內外，所在有之。觀永樂間榜例，王公僕從二十人，一品不過十二人。今勛戚多者以百數，大乖舊制。其間多市井無賴，冒名罔利，利歸群小，怨叢一身，非計之得。邇者長寧伯周彧、壽寧侯張鶴齡兩家，以瑣事忿爭，喧傳都邑，失戚里之觀瞻，損朝廷之威重。（《明史．外戚傳》）

強調外戚、勛臣之害深重，明廷、勛戚尤應鑒之。

林氏四代

明朝有林姓一家人，四代人之間，出了三位祭酒、五位尚書，這在明朝兩百七十六年歷史上，是絕無僅有的。這一門的家風、家教，有什麼經驗值得借鑑的呢？

正派之家

林家是閩縣（今在福建省福州市）人。《明史》記載林家第一代考中進士的，叫林元美，永樂十九年（一四二一）第三甲第一〇五名進士。他做過江西撫州府知府，算個廳局級官員。林元美的精力，主要放在對兒子的培養和教育上。

林家第二代進士是林瀚，他自幼用功，勤奮讀書，明成化二年（一四六六）中二甲第三名進士。授翰林院庶吉士，就是在翰林院讀研究生，畢業後任翰林院編修（正七品）。他在明憲宗成化帝死後，參與編修《明憲宗實錄》，任經筵講官——給弘治帝講課。這是皇帝身邊的近臣、文臣。林瀚表現出色，改任國子監祭酒。後升禮部侍郎，仍管國子監。林瀚主管國子監十年，有一件事，青史永垂。

什麼事呢？國子監生員，原來沒有宿舍。家庭貧寒子弟，在外面租房子住，是一項經濟負擔。林瀚在主管國子監的十年期間，節省伙食等費用，一年有數百兩銀子，在官庫儲存，他用這筆錢，逐漸營建宿舍，師生不用再租房居住。明朝的這項善舉，是從林瀚開始的。後來一直影響到清朝國子監的制度。

林瀚人品端正，勤懇敬業，官升吏部侍郎。再官拜南京吏部尚書。後因年老乞休。

林瀚平素剛毅方正，得罪了大太監劉瑾。這時他倚靠的上司紛紛罷政。劉瑾借機修理林瀚，汙他為奸黨，貶謫他到外地做官，他被迫退休。劉瑾被殺，林瀚官復原職，不久，致仕。後病卒，年八十六。謚文安。

林瀚為人，謙虛厚道，坦然自守。九個兒子，其中庭棉、庭機最有出息。

三位祭酒

林家一門，三代出了三位國子監祭酒。

我先介紹明朝的國子監。明朝有三個國子監：北京國子監、南京國子監、中都國子監。

北京國子監牌樓

南京國子監，明初在南京設國子監，是為全國最高學府。國子監祭酒為從四品。中都國子監，洪武八年（一三七五）設，國子監祭酒為從四品，洪武二十六年（一三九三）罷。北京國子監，永樂元年（一四〇三）設，國子監祭酒為從四品。國子監是「天下賢關，禮義所由出，人才所由興」（《明史·職官志二》）。國子監祭酒都是從四品。

林瀚家三代出了三人為國子監祭酒：

第一代國子監祭酒為林瀚，前面已經介紹。

第二代國子監祭酒為林瀚的第三個兒子林庭機，嘉靖十四年（一五三五）進士。改庶吉士，授檢討，遷司業，升南京國子監祭酒。

第三代國子監祭酒林燫，為林瀚之孫，林庭機長子，嘉靖二十六年（一五四七）進士。改庶吉士，授檢討。後升國子監祭酒。

林家一門，自祖父林瀚、兒子林庭機、孫子林燫，三代為國子監祭酒，《明史·林瀚傳》說：「前此未有也。」這成為學壇的一段佳話。

五位尚書

林家還有一段佳話。祖父林瀚退休在家，次子林庭㭿於弘治十二年（一四九九）中進士。先官兵部主事（處長級），又升兵部職方郎中（局長級），又任蘇州府知府。時蘇州頻年鬧大水，林庭㭿「疏請停織造，罷繁徵，割關課備振」。一次上奏未准，再次上奏，才獲旨准。後以父親年老，請假歸鄉。這時林庭㭿之子林炫已中進士，官禮部主事，請假探親。這樣，祖父、兒子、孫子，一家三代進士，聚集一堂。史載：「三世一堂，鄉人稱盛事。」

我特別要講一下林家出了五位尚書：

第一位，林瀚官拜南京兵部尚書。

第二位，林瀚次子林庭㭿，官工部尚書。林庭㭿中進士後，傳承家風，正直做人，勤慎做事，在湖廣任布政使（副省長），政績卓異，升右副都御史，回京任工部侍郎。當時大興壇廟工程，又興西苑宮殿、北京沙河行宮，他屢次請以儉約先天下。又因水旱災害，乞請停採大木、罷除燒造。由工部侍郎升為工部尚書，加太子太保。

第三位，林瀚第三子林庭機，嘉靖十四年（一五三五）中進士。後升為南京國子監祭酒，再升工部尚書。年老致仕，萬曆九年（一五八一）卒，年七十六。贈太子太保，謚文僖。

第四位，林瀚之孫林爊，為林庭機長子。嘉靖二十六年（一五四七）進士。改庶吉士，授檢討。後升國子監祭酒。隆慶改元，擢禮部右侍郎，充日講官。北邊形勢緊急，條上備邊七事。改吏部，調南京吏部，署禮部事。魏國公徐鵬舉廢長立幼，燫持不可。萬曆元年（一五七三）進工部尚書，轉禮部尚書。卒後，贈太子少保，謚文恪。

第五位，林烴，為林庭機次子。嘉靖四十一年（一五六二）進士。授戶部主事，歷廣西副使。因災異極陳礦稅之害，請釋逮繫諸臣。不報。終南京工部尚書，致仕。

林氏一門，榮耀四代，出了三位國子監祭酒，五位尚書，能夠闔門做到：知書達理，內行修潔，言行一致，史書稱讚。這在明朝兩百七十六年的歷史中，僅此一家。

還有一個小故事：林家謚號——林瀚，謚文安；第三子庭機，謚文僖；孫林燫，謚文恪。都謚「文」字，這是偶然巧合，還是必然之果？可以說，既是巧合，也是必然。這在明朝，也是只有林氏一家而已。

明代福州林氏一門，處人處事，為官為民，奉行一條祖訓家規，這就是：養正心，走正道，務正學，親正人。

獨寵萬妃

成化帝朱見深是明朝第八位皇帝，十八歲繼位，在位二十三年，死時四十一歲。他幼年時期，伴隨皇父英宗親征、被俘、被囚、復辟等大起大落的命運，親身經歷了作為皇太子被立、被廢、再被立的反覆折騰。另一方面，明朝已經建立百年，永宣之治的餘波還在，各種危機都還在醞釀之中，恰逢難得的太平之世，朱見深一輩子生活在深宮裡，精神上和物質上都可以得到極大滿足。這種奇特的人生際遇，使得成化帝演繹出不少奇特的故事。

兩次婚禮

朱見深虛歲三歲時，明英宗在「土木堡之變」中被俘。他的奶奶孫太后，將他立為太子，並把他放在身邊養育。孫太后有一位宮女，姓萬小名貞兒，山東諸城萬家莊（一說在

明憲宗朱見深像（臺北故宮博物院典藏）

諸城市舜王街道，另一說在原桃源鄉萬家莊）人（侯雲昌主編《諸城名人》）。父親萬貴為縣吏，被貶謫到順天府霸州（今河北省霸州市）。她四歲被選入宮，聰明機智，善解人意，在明英宗母親孫太后宮裡為宮女。她比朱見深大十七歲，這時已經二十歲了，悉心照料年幼的見深。朱見深小時候很難見到父親和母親，是奶奶孫太后和宮女萬氏給予他溫暖的呵護和教育，特別是萬氏，亦奴、亦母、亦姊、亦妃，每天形影不離，成為他的感情寄託。

朱見深十五歲時，孫太后去世，他與萬氏的親密關係很快升溫。但因出身和年齡的反差太大，明英宗和錢皇后、周貴妃，絕不可能讓萬氏成為朱見深的正妻。明英宗親自為朱見深選太子妃，選了三位女子，分別是王氏、吳氏和柏氏，王氏排在第一。但是沒來得及冊立，明英宗病重、去世，事情就耽擱下來。但明英宗遺命見深百日後完婚。

太后做主，選中吳氏。成化帝於天順八年（一四六四）七月二十一日，冊吳氏為皇后，並舉行了隆重的婚禮。吳皇后，順天（今北京）人，父親吳俊為羽林前衛指揮使。吳皇后知書達理，雅好音律，自當主持六宮，母儀天下。但吳皇后很快便與萬貴妃發生衝突，並杖責了萬貴妃。萬貴妃向皇帝哭訴，求皇上做主。八月二十二日，剛剛冊立一個月的吳皇后，就被成化帝給廢了。廢后吳氏搬到西內別館居住，其父兄戍登州陵。

兩個月後，成化帝舉行第二次大婚禮，皇后為王氏。

四個月的時間裡，皇帝兩次舉行大婚，這在紫禁城的歷史上，也是唯一的。原因雖然很多，但不可忽視萬氏的力量。

彗星多現

擺在皇后王氏面前的大難題是：如何處理同萬貴妃的關係。新皇后王氏，聰明賢惠，很有智慧。王皇后「終其身，不十幸，無所妒忌」（《罪惟錄·王皇后列傳》）。一輩子受到成化帝寵幸不到十次，但她對丈夫恪盡妻道，毫無怨言。而面對萬貴妃的專寵，史書說她：「萬貴妃寵冠後宮，后處之淡如。」（《明史·后妃傳》）其結果呢？史書說她「母儀兩朝，壽過八十」，被譽為明史中「最尊且壽」的皇后。明成化帝的王皇后，先後做了二十三年皇后、十八年皇太后、十三年太皇太后，共計五十四年。王皇后居上不驕，居下不忌，心地善良，言行知禮，看得淡，想得開，心胸寬，氣量大，這是王皇后幸福人生和健康長壽的祕訣。

成化帝的后妃，《明史·后妃傳》記載為五人。第一任皇后吳氏被廢掉，幽居西宮。第二任皇后是王氏。另一位邵妃生下興獻王朱祐杬，後來成為嘉靖帝的祖母，也得善終。還有一位是紀妃，後面再詳細講。只有萬貴妃在五位后妃中，受到專寵，始終不衰。

萬氏在成化二年（一四六六）正月，生下皇長子，成化帝大喜，派太監往名山大川寺觀掛袍行香，敬祈禱佑，遂封為貴妃。但是，這位皇子當年夭殤。這年萬貴妃三十七歲，此後不再懷有身孕。

成化帝沒有兒子，朝廷內外甚為擔憂，言者每請多選妃嬪，多生兒子，以廣繼嗣。

成化四年（一四六八）九月初三日夜，發生了一個奇怪天象：天空出現彗星，向東北移動，五天之後，便形成一條三丈多長的巨大尾巴，直指西南。從這天開始，彗星凌晨出現在東方，其尾西指，黃昏則出現在西方，其尾東指，直到十一月十四日，才逐漸消失，歷時七十天。這是明朝建立百年以來，在天際運行時間最長、範圍最大的一次彗星，引起朝野恐慌。

朝臣們將這一現象，與沒有皇子、專寵的萬貴妃聯繫起來。但成化帝嘴硬說：「內事也，朕自主之。」於是萬貴妃更加恃寵而驕。她身邊的太監，稍不如意，即遭斥逐。其他妃嬪御幸懷有身孕，遭到飲藥墮胎的不計其數。但是，萬貴妃一手難以遮天，百密必有一疏。成化五年（一四六九）四月，賢妃柏氏生下一位皇子朱祐極。這一次成化帝並不急著冊立太子，直到成化七年（一四七一）十一月，才冊立皇子朱祐極為皇太子。誰知剛過去兩個月，皇太子突然生病，剛病了一天竟然死了。於是人們紛紛猜測，一定是萬貴妃下的毒手。

相隨崩逝

人們要問：萬貴妃比成化帝大十七歲，不是短暫受寵，而是終身專寵，直到五十八歲薨逝，這是為什麼呢？她用的什麼迷魂藥將成化帝迷住了呢？

一是美。「豐豔有肌」，豐滿豔麗，肌體健壯。美是寵妃、愛妃的共同特質。但也有書說她「貌雄聲巨，類男子」，並不豔麗。萬貴妃究竟長得如何，既沒有〈長恨歌〉描述，也沒有影像記錄，更沒有人親眼見過，即使當時有宮女、太監見過，也沒有留下文字記載，所以人們只能根據想像去推測。俗話說「情人眼裡出西施」，所以在成化帝眼裡，一定是美的。

二是媚。聰穎機警，善諛帝意。作為愛妃，美麗是條件之一，迎合是條件之二。史書說萬貴妃：「機警，善迎帝意。」聰明機智，善於迎合皇上，是萬貴妃的特殊本領。

三是剛。女人柔是美，剛也是美。成化帝愛喝酒，萬貴妃「常戎裝侍酒」；成化帝喜騎馬，常出遊，萬貴妃「每上出遊，必戎服佩刀侍立左右」，博得皇帝的寵愛。「上每顧之，輒為色飛。」（沈德符《萬曆野獲編》）成化帝幼年因皇父大起大落，缺少安全感，尤其需要女性的愛護。史書有說法：「末嬉（妹喜）冠男子之冠，桀亡天下」（《晉書・五行志上》）；唐武宗賢妃王氏，十三歲入宮，善歌舞，性機悟，喜遊獵，著戎裝，「每畋苑中，才人必從，袍而騎，校服光侈，略同至尊，相與馳出入，觀者莫知孰為帝也」（《新唐書・后妃傳下》）。人們將成化帝的萬妃同唐武宗的賢妃相比。

四是智。籠絡群下，細察動靜。運用手腕，掌控皇帝，後宮妃嬪，難得侍幸。史書寫她：「且籠絡群下，令覘候動靜。」（《明憲宗實錄》卷二八六）其他妃嬪有孕，派人用藥，進行墮胎。身邊太監，一忤妃意，立遭斥逐。萬貴妃編織了一個控制整個後宮的嚴密的貴妃網。

五是緣。萬貴妃的反常舉動，必然遭到官員反對。然而，官員愈諫，寵愛愈篤。大臣見朝廷數年沒有皇子出生，言官勸帝恩澤普霖，成化帝拒不接受，且寵萬貴妃益甚。蘿蔔白菜，各有所愛，這就是緣。

逛一逛

昭德宮

萬貴妃在成化二年（一四六六）到成化十二年（一四七六）之間住的寢宮。成化十二年萬氏進封皇貴妃後搬到安喜宮居住。

安喜宮

明憲宗朱見深寵妃萬貴妃居住的宮殿，萬氏於成化十二年進封皇貴妃時開始居住，一直居住至成化二十三年（一四八七）春。成化二十三年，萬貴妃暴卒於安喜宮，獨葬天壽山皇陵區之西南隅萬娘墳中。

萬貴妃過於奢華。初居昭德宮，後移安喜宮，進封皇貴妃，服用器物，奢侈至極，四方珍奇，歸己名下。萬貴妃酷愛寶石，「京師富家，多進寶石得寵幸，賞賜累巨萬」（韓邦奇《苑洛集》）。大太監梁芳就是靠「日進美珠珍寶悅妃意」而飛黃騰達的（沈德符《萬曆野獲編》）。萬氏一門，父兄弟姪，恩澤普受，異乎尋常。賞賜金珠寶玉，多得無法計算。甲第宏侈，田連州縣，倖幸出外，科斂民財，傾竭府庫，騷擾百姓。

花開有謝，貴妃暴死。怎麼死的？書有兩說：一說是萬貴妃命鞭撻一宮婢，憤怒至極，氣咽痰湧，一口氣憋死；另一說是《罪惟錄》的記載「或曰左右縊萬死」，就是被其身邊的太監或宮女勒死的。這自然是無法考據了。成化帝驚聞萬貴妃噩耗，不語久之，長嘆曰：「萬侍長去了，我亦將去矣！」於是，悒悒無聊，寢食不安，同年崩逝。

第25講

冷宮得子

成化帝獨寵萬貴妃，使得自己缺少子嗣。但他沒有想到偶然邂逅一位廣西土司女兒紀氏，竟與她演繹出一段歷史故事。

紀妃其人

紀妃，姓紀，名字不詳，賀縣（今廣西壯族自治區賀州市）人。她本是廣西一位土司的女兒。成化年間，明軍出征，這個女孩被俘入宮，成為宮女。紀氏，非常聰明，做事勤敏，通曉書文，受命看守內府的珍藏寶物。這時，萬貴妃特受寵，嫉妒其他妃嬪。後宮如懷有身孕的，便設法祕密進行墮胎。文淵閣大學士彭時、禮部尚書姚夔曾為此諫言，成化帝說：「內事也，朕自主之。」並不理會。萬貴妃更加驕橫。太監一忤其意，立即斥逐。後宮御幸有身孕而被用藥墮胎者，難計其數。有的妃子，生下兒子，卻被害死。柏賢妃生悼恭太子，後被萬貴妃所害。

一天，成化帝偶然到內府珍藏文物處，見到管理書畫、器物的紀氏，進行詢問，對答滿意。成化帝一高興，就在內府珍藏文物的地方，幸了紀氏，遂懷有身孕。萬貴妃知道後，又嫉妒又懷恨，令宮女給紀氏鉤下胎兒。宮女向萬貴妃謊報紀氏是「病痞」，而非有孕。紀氏就被貶謫到西內安樂堂居住。安樂堂在金鰲玉蝀橋（今北海大橋）西頭，欞星門北，羊房夾道內。凡宮人病老或有罪，就先發到此堂，待年久再發到浣衣局。

紀氏十月懷胎，到了產期，生下一兒，就是朱祐樘，也就是後來的弘治帝，即明孝宗。萬貴妃命守門太監張敏，將新生小兒在水裡溺死。張敏驚訝道：「上未有子，奈何棄之？」於是，將小兒藏匿起來，偷偷用粉湯蜜糖哺育。萬貴妃派人到處尋找，也沒有找到。待小兒長到五、六歲時，都沒有敢剪掉胎髮。這時，廢后吳氏，謫居西內，靠近內安樂堂，密知這件事，也親自往來哺養，而成化帝一直不知道。

成化帝自萬貴妃生的皇長子和賢妃生的太子死後，一直沒有生男孩，皇帝無嗣，宮廷內外，朝廷上下，全都為之憂心。

成化十一年（一四七五），已經二十九歲的成化帝召太監張敏梳頭，照鏡嘆道：「老將至而無子！」張敏立刻跪地奏道：「死罪，萬歲已有子也！」成化帝愕然，問安在。對曰：「奴言即死，萬歲當為皇子主。」太監懷恩從旁頓首奏道：「敏言是。皇子潛養西內，今已六歲矣，匿不敢聞。」

喜見皇子

成化帝得知已有皇子後，立刻大喜，想見皇子。

於是，成化帝當天幸西內，派遣太監前往迎接皇子。內臣到紀氏居所，紀氏知道兒子從未見過皇父，怕兒子見了之後，不知所措。因為皇宮裡的男人——太監，都不能穿黃色袍子，都沒有鬍鬚。皇宮裡只有皇帝一人，穿黃袍、有鬍鬚。於是紀氏抱著皇子邊哭泣、邊教導說：「兒去，吾不得生。兒見黃袍有鬚者，即兒父也。」就是說，兒啊，你見到一位身穿黃袍，臉上長鬍鬚的人，就是你父親，撲上去，喊皇父！於是，給皇子穿上小緋袍，乘小輿，擁至階下，頭髮披地，走投帝懷。成化帝將兒子抱在膝上，撫視久之，既悲又喜，流著淚說：「我子也，類我。」是我的兒子，很像我！派太監懷恩赴內閣，傳告事情原委。群臣聞知，皆大歡喜。次日，入賀，起名祐樘，頒詔天下。當年十一月，立皇子祐樘為皇太子。

朱祐樘被立為太子後，得到成化帝生母周太后的保護。時周太后居仁壽宮，跟皇帝說：「以兒付我。」此後小太子朱祐樘跟著周太后住在仁壽宮。一天，萬貴妃召太子朱祐樘吃飯，周太后跟他說：「兒去，無食也。」孩子，你去了不要吃東西！皇太子到了，萬貴妃賜食，說：「已飽。」給他羹喝，說：「疑有毒。」萬貴妃生氣地說：「是兒數歲即如是，他日魚肉我矣。」這個孩子這麼小就這樣，將來還不以我為魚肉嗎！

仁壽宮（寧壽宮）

紀氏交出皇子後，自己被封為妃。她由西內安樂堂，移居西六宮的永壽宮。成化帝也數次召見紀妃，相與飲酒，很是歡快。

萬貴妃聽說後，日夜哭泣，埋怨並嘆息道：「群小紿（欺騙）我！」這群小子，欺騙我！

萬貴妃知道自己受騙了，會甘心而不報復嗎？

逛一逛

仁壽宮（寧壽宮）

位於紫禁城的東北部，清乾隆時改建為寧壽宮區。明代這一片地區比較空曠，只建有不多的幾座宮殿：仁壽宮、噦鸞宮等，是供太后、太妃養老的宮區。明代先後居住在仁壽宮的太后、太妃，較著名的有：成化年間的周太后，天啟年間的鄭太妃（萬曆寵妃）、李選侍（光宗寵妃）、崇禎末年的懿安皇后張氏（天啟皇后）。

永壽宮前石影壁

永壽宮

內廷西六宮之一。建於明永樂十八年（一四二〇），初名長樂宮，明萬曆四十四年（一六一六）更為現名。清代的永壽宮因為距離慈寧宮、養心殿最近，所以屢次作為筵宴場所，在公主下嫁時宴請女眷。

連環疑案

同年六月，紀妃暴死。紀妃的死因，有說是萬貴妃密設毒酒害死的，也有說是自縊死的。沒有史料可查，算是一樁疑案。

有記載說：朱祐樘出生後，頭頂有一方寸處沒長頭髮。有人說，這或許是藥物中毒所致。

總之，人們認為：紀妃之死，實萬妃害死的；張敏吞金自殺死，是因怕萬妃報復。

萬貴妃此時已經懷孕無望，遂放鬆了對其他嬪妃的監督，成化帝接連得了多位皇子。久之，帝後宮生子漸多，太監梁芳等恐怕太子年長，他日繼立，將治己罪，合夥建議萬妃勸成化帝易儲。會泰山地震，占卜者謂：應在東宮。成化帝心裡害怕廢立之事才作罷。

朱祐樘即位後，追謚母親紀氏淑妃為：孝穆慈慧恭恪莊僖崇天承聖純皇后，遷葬茂陵，別祀奉慈殿。弘治帝悲念母親，特遣太監蔡用前往，了解母親娘家人情況，得到「紀父貴、紀祖旺兄弟」的信息，回宮奏報。弘治帝大喜，改父貴名為貴，授為錦衣衛指揮同知；改祖旺名為旺，授為錦衣衛指揮僉事。並賜予第宅、金帛、莊田、奴婢，數量之多，不可勝計。追贈太后父為中軍都督府左都督，母為夫人。遣官修太后在廣西賀縣的祖塋，置守墳戶，守護墳塋。但是，後又查，為不實，遣成貴和旺。弘治三年（一四九〇），禮部尚書耿裕奏道：粵西兵亂之後，田地拋荒，人民奔竄，歲月悠遠，蹤跡難明。建議參考明太祖與高皇后，在宿州建廟，春秋祭祀故事。可定擬太后父母封號，立祠桂林致祭。弘治帝曰：「皇祖既有故事，朕心雖不忍，又奚敢違！」（《明史．后妃傳》）於是，封紀后父為慶元伯、母為伯夫人，在廣西桂林府立廟，歲時祭祀。弘治帝流淚允准。

連中三元

明朝有位商輅（一四一四～一四八六年），今浙江省杭州市淳安縣人，連中鄉試、會試、殿試第一。《明史》說：「終明之世，三試第一者，輅一人而已。」（《明史．商輅傳》）有明一代，殿試八十九科，而解元、會元、狀元集於一身者，只有商輅一人。而明清五百多年，進士考試二〇一科，高中進士五一六二四人，而鄉試、會試、殿試第一者，也只有商輅一人。

三元連中

明清的科舉考試，繼承隋唐以來的科舉考試傳統，略有變通。在童試考秀才之後，主要分為三級：第一級為鄉試，在省城舉行，由學政（教育局局長）主持，朝廷派鄉試主考官，中試者第一名稱解元。第二級由禮部主持，在京師貢院考試，朝廷派會試主考官，中試者第一名稱會元。第三級為殿試，由皇帝主持，中試者分為三甲（等），第一甲第一名稱狀元。新科狀元可以從奉天（皇極）門、端門、午門、承天門（天安門）、大明門的中門走出；免試入翰林院庶吉士；直接授修撰（從六品）等。

明朝行政系統，皇帝之下，設立內閣，輔助皇帝。內閣設大學士，人數不固定，一般為五至七人。其下設六部——吏、戶、禮、兵、刑、工。皇權與相權，經常有矛盾：皇權過大，內閣只備顧問，沒有實權；相權過大，遇上弱勢皇帝，威脅皇權。洪武十三年（一三八〇），宰相胡惟庸以「叛國罪」被殺，罷丞相不設，內閣權力，歸於六部。洪武帝朱元璋直接領導六部。這實際上等於皇帝兼宰相，其好處是權力集中，減少行政環節，提高辦事效率，其壞處是皇權得不到制約，使專制君主更易專制。而且這樣做必須有一個前提條件，就是皇帝每日親政、勤政，否則會導致行政機構運轉失靈。

永樂以後，內閣地位逐漸提高。到他兒子洪熙、孫子宣德時，內閣權力，日漸加重。宣德帝為他年幼的兒子繼位，制定了內閣票擬制度，凡事由各衙門提出方案，內閣大學士為皇帝草擬處理意見，司禮監代表皇帝朱筆批示。皇權運作，皇帝用了兩手：權力交內閣，票擬交內監，二者相制約，皇帝操君權。所以到弘治帝繼位時，皇帝不用操心朝廷的日常事務，由內閣和司禮監維持國家機器的正常運轉。

明代內閣大學士，據《明史·宰輔年表》統計為一百八十九人。成化朝的內閣有個特點，清一色的學問官。如陳文，正統元年（一四三六）殿試榜眼（一甲第二名）；劉定之，

北京貢院舊影

逛一逛

京師貢院

鄉試（秋闈）與會試（春闈）的場所。清代京師貢院在內城東南，代表東方文明之意。原為元朝禮部舊址，明永樂十三年（一四一五）改為貢院（一說為明正統年間事），萬曆二年（一五七四）拓建。

該科會試第一名、殿試探花（一甲第三名）；彭時，正統十三年（一四四八）殿試狀元；而商輅，已如前述。商輅身歷正統、景泰、天順、成化四朝，他的事功主要在成化朝。

商輅，不僅學問超群、為官正直，而且丰姿瑰偉、儀表堂堂。因

商輅像

此，明英宗欽點商輅為狀元，並簡任為展書官，在皇帝身邊文學侍從，以備顧問。

反對遷都

天有不測風雲。土木堡之變，英宗被俘，剎那之間，政局動蕩。郕王朱祁鈺替代正統帝，改年號為景泰，這就是景泰帝。當時，蒙古瓦剌，大兵壓城，國都北京，危在旦夕。朝廷面臨兩大難題：一是要不要遷都南京？二是要不要保衛北京？

面臨上述兩大政治難題，在朝大臣無法回避，不能含糊，必須回答。其一方，以徐有貞為首，主張遷都。其連帶的問題是，不必保衛北京。另一方，以于謙等為首，反對南遷。其連帶的問題是，誓死保衛北京。

商輅在這個臨大事、決大議的面前，堅決反對遷都，主張積極抗敵。《明史》記載：「徐有貞倡南遷議，輅力沮之。」商輅反對首都南遷，主張抵抗瓦剌。當時于謙為兵部尚書，他為兵部左侍郎。他的志向志趣、品格品性與于謙非常相似！商輅後官兼左春坊大學士，賜第南熏里。

商輅在南宮復辟後，被革職，斥為民。雖然明英宗每每懷念：「輅，朕所取士，嘗與姚夔侍東宮」，而不忍棄之。但天順年間，竟不再任用。

政治天氣，風雨無常。明英宗駕崩後，成化帝繼位，商輅重新得到重用。

智鬥汪直

成化三年（一四六七）二月，商輅被召回北京，受命以原官入內閣。商輅疏辭，成化帝說：「先帝已知卿枉，其勿辭。」意思是先帝皇父已經知道你冤枉，你就不要推辭了。商輅接任後，上疏建言八條：勤學、納諫、儲將、防邊、省冗官、設社倉、崇先聖號、廣造士法。成化帝都接受了。並請恢復成化元年以來因建言而被貶斥的官員職位，於是羅倫、孔公恂等也都恢復了原官。

在成化時期，商輅先後擔任兵部、戶部、吏部的尚書，在內閣竟達十年。商輅為官正直，不容邪惡，甚至對皇帝寵信的大太監汪直，也敢於建言，維護正義。及至對於當今皇帝寵愛的萬貴妃，也敢不給面子，拒絕所請。

先說第一件，敢劾大太監汪直。成化十三年（一四七七），設西廠，太監汪直總管。明朝先後設立錦衣衛、東廠、西廠、內行廠等具有特務性質的機構，偵緝四出，任意抓人，屢興大獄，酷刑逼供，賣官鬻爵，無法無天。汪直之督西廠，任施威風，數興大獄（《明史・汪直傳》）。

商輅率同官員，條陳受寵信太監汪直十一大罪，言：聖上您偏聽偏信汪直，而汪直又寄耳目於一群小太監。他們都自說秉承您的密旨，以此專事刑殺，擅作威福，賊虐善良，無惡不作。自從汪直用事，官員不安其職，商賈不安於途，庶民不安於業，若不立即除去，那麼，「天下安危，未可知也！」

成化帝看了商輅等的條陳後，大不高興，說：「用一個太監，怎麼會危害天下，誰主此奏者？」命司禮太監懷恩傳旨，嚴厲詰責。商輅正色回奏，略曰：

> 朝臣無大小，有罪皆請旨逮問，（汪）直擅抄沒三品以上京官。大同、宣府，邊城要害，守備俄頃不可缺，（汪）直一日械數人。南京，祖宗根本地，留守大臣，（汪）直擅收捕。諸近侍在帝左右，（汪）直輒易置。（汪）直不去，天下安得無危？（《明史・商輅傳》）

大學士萬安、劉珝、劉吉也引義慷慨，懷恩、梁芳等稍稍收斂。商輅向同列謝曰：「諸公皆為國如此，輅復何憂。」時兵部尚書項忠等也彈劾汪直，成化帝遂罷西廠。商輅等奏罷西廠，是明史以正壓邪的一件大事。

汪直雖不視廠事，卻寵幸如故，必然反撲。他們攻譖商輅曾收納指揮楊曄的賄賂，商輅心不自安。這時，御史戴縉大頌汪直之功，並請恢復西廠。商輅見勢，遂極力求去。成化帝允准，詔加少保，賜敕馳傳歸。商輅既去，朝中士大夫更加俯首事從大太監汪直，沒有人敢與汪直相抗爭。

再說第二件，敢犯萬貴妃玉顏。萬貴妃看重商輅的名望，拿出她父親的畫像，讓商輅在上面題贊，給潤筆費金銀綢緞非常厚重。商輅極力推辭，來者說這是萬貴妃的意思。商輅說：「非上命，不敢承也。」不是皇上的欽命，不敢應承。萬貴妃不高興，商輅也不在乎。

一年，天空出現彗星。給事中董旻、御史胡深等彈劾不稱職大臣，涉及商輅。御史林誠也詆毀他，但成化帝不聽。商輅便請求免官。成化帝發怒，命令逮捕這些言官，加重懲罰。商輅說：「臣嘗請優容言者，今論臣反責之，如公論何？」成化帝喜悅，上述董旻等官杖責後恢復原職。商輅後升兵部尚書，又兼文淵閣大學士。成化十三年（一四七七），進謹身殿大學士。

商輅退休後，華蓋殿大學士劉吉，見其子孫林立，嘆道：「吉與公同事歷年，未嘗見公筆下妄殺一人，宜天之報公厚。」商輅答：「正不敢使朝廷妄殺一人耳。」居家十年卒，年七十三。謚文毅。有《商文毅疏稿略》、《商文毅公集》等存世。

商輅為人，平粹簡重，寬厚有容，臨大事、決大議，毅然莫能奪。《明史》贊道：「商輅，侃侃守義，盡忠獻納，粹然一出於正。」歷史對商輅的評價是一個字：正。人的一生，得個「正」字，足矣！

第27講

成化御瓷

成化帝有內閣大臣和司禮太監票擬批紅，逐漸疏離朝臣。那麼，他在宮裡都做些什麼呢？

喜好藝術

明成化帝讀書、繪畫、寫字、聽戲，有較高的藝術造詣。他還特別喜歡收集珍寶和古玩，甚至還曾經打算仿效明成祖，派人出洋收集。他寵愛的萬貴妃也有同樣的雅好，派出宦官到全國各地採辦。如歷代名人字畫和金銀、青銅器、雕器、瓷器、骨器、木器、漆器等；還有陝西、遼東的藥材，東北、朝鮮的海東青、白鵲、文魚，遼東、山西、陝西的皮貨，浙江、南直（南直隸，範圍約今江蘇、安徽及上海）的花木，四川的生漆，江西、浙江的瓷器，廣東、廣西的珍珠，湖廣的魚鮮；還通過廣州、泉州、寧波等市舶司搜羅異域的寶石、珊瑚、珍珠、香料、珍禽等。另派宦官往浙、閩、川、滇、陝開採銀礦，往遼東、湖廣等處淘金、採金，往江南督辦織造，往江西景德鎮燒造瓷器。

景德鎮御器廠在經歷宣德朝短期高度發展之後，到成化年間，再現高峰，宮廷御瓷，出現鬥彩雞缸杯，名揚天下，直到今天還被人們津津樂道，在拍賣市場拍出天價。

什麼是明成化鬥彩瓷器？就是明朝成化年間燒製的、鬥奇爭豔、彩色繽紛的瓷器。鬥彩瓷器的燒造工藝大致是：先將瓷胎畫青花，上釉，入窯經攝氏一三〇〇度高溫燒製；再在釉上繪畫紅、黃、藍、綠等各種色彩的圖畫和紋飾，二次入窯經攝氏六百至八百度低溫燒製完成。釉下青花與釉上彩畫爭相鬥豔，因色彩鮮麗而得名鬥彩；鬥彩瓷器雖在宣德創燒，卻在成化精美，因而稱「成化鬥彩」。

看一看

成化鬥彩，傳世罕見，在此舉兩例。

第一例，一九九九年四月，在香港蘇富比中國文物藝術品拍賣會上，一件明成化鬥彩雞缸杯，拍出了二九一七萬港元的天價，刷新中國瓷器的最高拍賣紀錄。

第二例，二〇一四年四月八日，又一件明成化鬥彩雞缸杯，在香港蘇富比中國瓷器及工藝品拍賣會上，以二．八一二四億港元成交，再次刷新中國瓷器的最高拍賣紀錄。

明成化鬥彩雞缸杯

鬥彩雙杯

明成化鬥彩瓷器中，名氣最大的是鬥彩雞缸杯和鬥彩三秋杯。

第一，明成化鬥彩雞缸杯。從這件瓷杯的名字中，我們可以知道：

時代——明代成化時期燒造。

工藝——鬥彩，什麼叫鬥彩，上面已經講過。

圖案——以雞為圖。這件瓷杯的外壁，繪兩組相同雞群：均為一公雞、一母雞、三雛雞。畫師以嫻熟的畫技，畫出母雞和公雞的沉穩、雛雞的頑皮，活靈活現，躍然瓷上。雞群周圍，洞石清秀，幽蘭碧青，牡丹吐豔，一派春意盎然的景象。

器型——缸杯，類似水缸的器型、敞口的杯子。

所以，成化鬥彩雞缸杯，是明成化年間燒製的鬥彩工藝、是以雞為主要圖案的缸型杯子。

成化鬥彩雞缸杯，胎體輕薄如紙，釉質晶瑩如玉，杯內光素無紋飾，杯底銘文成化年款。雞缸杯的微妙在於：杯體娟秀，胎薄如紙，構圖自然，色彩淡雅，形像生動，完美協和，有動有靜，情趣盎然，技藝卓絕，宛如天成。

鬥彩雞缸杯為御用酒杯。說起飲酒，文獻記載一小故事：金章宗曾偕寵妃，月下遊幸瓊華島（今北京北海公園瓊島）。二人對坐，飲酒和詩。帝出上聯曰：「二人土上

明成化鬥彩三秋杯

坐」；妃對下聯曰：「一月日邊明。」明朝宮廷，已喝白酒。酒味濃烈，故用小杯。相傳成化帝與萬貴妃，明宮月夜，碰杯戲飲。這件明成化雞缸杯由北京故宮博物院藏。

成化鬥彩雞缸杯，在明朝萬曆時期就價值連城，深受萬曆皇帝喜愛。明沈德符《萬曆野獲編》記載：「成窯酒杯，每對至博銀百金。」明代郭子章撰《豫章陶志》曰：「成窯雞缸杯為酒器之最。」清初大收藏家高士奇《成窯雞缸歌注》曰：「成窯酒杯，名式不一，皆描畫精工，點色深淺，瑩潔而質堅。雞缸上畫牡丹，下畫子母雞，躍躍欲動。」清代朱彝尊《曝書亭全集．感舊集序》云：「萬曆窯器，索金數兩。宣德、成化款者倍蓰之。至雞缸，非白金五鎰市之不可。」鎰，為二十兩。一只雞缸杯，清朝中期值一百兩銀子。乾隆帝有「雞缸最為冠」的讚譽詩句。

第二，明成化鬥彩三秋杯。這件明成化鬥彩三秋杯，北京故宮博物院藏，高三．九公分，口徑六．九公分，足徑二．六公分。為什麼叫三秋杯？因畫面描繪的是秋天景色，而秋季指農曆七、八、九月三個月，稱為「三秋」，故有「三秋杯」之稱。這件三秋杯，輕靈娟秀，薄如蟬翼，釉彩淡雅，畫意清新。外壁繪兩組山石、蘭花、綠草，幾隻飛蝶，翩躚起舞，翻飛上下，栩栩如生。拿著瓷杯，從內緣看手的指紋，紋理清楚。杯底有「大明成化年製」款。相傳是成化帝專為萬貴妃燒製的，共燒瓷杯五對，選出這一對最好的而將其餘的毀掉，並處死燒製工匠，工藝失傳，瓷土用絕。這一對三秋杯，成為傳世精品、孤品、神品。

要說三秋杯，必說孫瀛洲（一八九三～一九六六年）。孫瀛洲原是河北冀縣農民，後為北京敦華齋古玩店老闆。他學勤業精，二十世紀四〇年代，曾以四十根金條，從當鋪買到清宮流散出的一對鬥彩三秋杯。回到家裡將之珍藏，老婆孩子都不讓看，一人關在屋裡欣賞，甚至於妻子三番五次催促吃飯，都渾然不動。一九五六年，他將這對孤品三秋杯，捐獻北京故宮博物院。

成化瓷器之所以精美，原因之一是清官督陶。

何瓛督陶

在朱祁鎮、朱祁鈺兄弟天子的三十年期間，於御窯瓷器，有一件大事：永樂十九年（一四二一）燒毀的皇宮三大殿以及乾清、坤寧二宮，正統六年（一四四一）重建告成。三殿二宮建成，需要大量瓷器。

成化時有一位賢能清廉的督陶官何瓛，被派往景德鎮。何瓛的事蹟，《先別駕西野公傳》記載：何瓛，華亭（今上海）人。自幼聰穎，長得非常雋秀，作文賦詩，眾人驚訝。但是，參加科考，六次落第。連連下第，悒悒不樂。一位張公惜才，建議他去做官。他到吏部，獲聘任職。讓他作饒州別駕。別駕，就是副職。當時有句民諺：「寧願做縣正，不願做州副」。民間也說：「寧做雞頭，不做鳳尾。」他願意做縣的正職，而不想做州的副職。心裡不樂，又去找張公。張公說：饒州的副職，雖官府在府城鄱陽，卻有衙署在景德鎮。所職掌事務，只有御窯廠一事，沒有雜務，勸他就職。於是，何瓛攜帶家眷到景德鎮上任。

當時，成化帝要御用龍鳳瓷器，欲以宣德窯為範型，照樣燒造，務求精美。何瓛聞命之後，既苦惱，又擔心。他日思夜想，戰戰兢兢，會同工匠，共同密商。於是，選取精細材料，繪製最佳圖樣，每次燒窯，放置上百成千的瓷胎。然後，何瓛整肅衣冠，與同事一起，默默禱祝。瓷器經過窯火，產生窯變——或器型變，或顏色變，如藍白色變為紅色，等等。大家額手相慶，燒窯完全成功。上呈瓷器，宮中稱旨。

由是，何瓛三年任滿，又任三年，考核滿意，再留任三年。何瓛在饒州連任九年。他要離任，多處延請，一概不去。最後離職，浮梁縣官民，景德鎮工匠、市民，有的背著慈母，有的搭起帳篷，夾道相送，盛況空前。

仁者高壽。何瓛居官，清廉勤慎，體恤民情。如窯變的瓷器，不可再現。他將這些窯變的精品，沒有上交，因為交了，朝廷再要，再到哪裡去找呢！於是，將這些窯變極品，儲藏倉庫，加以封存。景德鎮人感激何公，高恩大德，為民造福。

何公不攀富貴。寧王看中他的孫子，要結為姻親。他認為：福兮禍所伏，此或非福，毅然謙辭。後來寧王敗落，何公高明，得以顯現。

何瓛退休後，家居悠閒，讀書著述，遊戲泉石，二十年後卒。壽八十五。正如《論語．雍也》裡說的「仁者壽」。

張后擅寵

弘治帝朱祐樘是明朝第九位皇帝，也是北京皇宮第七位主人。前面我講過，他祕密出生在西宮安樂堂，直到六歲才第一次見到皇父，當年被立為太子。九歲正式開始讀書，十八歲娶張氏為太子妃，當年繼位，立妃為后。從此，獨寵張后，沒有妃嬪。這在明朝是唯一的。

張氏皇后

張皇后，興濟（今在河北省滄州市）人。父名巒，以鄉貢入太學，為人敦厚，重信義。母親金夫人，據說夢月入懷而生張后，頗有幾分神祕的色彩。成化二十三年（一四八七），張氏被選為太子妃。同年，朱祐樘十八歲，即皇帝位，年號弘治。張氏被冊為皇后。

弘治元年（一四八八），太監郭鏞請選秀女，儲於宮中，擬等朱祐樘服完喪後，冊封

明孝宗朱祐樘像（臺北故宮博物院典藏）

明孝宗張皇后像（臺北故宮博物院典藏）

二人為妃，以便繁衍子嗣。因在服喪期間，便擱置了。第二年，禮科右給事中韓鼎又提出選妃問題。朱祐樘雖然同意韓鼎意見，但為張皇后所制而沒有實現。張皇后呢，則靠祈禱來乞求子嗣。

周太皇太后選了兩個美人，一為鄭氏，一為趙氏，在宮中服侍朱祐樘。後來鄭美人生下一個兒子。周太皇太后向朱祐樘致賀，他感到很為難，因為不知如何跟張皇后說。周太皇太后說：「這事好辦，孩子就算是張皇后生的。然後詔告天下，立為皇太子。」張皇后也贊成這樣做。這個孩子就是朱厚照，後來的明武宗正德皇帝。

有一次，張皇后想製作一件珍珠袍，就跟弘治帝說，須差太監王禮去廣東的珠池採取，這樣才整齊好看。弘治帝沒有同意，但珍珠還是要給的，便叫王禮到內庫去檢選。王禮從成祖朱棣以下諸帝所儲的珍珠中，選擇了一些光澤晶瑩的，製為袍服。事情辦妥之後，弘治帝才責備王禮說：「內庫有的是好珍珠，你卻要藉故去廣東。去後難免生事壞法，擾亂百姓！這回且罷，今後再這樣，必定剝皮示眾！」

弘治帝去世後，兒子朱厚照繼位為正德皇帝，張皇后成為張太后；正德帝無子，去世後以興獻王兒子朱厚熜繼承皇位，這就是嘉靖帝。張太后便成為皇伯母，直到嘉靖二十一年（一五四二）她去世。這位張皇后仗著皇后、皇太后、皇伯母的三個身分，庇護自己親戚，在外為非作歹，正是一人得道，雞犬升天。整個明代，外戚之被寵，沒有超過外戚張家的。

張氏兄弟

張皇后之父張巒，父以女貴，由一介書生，一躍而為都督同知，再封壽寧伯，進壽寧侯，死後贈昌國公。既無政績，也無武功，卻公、侯、伯占全了。

張巒有兩個兒子：張鶴齡和張延齡，俱封侯爵。張氏兄弟，強搶民田，橫行霸道，爭奪民利，如虎似狼，漫無法紀。北方占地還不滿足，又跑到南方泰州（今江蘇省泰州市）搜刮民田。老百姓驚駭，大禍來臨。有大臣急切疏奏，請求把已被侵占土地還給百姓，戒諭張鶴齡遵守法度，他的家僮等人，應該在官府登記而禁止其出入，所有幫閒、幫凶等無籍之徒，通通驅逐，勿使其繼續為惡。這種為民請命的正義之聲，根本沒有得到朱祐樘的回應。

弘治帝的曖昧態度，助長了張氏兄弟的氣焰，他們又染指商業。弘治六年（一四九三），皇帝縱令張氏家族開店設肆，邀截商人貨物，壟斷市場，自都城內外坊市，到通州張家灣以及河西務等處，所有民利民產，全部被其侵奪。弘治九年（一四九六），發生了周太皇太后之弟周彧與張皇后的兄弟張鶴齡兩家紛爭，成群結夥，手持器械，聚眾鬥毆，轟動京城。皇親國戚，尚且如此，既失觀瞻，亦損朝威。大臣為此上疏說：「皇上聽說此事後，難道能夠無動於衷嗎？勛戚之家開設店鋪，引起老百姓的怨恨，戚屬之間也容易結仇，怨恨愈積愈深，仇則一結而不易解。」弘治帝朱祐樘怎麼辦？周家手心是肉，張家手背也是肉，最後只是張榜禁諭，問題不了了之。

鹽稅是明朝一項重要的財政收入，國家專管，需要批件，頒發憑證，實行專營，也是暴利行業。周、張兩家外戚，走皇門，搞特權，千方百計，牟取暴利。弘治十七年（一五〇四）初，周壽家奏買兩淮殘鹽八十萬引，張壽齡家奏買長蘆、兩淮殘鹽九十六萬餘引。有大臣上書指出：「萬一王府皇親及左右貴幸之人援例奏請，不好拒絕，照例賜予，則又沒有那麼多鹽引。再說，將灶丁現在煎的鹽都給了他們，商人支鹽更難；而且他們一出鹽場，弊端百出，阻壞鹽法，使商賈不通。」希望皇帝收回成命，不使私門日富，而國計日虧。皇帝照舊答應了周壽和張鶴齡的請求。於是，大臣們又紛紛上奏，申明利害。而朱祐樘卻說，「不要說了」。直到弘治十八年（一五〇五）朱祐樘去世之後，周、張兩家的「殘鹽」尚未支完。戶部尚書韓文提出，凡是尚未提取之鹽，全部停止支給，而武宗朱厚照繼承父志，下令仍然聽其買補。

張氏兄弟不僅對財富貪得無厭，而且還到皇宮去胡作非為。他們以皇帝親戚的關係，任意出入禁中，太監何文鼎對此十分反感。有一天，張氏兄弟去宮中觀燈，朱祐樘陪他們飲酒。中途，朱祐樘要上廁所，便將皇冠摘下交給執事之人。張氏兄弟趁機戲將皇冠戴了一下。此外，延齡喝醉了酒，還奸汙了宮人。太監何文鼎怒不可遏，手持武器大金瓜在他們飲酒的幕外等候，準備擊殺張氏兄弟。因為太監李廣給張氏兄弟走漏了風聲，他們才僥幸逃脫了。次日，文鼎上疏竭力勸諫，朱祐樘不僅不聽，反而十分生氣，將何文鼎交錦衣衛拷問，追究主使者，文鼎說：「有二人主使，但拿他不得。」問是何人？答曰：「孔子、孟子。」朱祐樘怒氣難消，在張皇后的授意下，將何文鼎杖死在南海子（沈德符《萬曆野獲編》）。

是非顛倒，何時是了？時候一到，惡有惡報！

明弘治帝去世以後，張皇后成了慈壽皇太后，而張氏兄弟是正德帝的舅父，所以在正德時期，張氏家族仍然是勢焰熏灼的。有人奏訴張延齡陰謀為逆，正德帝朱厚照下令多官會審。張氏兄弟十分惶懼，張太后只好出面斡旋，張鶴齡也送了大量的賄賂，馬馬虎虎，敷衍搪塞，事態平息。

正德帝死後，因沒有兒子，其堂弟朱厚熜入繼大統，年號嘉靖。嘉靖帝是過繼的，以生母為太后，以張太后為皇伯母。張氏的地位不及從前。按說張氏兄弟在政治上失去了強有力的庇護，應大大收斂，然而他們繼續作惡。這就不可避免地得到惡報。

嘉靖初年，張延齡的婢女偷了點錢去布施一個和尚，延齡為此殺了這個婢女與和尚。另外有個指揮叫司聰，歷來為延齡放債，欠了他五百兩銀子，延齡索債很急，用亂棒將司聰打死，還召來其子司升，命令他若將其父屍體焚毀，就可以免去其欠債。司升告發了延齡。此時，張太后以皇伯母名分居於仁壽宮，與朱厚熜母子關係並不好，也就沒有力量庇護其兄弟。朱厚熜下令將延齡關進刑部監獄。

這時，有人上奏說張鶴齡私通益莊王，造符咒以魘帝星，嘉靖帝立即下令逮捕。張鶴齡在從南京押往北京的途中死去。又有人告張氏兄弟及其子姪以巫術魘鎮嘉靖帝及其母親；延齡家人往來仁壽宮，盜竊內藏，並偵察皇帝的動靜等等。嘉靖帝大怒，逮捕張延齡等幾十人。張太后穿上破舊的短衣，坐臥在禾稈編成的席藁上，表示自己有罪，以為延齡請命，但嘉靖帝仍然不肯饒恕。嘉靖二十一年（一五四二）八月，張太后去世，張延齡徹底失去了後臺。後張延齡終被斬於西市。張氏外戚肆虐半個世紀，歷經弘治、正德、嘉靖三朝，終遭「惡報」。

明太祖朱元璋鑒於漢唐外戚之禍，制定了自漢以來最嚴厲的「家法」，規定天子、親王之后、妃、嬪，只能在民間慎重選聘，不由勛舊、士宦家中選。意在政治上他們沒有奧援，以免外家禍朝。有明一代，外戚在政治上是十分孱弱的。但是，由於皇帝和寵妃的縱容，像張氏、周氏這樣的外戚飛揚跋扈、橫徵暴斂，成為危害社會的一個毒瘤。

第29講

宗室之害

明朝自始至終存在三大社會毒瘤：宦官、外戚和宗室。宦官，我講了王振；外戚，我講了周家和張家；「宗室」，這是什麼意思？即以明太祖朱元璋為共同祖宗，其子孫分封各地做藩王，他們的家室，就稱作宗室。宗室子弟，有好的也有壞的。宗室中有人借助特權，作惡多端，為害一方，成為公害。

惡貫滿盈

我講一講明朝荊王之子朱見潚的惡貫滿盈行徑。朱元璋孫子洪熙帝的孫子的孫子荊王朱見潚，已經是第六代皇胤。見潚兄弟三人：荊王妃魏氏生子見潚、見溥，夫人王氏生子見潯。母子兄弟不和，反目成仇：魏氏鍾愛老二見溥，金帛珍寶，加倍給他。這引起了長子見潚的不滿。父死，見潚以長承襲爵位，大權在手，瘋狂報復。他將親生母親魏氏禁錮，減其飲食，活活餓死。接著設局騙胞弟見溥來王府射箭，見溥一到，命人將其捆綁，親用鐵尺捶擊，見溥哀號求饒，見濂將其口塞住，又用銅錘將其擊斃，怕他復活，再用鐵火筷子從其肛門捅進去。事後謊報見溥騎馬，因馬驚摔死。見溥妃子何氏，到王府朝見太妃，見濂將其強奸，並拘留不放。

見濂又想私通堂弟見潭之妃茆氏，見潭的母親馬氏知道後，加緊提防。見濂大怒，將馬氏抓進王府，剃去頭髮，痛抽一百多鞭子。還將堂弟見潭抓進宮裡，與其母捆在一起，用裝滿土的袋子壓在他們面部，使其窒息而死。接著又把茆氏抓到王府，將其強奸。他無緣無故地將堂弟鎮國將軍見滏、見滮拘禁起來，減其飲食，以致餓死。

見濂又糾集一批地痞惡少，為非作歹。只要聽說哪家有美女，就前去搶來。他還截沒官糧，強掠商旅，搜刮錢財，壞事做盡。

他的同父異母弟見湜，祕密上疏，告發其罪。朝廷勘問，具得實情，遂將見濂押到北京。本應處以極刑，弘治帝卻說：見濂罪大惡極，法當處死；但念親親，不忍加刑，從輕曲宥，削奪王爵，降為庶人，並禁錮起來。將王府輔導官通通罷黜，說見濂犯罪是他們阿諛逢迎的結果。見溥之妃何氏本是受害者，卻命其自盡。見湜因沒有及早奏報，減其歲祿三分之一。這是一件滿紙荒唐的裁決。幾個月後，見濂上奏其弟見湜有不法之事，見湜則再次揭發見濂謀為不軌。經查，見濂購置弓弩，操練船馬，收藏兵器，圖謀不軌。最後令見濂自盡。這個畜類，終遭惡報。

再講一個弘治帝弟弟壽王的故事。壽王要往封國保寧府，按照規定，給船七百艘，車四百輛，宮人不給俸糧；軍校四個人一輛車，每輛給銀二兩四錢。壽王嫌少，要求給船九百多艘，軍校二人用車一輛。兵部反對，說：官校橫暴，甚於虎狼，地方大官，也受凌虐。他們把多餘船隻裝載私鹽，並多餘車輛索銀辭退。又說「現親王赴國所用車船，比宣德、成化時增加了幾倍」。建議以後親王赴國，給船最多不得超過七百艘。壽王赴國時，王府的宦官宋祥、趙鳳等，所過之處，捆綁並拷掠官吏，要他們奉獻茶果錢。州縣官吏，不勝其擾，只好向富戶借錢，以滿足他們的貪欲。到了臨清，州吏探聽德州賄賂銀子約三百兩，報告給兵備按察司副使陳璧，暗示陳璧照這個數目行賄，但陳璧拒絕送賄，以致宋祥、趙鳳都對他銜恨在心。一天，宋祥等指揮王府太監藉故毆打陳璧。陳璧不屈，被打得血流滿面。當時，壽王所部各船軍校也手執木梃登岸，搗毀民舍，搶掠貨物，引發臨清商民，群起遊行罷市。朝廷譁然並且查獲宋祥所販私鹽六．三萬餘引，但最終朝廷糊塗了事，並未嚴懲禍首。

再講一個為維護宗室利益而逮捕六十二位言官的重大事件。弘治九年（一四九六）四月，弘治帝下令將六科給事中龐泮等四十二人、十三道監察御史劉紳等二十人，共六十二人關進錦衣衛獄。事情牽連上百人。這在明史上是空前的。

事情的緣起。洪武帝第十八子岷王朱楩封藩湖廣武岡州。其後人岷王朱膺鉟，縱使屬下為惡，被武岡知州劉遜制裁。岷王大怒，便給劉遜羅織罪名，上奏朝廷。弘治帝偏袒宗親，下令錦衣衛前往武岡逮捕劉遜。刑科給事中龐泮等上奏說：岷王遷怒劉遜，劉遜固然難逃其罪責，朝廷也不能偏聽偏信。且岷王所奏之事，牽涉近百人。錦衣衛官校是朝廷親軍，只要不是謀反大罪，祖宗以來未嘗輕易派遣錦衣衛前去抓人。請令法司轉知鎮守、巡按官員察勘，則事之曲直自然不能掩蓋。奏上，弘治帝大怒，認為科道官太不懂事了，下令一次逮捕了幾十名言官，以致六科和十三道御史的衙門都空了。這是一件大事，於是，吏部尚書屠滽率六部九卿等上書救援。他們說：科、道乃朝廷的耳目，就是要培養其敢言之氣。如果隨意將其關進監牢，摧折其銳氣，勢必驅使他們趨利避害，惟知緘默觀望，保持祿位而已。以後若有重大事情，還有誰肯為朝廷說話！弘治帝只好下令，釋放龐泮、呂獻等人，但每人仍罰俸三月，表明言官仍然有錯，只是聖上「大恩」才放了他們（《明史・龐泮傳》）。至於劉遜，則逮至京城，下到錦衣衛獄，然後貶去四川都司，做一名斷事，專理刑獄。皇帝和親王的尊嚴就這樣被保全了。此前，榮王曾請給辰州、常德田二千頃、山場八百里、民舍市廛千餘間，劉遜和巡撫韓重，頂著不給，青史留名（《明史・劉遜傳》）。

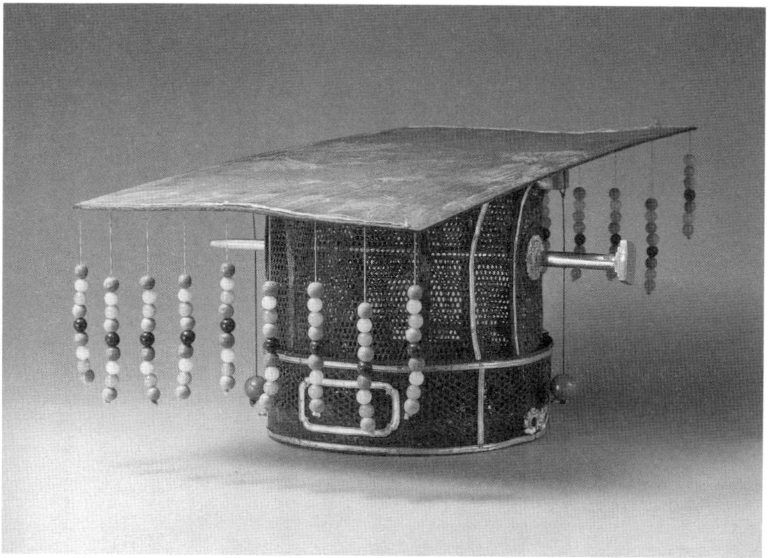

明代藩王的鑲金綴玉珠冕

宗藩之弊

「有明諸藩，分封而不錫土，列爵而不臨民，食祿而不治事。」（《明史·諸王傳·序》）這固然是吸取歷史教訓，考慮當下，本意不錯。但重大制度制定，還要考慮可持續性。如出城省墓，請而後許；生育子女，需先請名；人口倍增，祿米不繼；又如，俸祿供養，衣食無憂，不工、不農、不軍、不學、不商，無所事事，遊手好閒，閒久生禍。

明初，朱元璋把二十多個兒子分藩到全國，鎮守要地，鞏固根本。事物有陽，必然有陰。宗室貴族，享有特權：封藩負面影響，已有智者指陳，可不僅被拒諫，反遭鎮壓。藩王之變，南宮奪門，共有六次，社會震盪，損失重大，此其一。藩王人口繁衍，全靠國家供養，國力不堪重負，難以為繼，此其二。弘治時，修訂了《問刑條例》，規定宗室出城必須報批，宗室不能干預地方行政，不能參加科舉，不能當官，不能經商，只許坐吃俸祿，享受尊崇地位。

宗室群體，迅速膨脹，弘治時，宗室人數，十倍於初。國庫不堪重負，而一部分宗室陷入貧困。特別是宗室享有特殊地位，自成一體，於是出現不法宗室，為害一方。諸王、宗室自然也知道自己的地位特殊，除了謀反朝廷，其餘的殺人越貨、生活腐化算不得什麼，大不了被送到鳳陽高牆去。此外，他們是「寄生蟲」，毋須讀書習藝，因此不免既愚且頑，幹起壞事來往往超出常人想像。當然，皇帝也總是以親親之誼對他們包庇、縱容。所有這些，構成了諸王、宗室為非作歹的主、客觀條件。

明朝第九位皇帝朱祐樘繼位時，明朝已經運行一百二十餘年，戶口繁多，經濟發展，邊事稍晏，天下太平。從英宗開始，明朝已經連續出現了英宗、成化兩位孩童或少年皇帝，弘治皇帝朱祐樘，又是一位十八歲的少年皇帝。接下來，是十五歲的正德皇帝和十五歲的嘉靖皇帝。明朝已經失去了開創時期的勃勃生機，表現出頹遢的趨勢。

第30講

荒唐正德

正德帝是明朝繼洪武、建文、永樂、洪熙、宣德、正統、景泰、成化、弘治之後，第十任皇帝。他十五歲繼位，在位十六年，活了三十一歲。他天性聰穎，但厭惡讀書，好騎射，喜巡遊，是明朝最荒唐的皇帝。典型事例，就是「豹房」。正德二年（一五〇七）「作豹房」（《明史·武宗本紀》）。什麼叫「豹房」呢？開始是以養豹而得名。豹房占地大，建築多，有數百間房屋，又別建禁苑，築宮殿，造密室，勾連櫛列，暗室聯通，後來成為正德帝的宮外之宮，園外之園，他自稱為「新宅」、「家裡」。皇帝的寢宮是皇宮裡的乾清宮，但是正德帝在位十六年，至少一半時間住在豹房，甚至有專家研究說，從建豹房起，他就一直住在豹房。豹房在哪裡呢？不在皇宮，而在宮外，約在今北海公園西南一帶的地方。正德帝在豹房做些什麼呢？

迷戀樂舞

正德帝每天召來教坊（音樂團、舞蹈團、歌唱團、戲劇團、雜技團）的樂人，到豹房演戲。敕禮部發文，取河間（今在河北省滄州市）等府樂戶，到教坊承應。於是官員押送伶人，日以百計，會聚京城。到京後，選拔其技藝精湛者，給口糧，給建房。正德帝夜間微行到教坊司，觀看諸樂人樂舞及演奏。正德帝還在豹房遊玩，「日率小黃門為角抵蹋踘之戲，隨所駐輒飲宿不返，其入中宮及東西兩宮，月不過四五日」（《武宗外紀》）。宮詞云：

> 花帽監丞一兩行，西華門外冷秋霜。
> 絳紗車仗吹香過，去伴鑾輿宿豹房。（《冬青館古宮詞》卷三）

豹房有個用花言巧語諂媚正德帝的奸佞之臣，叫錢寧，他誘導皇帝荒淫無度，深討皇帝的喜歡和恩寵。正德帝在豹房，恣聲伎為喜，縱淫欲為樂。後錢寧事發，被裸體綁縛，籍沒家產，得玉帶兩千五百條、黃金十餘萬兩、白金三千箱等。後寸磔錢寧於刑場。他的養子十一人全斬首，子永安六歲為都督，因年幼免死，妻妾發功臣家為奴（《明史．錢寧傳》）。

乾清宮

逛一逛

乾清宮

明清皇帝的正宮，始建成於明永樂十八年（一四二〇）。乾清宮正中設寶座。明清共有二十八位皇帝，在北京乾清宮治居。其中明朝有十四位，清朝只有順治帝和康熙帝兩位在乾清宮治居，雍正帝移居養心殿後，乾清宮便作為皇帝約見廷臣、批閱奏章、處理日常政務和舉行筵宴的場所。

乾清門

內廷的正宮門，坐北朝南，位於保和殿後三臺之下紫禁城中軸線上，明永樂十八年（一四二〇）建成。乾清門外東西兩側各有一排低矮狹窄的房屋，東側南向有房屋十二間，主要是六部九卿的臨時辦公場所；西側南向也有房屋十二間，是軍機處及其他相關機構的場所。明初在奉天門（太和門）御門聽政，相應的內閣機構分布在奉天門外兩側。清朝，特別是順、康、雍、乾等朝，主要在乾清門御門聽政，所以相應的內閣機構也分布在乾清門的兩側。

明正德「隨駕養豹官軍勇士」銅牌

明朝皇帝喜歡養鳥獸，有虎房、豹房、鳥房、鷹房、狗房、貓房等，算是皇家動物園。裡面有虎、豹、犬、象、犀牛、白水牛、海豹、番狗（藏獒）、貂鼠、猞猁猻、長頸鹿等，百鳥房裡則專門畜養珍禽異鳥，如孔雀、白鶴、文雉、金錢雞、五色鸚鵡等。畜養動物的數量，史書記載：「至天順年間，二萬三百餘個隻；弘治年間，二萬九千四百餘個隻；正德年間，二萬九百三十餘個隻。」（嚴從簡《殊域周諮錄》卷十二）明朝對這些動物的管理，虎、豹、犀牛、大象等，各有職秩、品級，如

明武宗朱厚照像（臺北故宮博物院典藏）

虎食將軍俸祿，象食指揮使俸祿等。畜養動物，耗費巨大。嘉靖時，豹房養土豹一隻，「至役勇士二百四十名，歲廩二千八百石，占地十頃，歲租七百金」（沈德符《萬曆野獲編補遺・內府畜豹》）。正德帝玩虎、賞豹，有一次「狎虎被傷，不視朝」，玩虎受傷，不能臨朝。

荒淫酒色

先說酗酒。正德帝酗酒，經常隨行帶著酒杯、酒勺、酒甕，走到哪兒，喝到哪兒，醉到哪兒，睡到哪兒。有書記載：「所至輒醉，醒即復進以為常。」（《武宗外紀》）一次，正德帝到宣府，「命群臣具彩帳、羊酒郊迎，御帳殿受賀」（《明史．武宗紀》）。這座帳殿為「鋪花氈幄百六十二間，制與離宮等，帝出行幸皆御之」。大明皇帝，醉臥帳裡。佞臣江彬，導引皇帝，多次夜入人家，強索婦女，縱酒淫樂，忘記回宮，夜宿民宅，而稱作「家裡」。正德帝與江彬，聯騎鎧甲，君臣難辨，入豹房，同臥起（《明史．江彬傳》）。正德帝在豹房，常醉枕錢寧，酣睡不醒。百官早朝，等到傍晚，皇帝還未起床，只好退朝回家。

再說迷色。正德帝十五歲登極，在豹房設浣衣局，豢養女寵，蓄集樂工、美女、太監等，朝夕處此，不居內廷（《武宗外紀》）。佞臣進獻能歌善舞的回女十二人入豹房，歌舞演出，通宵達旦。後來正德帝經常微服出宮，甚至到外地巡幸。巡幸所過，閱選美女，充浣衣局，數字不清，浣衣局僅每年用柴炭就高達十六萬斤。車駕所至，近侍先掠民女，以充幸御，至數十車。各地處女寡婦，聞聽皇帝來遊幸，紛紛擇配，有的搶光棍強作婚配，一夕殆盡。下舉三例。

馬美女，為將官馬昂的妹妹，長得美豔，已婚懷孕。江彬諂媚貢獻，將其送到豹房。馬氏善騎射，長樂舞，尤會西域樂舞，還會民族語言，受到寵幸。馬氏一門，雞犬升天。無論大小，皆賜蟒衣。並在內城太平倉賜府第，熏灼動京師。正德帝嘗從數騎過其第宴飲。言官呂經等言：「今馬姬專寵於內，昂等擅權於外，欲禍機不發，得耶？」俱不報。有的御史以妹喜伐夏、妲己伐商、褒姒伐周為例，冒死進諫說：「積夏、商、周、漢、晉、唐之患於一時也。」仍不報（《勝朝彤史拾遺記》卷四）。

劉美人，為晉王府樂戶楊騰之妻。正德十二年（一五一七），正德帝幸大同，遍索女樂於太原。劉美人偕眾妓雜進，正德帝遙見美人，悅其色，載以歸，命為美人，大見寵幸。初居豹房，受到專寢。飲食起居，必與相偕，言事輒聽。左右或觸上怒，陰求劉美人，輒一笑而解。大太監驕橫貴倨，但見劉美人，觸地叩頭，事若生母，呼為「劉娘娘」。正德帝要南征，祕密移送劉美人到潞河（今北京市通州區），約定大駕先發，而後他船迎美人。劉美人脫一簪贈帝行，並說：「見簪而後赴。」正德帝將簪藏在衣服裡，過盧溝橋，馳馬失簪。及到臨清（距京近千里），派太監召劉美人，美人辭道：「無信物，不敢行！」正德帝於是單獨乘船，晝夜疾航，回到通州親迎劉美人，偕行而南（《勝朝彤史拾遺記》卷四）。正德帝欲南行，廷臣舒芬等極力上疏諫止，但未被採納，反被下令杖刑。

王浣衣，名滿堂，霸州王智的女兒，因為貌美，參選淑女，落選回家，不肯嫁人。她一天做夢，夢中神人說：若有趙萬興的來聘，就可以成婚。鄉里一位和尚出入王家，知道此夢，話傳出去。一位道士聽說後，便改名易姓，賄賂那位和尚，讓他前一天到女家說：「你家明日會有大貴人到。」第二天，果然來一人，問其姓名，答：「我趙萬興也。」闔家羅拜，遂以成婚。這人後來在牛欄山一帶舉事，被捕，斬於西市。正德帝特降旨，勿殺王滿堂，沒入浣衣局，入侍豹房，大獲寵幸。嘉靖帝嗣位，她被放出浣衣局。因曾入浣衣局，故人稱「王浣衣」（《勝朝彤史拾遺記》卷四）。

痴迷遊玩

正德帝好玩武。後江彬等以邊將幸入豹房。又立內教場，選佞幸之人，賜國姓（朱），為義子，其中正德七年（一五一二）九月，一次就「賜義子一百二十七人國姓」（《明史·武宗本紀》）。設什麼「四鎮兵」、「外四家兵」，以佞臣江彬兼職統領，為總管。正德帝自領太監善騎射者為一營，稱中軍。晨夕操練，呼噪鳴砲，火砲之聲，達於九門。時諸軍都衣黃罩甲，就是金緋錦綺，必加罩於甲上。正德帝親自檢閱，稱為「過錦」，就是眼觀如錦。內軍在遮陽帽上披戴靛染天鵝翎，以示尊貴——大者拖三英，次者拖二英。尚書王瓊得賜一英，戴著下教場，以此為殊榮。後巡狩所經之地，侍郎、巡撫、御史等也如此穿戴，叩見正德帝（《明史·武宗外紀》）。這真是一場滑稽鬧劇！

武宗身在豹房，卻也不時臨朝，發出的諭旨，批示的奏章，讓太監劉瑾等代筆。

正德帝的皇父弘治帝一生沒有冊立嬪妃，專寵張皇后。弘治帝彌留之際，對這位頑童太子很不放心，拉著大學士劉健的手，囑託他把厚照輔佐成為正德有為之君，所以年號「正德」。但是，弘治帝根本想不到他的獨子即位後，既不正德，也不作為，荒唐頑劣，無以復加。這時，明朝的太平盛世已然過去，大明的基業開始動搖，內有太監劉瑾專權，外有兩次藩王之亂，流民起事更是此起彼伏，再加上蒙古韃靼興起，不斷南下騷擾。正德皇帝的荒唐，既毀了自己，也毀了大明——加劇了朝政的腐敗和社會的危機。

第31講

忠奸相搏

明代弊政之一是宦官專權。明武宗正德帝時太監劉瑾專權亂政，就是一個突出例證。皇帝聽政之地的奉天門庭院，不幸也成了劉瑾演出專擅鬧劇的舞臺。

太監專權

劉瑾（一四五一～一五一〇年），陝西興平人。弘治時服侍皇子朱厚照（正德帝）於東宮。正德帝即位後，為司禮監太監，成為太監的大頭目。

正德二年（一五〇七）三月二十八日，劉瑾召集群臣到奉天門（太和門）廣場內金水橋前，命全都跪著，聽他宣示所謂的「奸黨」，包括大學士劉健、謝遷二人，尚書韓文等五人，還有侍郎、御史，以及王守仁（陽明）等，《明史．劉瑾傳》記載他列出五十三人（一說五十六人）的名單，敕令吏部讓這些人都查令致仕（退休）。這樣一來，朝臣中的反對派被掃蕩殆盡。一些參劾過劉瑾的大臣姓名被寫在御座旁屏風上，劉瑾準備尋機報復。對一些不肯依附和微露不滿的人，他也濫發淫威，打擊陷害。右都御史楊一清因不附劉瑾，被劉瑾扣上「濫用軍費」的罪名，逮捕入錦衣衛獄，後經大學士李東陽救援得免，先後被罰米六百石輸邊。欽天監楊源因天變上言災禍，意指劉瑾專權，被劉瑾廷杖六十，謫戍肅州，途中死亡。

御史陸崑，歸安（今浙江省湖州市）人，進士，帶領十三道御史上疏抨擊正德帝寵幸太監，日事宴遊，說：居住寬廣宮殿，怎知百姓棲身茅屋不避風雨的疾苦；穿綾羅吃美食，怎知百姓身處冬寒暑熱饑餓的困苦；騎馬打獵享樂，怎知百姓困頓苦難申冤無門的痛苦。疏上，觸怒，諭旨：全都下獄，各杖三十，除名為民。陸崑等被捕入獄，各杖三十，免除官職。其中黃昭道、王弘、蕭乾元三名御史人在南京，命即在南京闕下杖之（《明史·陸崑傳》）。

還有一位御史叫蔣欽，江蘇常熟人，進士，接連三次被廷杖：第一次是同陸崑等一起「逮下詔獄，廷杖為民」。第二次是三天之後，他單獨上疏，痛斥奸臣。疏入，結果再杖三十，下獄。第三次是又過三天，再上疏，斥奸臣——「臣昨再疏受杖，血肉淋漓，伏枕獄中」。他在疏中希望正德皇帝，將大太監劉瑾的頭割下，懸掛在午門！又說：如果我被殺，那就使我同古代忠賢之人龍逄、比干一起在地下遊玩！史書記載：蔣欽在夜間起草第三封奏疏時，燈下聽到鬼聲。蔣欽說：我疏上之後，會身罹大禍，這是先祖顯靈要我不寫這個奏疏嗎！於是，他整理衣冠，站起來說：如果是我的先祖，就大聲告訴我！剛說完，聲音從牆壁裡發出，益加淒慘。蔣欽嘆道：既已做御史，就得義而忘私，如果我緘默不語，辜負了國家，也為先人羞！於是奮筆疾書，曰：「死即死，此稿不可易也！」鬼聲停止。天亮，疏入，再杖三十。杖後三日，死於獄中，年四十九（《明史·蔣欽傳》）。

忠臣諍諫

正德三年（一五〇八）六月二十五日，正德帝御奉天門（太和門）早朝聽政。早朝罷，群臣叩頭拜起，將要退朝的時候，忽然在御道上發現一封匿名文書，就是匿名信。信的內容是揭露司禮監太監劉瑾的罪行。御史將這封匿名文書上呈給正德帝閱覽。劉瑾當場發洩淫威，他宣布文武百官不許退朝，都要跪在奉天門前。劉瑾站在奉天門臺基上，氣勢驕橫，態度惡劣，斥責臣僚，辱罵官員，威逼群臣舉報寫這封匿名信的人。時值伏天，烈日當空，地面烘烤，熱氣襲人，沒有蔭涼，也沒水喝。官員們長時間跪在庭院磚地上，口乾舌燥，汗流浹背，饑腸轆轆，痛苦難言。由下朝跪到午後，昏倒十多人，中暑死了三人（《明武宗實錄》卷三十九）。劉瑾無動於衷，命內監將昏倒者拖出去。

百官在將近一天的罰跪後，並沒有供出寫匿名文書的人。劉瑾氣怒之下，命錦衣衛將跪伏在奉天門的文武官員三百餘人全部逮捕下獄，造成了正德帝即位以來的大冤獄。

日暮，三百多位朝廷官員被逮入獄，消息傳出，震動京城，激起官民萬分憤怒。這時，大學士李東陽挺身而出，直言諍諫。

李東陽（一四四七～一五一六年），湖南茶陵人。東陽早慧，四歲時就能寫一尺見方的大字。明景泰帝聽說後，心裡很喜歡，曾把他抱在膝蓋上，還給他糖果吃。李東陽十八歲中進士，入翰林院，後授編修。他做過侍講學士，是東宮太子的老師，官一直做到禮部尚書、文淵閣大學士。他在朝五十年，入閣十五年，歷景泰、天順、成化、弘治、正德五朝，享年七十歲。相傳北京府右街李閣老胡同因李東陽在此居住過而得名。李東陽是明朝著名的文學家、書法家。罷政回家，賓客盈門，許多人慕名來請寫字、求文章。堂堂當年宰輔，並未積下什麼產業，還要仰賴文字酬金來補貼家用。一天，夫人拿著紙墨進來，李東陽表示身體疲倦不想寫，夫人道：「今日設客，可使案無魚菜耶？」（《明史‧李東陽傳》）就是說今天請客，能讓餐桌上沒有蔬菜和魚肉嗎？要以字換錢，去買魚肉啊！東陽無奈，提筆寫字。還有一個故事，大學士李東陽過生日，他的兩個門生魯鐸和趙永，都先後官國子監祭酒，二人相約以「二帕為壽」，一翻櫃子，裡面沒有。怎麼辦呢？想起廚房裡有鄉親帶來的乾魚，就帶乾魚去看老師吧！但到廚房一看，「食過半矣」，只剩下半條乾魚，於是就提著半條乾魚去給老師祝壽。李東陽見後大喜，留下二人，讓夫人烹魚上菜，吃飯飲酒，極盡歡暢才離開（《明史‧魯鐸傳》）。東陽廉潔風操，由上可見一斑。

話說回來。大學士李東陽為三百多位官員被關在監獄事，緊急上疏正德帝。他說：

李東陽像

匿名文字，出於一人，各官朝拜，倉猝而起，豈能知見？一人之外，都成罪人。他們戴枷，互相猜疑，而且天氣炎熱，獄氣熏蒸，若再拘禁，數日之後，人將不自保矣！特望皇上，降下綸音，先行釋放，而後密訪，查出匿名者，再置之典刑。東陽上了奏章，劉瑾也微聞這封匿名信是他的同類內臣太監寫的，於是，正德帝下令將三百餘官員從獄中放出，對匿名信事件也就不再追究。

凌遲處死

劉瑾「權擅天下，威福任情」，演出如此鬧劇已是多次。《明史》說劉瑾「屢起大獄，冤號遍道路」。

正德四年（一五〇九）八月，劉瑾遣御史安惟學等赴邊清理屯田，大理寺少卿周東為取悅劉瑾，在寧夏偽增屯田數百頃，悉令交租，致使民怨沸騰。安化王朱寘鐇以誅劉瑾為名發動叛亂，傳檄邊鎮，關中大震。消息傳到了北京，正德帝慌了手腳，連忙頒示諭旨，減輕刑罰，赦免罪人，收取差官，免徵租糧，賑恤流民。又起用前右都御史楊一清為提督，宦官張永總督軍務，率兵討伐朱寘鐇。朱寘鐇等人被寧夏游擊將軍仇鉞擒獲。太監張永在正德帝面前揭發劉瑾罪惡，於是正德帝貶劉瑾到鳳陽。後在抄家時，發現了大量金銀財寶，更搜得袞袍、偽璽、衣甲、弓弩、穿宮牙牌等物，正德帝大吃一驚，怒曰：「瑾果反！」

正德五年（一五一〇）八月二十五日，花甲之年的劉瑾被依律凌遲三天——據《國史舊聞》記載：「例該三千三百五十七刀，先十刀一歇一喝，頭一日該先剮三百五十七刀，如大指甲片。」仇家有以一錢買他一臠肉生食者。這位當年不可一世的大太監，最後得到「磔於市，梟其首」的下場。

這些歷史事件，過去常把罪責都算在宦官劉瑾頭上。不錯，劉瑾是有重要責任，但主要責任人應是正德帝。「上梁不正下梁歪」——有正德帝的荒唐，才有太監劉瑾的胡鬧。劉瑾只是一條惡犬而已，在堂堂奉天門前，責辱大學士、尚書等高官，罰跪朝廷三百多位官員，無非狗仗人勢，皇帝怎麼會不知道呢？劉瑾又怎麼可以「矯詔」？

劉瑾大太監做盡壞事，自己也得了個身敗名裂的下場。李東陽和劉瑾，從正面和反面說明：做人做官，重在四正——養正心、勤正學、親正人、行正道。

第32講

西巡南征

正德帝最後的四年，幾乎沒有在皇宮居住，主要是在所謂西巡和南征中度過的。

天子西巡

蘇州才子尤侗作〈威武大將軍〉，描述正德帝巡遊云：「旌旗獵獵向北駐，樓船搖搖望南渡。豹房家裡樂未終，更覓春江花月處。」（《池北偶談．明史樂府》）正德九年（一五一四），正德帝開始出遊。這年元宵節，乾清宮大火。正德帝說：「好一棚大煙火也！」為重建乾清宮，「加天下賦一百萬」（《明史．武宗紀》）。而後，正德帝開始西行。他去過山西、陝西一帶三次。他的身邊，有一位叫江彬的武將陪伴。

江彬，原是蔚州衛指揮僉事，正德六年（一五一一），隨總兵張俊入調中原，後在淮上作戰時身中三箭，其中一箭中面頰穿出耳後，拔出箭頭，繼續戰鬥。他賄賂太監錢寧，得到正德帝的召見。皇帝看了他的箭傷，大為讚嘆，留在身邊，出入豹房，形影不離，升為都指揮僉事。江彬身材魁梧，剛強有力，左右開弓，精於騎射，談及軍旅，口若懸河。一天，正德帝搏虎為戲，叫錢寧幫忙，錢寧不敢向前，老虎逼近正德帝，幸虧江彬及時猛撲過來，這才得救。從此，江彬得到正德帝的寵信，被賜以國姓，認為義兒，攬權納賄，無惡不作。

江彬向正德帝建議：邊軍驍悍，勝過京軍，不如互調操練，想借機把邊軍調入京師。正德帝應允。朝臣普遍反對，閣老李東陽上〈十不便疏〉，反對邊軍入京。正德帝無奈，親自到乾清門，坐等內閣發出聖旨，而李東陽並不奉詔。正德帝親自發下詔旨，調邊兵入衛，京軍更番戍邊。江彬多次向正德帝誇耀宣府樂工中的女子美麗多姿，勸他親赴宣府，馳馬疆場，遊歷邊塞。他也衣錦還鄉，誇耀故里。正德帝很想外出遠行，看一看江彬描繪的千里馳騁、萬里狼煙的壯闊場面。宣府、大同又接近蒙古，可以炫耀武功。何況還有如花似玉的女樂呢！

正德十二年（一五一七），正德帝微服出德勝門，剛到沙河，就被聞訊追來的大學士梁儲等趕上，苦勸回鑾；不聽，繼續前進。到居庸關，巡關御史張欽拒絕放行。不久，正德帝又祕出德勝門，直奔居庸關。御史張欽正好出關巡視，正德帝得以順利出關。

正德帝到了宣府。江彬為他營建了鎮國府第。這個名字是因正德帝封自己為「鎮國

山西應縣木塔，塔上「天下奇觀」匾額為明武宗所題

公」。這座鎮國公府第，不僅規模宏麗，還將豹房所貯的珍玩，運到府內，又有美女。江彬與正德帝夜間出行，闖入高門大戶，強索婦女，任意作踐。隨行官兵，橫行街市，強掠金銀，搗毀民房。竟把一座繁華邊陲重鎮，攪得雞犬不寧，百姓恐懼，白晝閉戶，市肆蕭條。

正德十二年（一五一七），韃靼小王子率領五萬兵馬，分道南下朔州，與明軍總兵官王勛所部在應州（今山西省朔州市應縣）激戰。正德帝親率江彬等人增援應州。據《明武宗實錄》記載，出現「乘輿幾陷」的危險局面。戰果是：斬敵首十六級，官軍死五十二人，重傷五百六十三人。有書說正德帝親冒矢雨，臨陣督戰，斬敵首一級。正德帝興奮不已，為應縣木塔題匾——天下奇觀。

這年立春日，宣府照例要舉行「進春」儀式。正德帝別出心裁，安排了盛大的戲劇演出，還命人準備數十輛馬車，裝載和尚和婦女，婦女都手持彩球，馬車奔馳，婦女手上彩球與和尚光頭相碰，正德帝見了，竟然哈哈大笑。

此後，他在京城裡再也住不下去了，頻幸宣府、大同和太原等地，驅馳數千里，所過皆騷然。給事中石天柱刺血草疏諫止，內閣也發出了「如此不親政事，往昔宗藩之亂將又會發生」的警告，正德帝均置之不理。西巡之外，還有南征。

正德十四年（一五一九）二月，正德帝要南巡，群臣伏闕，力行諫阻。正德帝稱病不上朝，並將黃鞏、陸震等為首者打入詔獄。不久，正德帝又要出外巡遊，大臣集體阻諫，導致了一場君臣之間的激烈衝突。為了勸阻皇帝南巡，舒芬等遭到廷杖。

舒芬，進賢（今在江西省南昌市）人，正德十二年（一五一七）考中狀元。「芬丰神玉立，負氣峻厲，端居竟日無倦容。」他有骨氣，敢建言。舒芬等一〇七人，上疏諫止正德帝外出巡遊。正德帝震怒，命舒芬等「跪闕下五日，期滿復杖之三十」（《明史・舒芬傳》）。舒芬等列隊跪在午門前，一天、兩天、三天、四天、五天，連續跪了五天。堂堂大明狀元，罰跪在午門前，連續五日，成何體統！

有一名官員名張英，見皇帝不理不睬，便「自刃以諫」，就是以自殺的方式，逼使皇帝接受大臣建議。幸虧在場的衛士發現，上前奪下他手中的刀，張英才得以不死。正德帝拒諫，內閣大學士集體辭職。正德帝無奈，對他們「溫旨慰留」；他們也給皇帝一個面子，勉強答應繼續留任。後來事情鬧大，正德帝大發淫威，下令對罰跪的舒芬等一〇七名官員，在午門前實行廷杖。後來又增加押在錦衣衛監獄的黃鞏等三十九人，這樣共有一百四十六人受廷杖，闕下杖死者十一人。那位張英前次自殺未遂，這次卻被「杖殺」了。舒芬受杖後，傷勢嚴重，被抬到翰林院的院裡。翰林院掌院學士

（一把手）怕得罪上司，「命摽出之」，就是要把他架出去。舒芬說：「吾官此，即死此耳！」——我在翰林院做官，就死在翰林院！後被貶官福建。舒芬裹著創傷，離京上路。

舒芬在廷杖中撿了一條命，熬到嘉靖帝即位。「世宗即位，召復故官」。回了北京的舒芬不改諍臣氣節，他會同楊慎等，為「大禮」諫言，跪伏左順門哭諫，又遭到嘉靖帝的廷杖，還被罰俸三月。不久因母喪歸里，病死於家，年四十四。世稱「忠孝狀元」。以舒芬為代表的明朝士大夫，有高尚的精神，就是正氣，就是正義！

諫止南巡後不久，寧王朱宸濠以入朝監國為名，舉兵叛亂。戰報傳京，決定親征。部隊剛到良鄉，得到王守仁捷報：已經獲捷，擒住寧王。正德帝本來可以勝利班師，但他不許聲張，繼續前進。一路上遊山玩水，勒索地方，十二月到南方，滯留數月，到正德十五年（一五二〇）七月，正德帝自稱「奉威武大將軍方略討平叛逆」，將平叛之功歸於自己。隨行大學士梁儲、蔣冕等苦勸，正德帝才開始有回師之意。這一年的閏八月在南京舉行獻俘活動，正德帝身著戎服，統帥將士，命將朱宸濠等鬆綁放開，再指揮士兵擂鼓鳴金將其抓獲。正德帝仍覺不過癮，又要將朱宸濠放之湖上，再親自將他抓獲，經大臣勸解，才算作罷。

正陽門舊影

豹房暴死

獻俘之後，正德帝自南京回北京。九月，途經淮安的清江浦，正德帝遊興大發，忽然想獨自泛舟捕魚，結果船翻落水，左右急忙救起，眾侍衛高呼：「萬歲龍也！龍狎水。」但這位真龍天子卻在驚嚇之餘又受了風寒，得了病。十二月，車駕到達通州，賜朱宸濠自盡，焚屍揚灰，親屬十人斬首，已死者被戮屍。

又將結交朱宸濠的錢寧、陸完等人逮捕，均裸體反縛，插上標識，雜列俘虜隊中。進京之後，正陽門前，舉行了盛大的凱旋儀式——文武百官，凱歸官將，俘虜及其家屬，數千餘人列隊，活著的插上標牌寫上姓名，死了的則懸首於木竿之上，都掛上白色的飄帶，遠望白色瀰漫一片，數里不絕，蕭殺肅穆。正德帝身穿戎服，立馬於正陽門下，閱視良久，不知所感，人們普遍認為這是不祥之兆。

事情也巧合，四天後，正德帝在大祀南郊時，只拜了一拜，就嘔血伏地，不能成禮，從此臥病不起。正德十六年（一五二一）三月十四日，正德帝死於豹房，才三十一歲。死時只有兩個太監在身旁。

逛一逛

正陽門

俗稱前門、前門樓子、大前門，原名麗正門，是明清兩朝北京內城的正南門。位於北京城南北中軸線上的天安門廣場最南端，始建於明成祖永樂十七年（一四一九），是老北京「京師九門」之一。它集正陽門城樓、箭樓與甕城為一體，是一座完整的古代防禦性建築體系。

第33講

陽明先生

在明清時期，無論哪位皇帝入主皇宮，都離不開中國傳統文化核心的儒家學說。而儒學自春秋戰國之後，歷經兩千多年發展，有過三次高峰。第一次在西漢，經董仲舒儒學推成經學。第二次在宋代，朱熹建立了理學體系。第三次在明朝弘正年間，形成王陽明的心學。

就王陽明個人而言，在五百年前，王陽明達到了《左傳》提出的「立德、立功、立言」這「三不朽」的境界。

午門廷杖

王陽明喜歡對著書本，凝思苦想，他問老師：「怎樣算第一等事？」老師答：「只有讀書。」

王陽明像

王守仁（一四七二～一五二九年），字伯安，浙江餘姚人，母親懷孕十四個月才生他，五歲還不會說話。這位王守仁，後來築室於紹興的陽明洞，因而被人們稱為王陽明。祖母，年逾百歲卒。王陽明九歲時，其父王華考中狀元，後來做了弘治帝的老師。十一歲時，父親接他和祖父住到北京。路過鎮江金山寺，祖父帶他和朋友們飲酒吟詩。大家還沒成句呢，王陽明忽然在祖父身邊大聲吟道：

金山一點大如拳，打破維揚水底天。
醉倚妙高臺上月，玉簫吹徹洞龍眠。

就是說，如果從空中俯瞰，金山好像一個拳頭打破了揚子江；而妙高臺高到可以把月亮當作倚靠，玉簫吹響動聽，打攪龍王睡眠。眾人驚異，命他再作一首。王陽明隨口吟道：

山近月遠覺月小，便道此山大於月。
若有人眼大如天，還見山小月更闊。

說如果從下往上仰視，看到的是山比月亮大；而如果從天上往下俯視，看到的是渺小的山和闊廣的月亮。他不僅出口成詩，而且詩意高遠，內含哲理。

到北京後，王陽明開始就塾讀書。對王陽明的幼年影響更多的是他的祖父王天敘。王陽明為人胸次灑落，吟歌自得。陽明的父親身在官場，見他豪邁不羈，常常為之擔憂，而他的祖父卻對他充滿信心。陽明疑道：「第一等事是讀書學做聖賢罷？」這顆理想的種子，在少年的心田種下，終究會生根發芽。

十三歲時，母親鄭氏去世，這是陽明人生中經歷的第一個大挫折。他回老家居喪盡禮三年，又回到北京。途中，他先去了長城居庸關一帶。當時蒙古一直威脅明朝，王陽明想出關去看個究竟。他騎馬射箭，經過歷練，既弓馬嫻熟，又磨鍊了意志。

十七歲時，他奉父命去洪都（今江西省南昌市）結婚，岳父是他的遠方親戚，做江西布政司參議。他在岳父家住了一年半，從早到晚練習書法，把衙門裡積攢的紙竟全部寫完，悟出寫字的道理，他說：「我起初學字，對著古帖臨摹，只學得字的外觀，之後提著筆，不輕易落紙，先凝思靜慮，把精神會聚一起，字體默運在心，然後下筆，如此好久，才通得字法。」

十九歲時，祖父去世，父親回鄉守孝，召集陽明及從弟、妹夫等一起學習經義。王陽明白天隨眾課業，晚上便搜取經典誦讀。隨著讀書修養的長進，王陽明在舉止上也端容慎言。

二十一歲，陽明考中舉人，二十二歲會試失敗，接著又一次會試失敗，直到二十八歲，考中弘治十二年（一四九九）進士，二十九歲被授為刑部主事。王陽明到而立之年結束了第一階段人生。這是他最快樂的一段時光，沐浴在父祖兩代雙親的愛和教育裡，讀書、寫字、賦詩、遊歷、求道、習兵，對知識的追求如饑似渴，獨立思考讀書的道理，奠定了扎實基礎。

王陽明入仕後，便受到大太監劉瑾的殘害，人生蒙受大挫折。正德元年（一五〇六），劉瑾逮捕御史戴銑等二十餘人。王陽明疏救，惹怒了劉瑾，被縛午門外，遭廷杖四十，陽明氣絕，很久才甦醒。

龍場悟道

在監獄半年後，王陽明被謫貴州龍場驛。受他牽連，父親由禮部侍郎罷官，劉瑾敗死後官復原職，後故去。

劉瑾派人在路上要加害陽明，這已被陽明所預料。陽明行到錢塘江邊，深夜佯為投江，將衣冠鞋子浮在水上，遺詩云：「百年臣子悲何極，夜夜江濤泣子胥。」以此蒙蔽了前來追殺的人。就這樣，歷千難萬險，來到貴州龍場驛，做了個驛丞。龍場，在今貴州省貴陽市修文縣，這裡萬山高聳，多為苗民。苗人見他無處落腳，睡在草樹之中，便幫他搬到一個山洞居住。洞口直上直下，山洞很低，也很窄小，沒有家具鋪蓋，王陽明住在洞裡，以草為被褥。這個山洞後俗稱「玩易窩」。後來，他找到大些的洞穴，人在裡面可以直起身來。現在當地人們把它叫作「陽明洞」。王陽明曾在洞裡修行。王陽明對當地老百姓因俗化導，教他們削木為梁柱，割草為蓋，建造房舍。百姓們就伐木為屋，以棲陽明。王陽明教他們找來黏土，做成土坯，燒窯製磚，再伐些大樹做梁架，蓋成一組房屋，有「何陋軒」、「君子亭」、「賓陽堂」。王陽明把房屋布置起來，將之分成不同的功能區，把帶來的圖書，整齊擺放，屋外還種上松、竹、芍藥。驛丞官小俸微薄，王陽明就帶著驛卒出去找平坦地塊，放火燒荒，翻土下種，農耕收穫，得以溫飽。

王陽明在艱苦境遇中，靜思默想，琢磨「格物」之說。這「格物」二字，出自《大學》。

古人言道：「欲明明德於天下者，先治其國。欲治其國者，先齊其家。欲齊其家者，先修其身。欲修其身者，先正其心；欲正其心者，先誠其意；欲誠其意者，先致其知。致知，在格物。」修身、齊家、治國、平天下，這四者以「修身」為基礎。怎樣才能修養身心以完善自我呢？朱熹說：修養身心有一個順序：格物，致知，誠意，正心，修身。

這樣，「格物」就成為「三綱八目」鏈條的起點。格物，就是探究萬物的規律。但怎麼實踐呢？王陽明曾經對著窗前的竹子冥思苦想，從這具體的竹子，探究萬物發展的規律。如今，王陽明身處龍場驛這個偏僻艱苦而又安靜優美的環境，窮荒無書，只有苦思，夜以繼日，回憶過去，咀嚼學問，回顧好騎射、好任俠、好辭章、好神仙、好佛氏，以及為學、為官的種種體驗，一天夜裡，終於「頓悟」：格物致知，當自求諸心，不當求諸事物。他喟然曰：「道在是矣。」王陽明的學說，可以概括為兩句話：

第一，格物致知，致良知。就是：探索萬物規律，要透過表面，以心格物，用心思考，用心總結，探求規律。要「致良知」，通過啟發、教育、力行，使人性之善得到發揚，透出光明。

第二，知行合一，重視行。就是：知中有行，行中有知，也就是邊知邊行，不是先知後行，也不是先行後知，而是知行合一，重視行。其中，更加強調「行」。

王陽明得到頓悟，高興得在睡夢裡大呼大叫。後來又經過不斷論證、貫通、講學、著書，得到眾多學者認同，世間遂有「陽明學」。

浙江餘姚王陽明故居

此心光明

嘉靖七年（一五二八）十一月，五十七歲的王陽明，在廣西平亂過程中，舊病復發，一面上疏乞歸，一面乘船往家鄉走。船行到南安府（今江西省贛州市大餘縣），他的門人周積在那裡做推官，遂趕來拜見。王陽明咳喘不止，半晌，才慢慢問道：「你近來進學如何？」周積回答：「被政務牽累。」周積問：「道體如何？」陽明道：「病勢危亟，只存些元氣罷了。」十二月二十九日早晨，陽明命傳周積如侍，周積站立好久，才見陽明慢慢睜開眼睛，看向周積，說：「我去了！」周積淚如泉湧，回問道：「先生可有遺命？」陽明微微地笑了一笑，說：「此心光明，還有什麼說的。」瞑目而逝。

當我讀到這段史料時，不禁心潮澎湃。王陽明這一生只有五十七年，三十歲之前過得優游自在，衣食無憂，受到良好的教育和關愛。但是他走上仕途以後，卻處處艱難——做學問難，傳播學問難，做君子難，完成事功更難。廷杖之辱、牢獄之禍，奸臣陷害、文人嫉恨，煙瘴之地、草樹穴居，輾轉山林、帶兵征戰，肺炎痢疾、纏綿不去。所以他這一生，受到的苦大大多於嘗到的甜。但陽明先生在臨死時說的最後一句話，竟是「此心光明」。

第34講

三十八天

正德十六年（一五二一）三月十四日，明正德帝病死於豹房。這位三十一歲的荒唐天子，竟然沒有留下一個兒子。那麼，誰來繼承皇位呢？

兄終弟及

正德帝沒有兒子。按照明朝的家法，「父死子繼，兄終弟及」，就是父親死了，兒子繼承；沒有兒子，兄弟繼承。但是，正德皇帝既沒有皇子，又沒有親兄弟，就只好看看堂兄弟裡有沒有合適的人選。他的皇父弘治帝倒是有幾位兄弟，最大的弟弟是朱祐杬。

朱祐杬，出生在未央宮，後更名為啟祥宮，成化二十三年（一四八七）封興王，藩國在湖廣安陸州（今湖北省鍾祥市），但是他已經在正德十四年（一五一九）去世，謚獻，所以又稱興獻王。興獻王的王位，由他的世子朱厚熜繼承，而朱厚熜是正德帝的堂弟。於是，內閣首輔楊廷和把目光聚焦於這位遠在湖北、十五歲的興王朱厚熜。

逛一逛

啟祥宮

內廷西六宮之一。始建于明永樂十八年（一四二〇），起初名為未央宮。明嘉靖十四年（一五三五）因世宗之父興獻王朱祐杬在這裡出生，更名為啟祥宮。清晚期改名為太極殿。

楊廷和（一四五九～一五二九年），四川新都（今在四川省成都市）人。父春，湖廣提學僉事。廷和出身讀書人家，性格沉靜，風姿秀美，聰明過人，年十二，中舉人。十九歲時先其父成為進士，弘治時，改庶吉士，入翰林院，受修撰。參加《大明會典》、《明憲宗實錄》纂修，書修成後，為日講官、太子老師。正德時，晉文淵閣大學士，參與機務。楊廷和因得罪大宦官劉瑾，被降二級，後來恢復，官至吏部尚書、武英殿大學士。正德帝突然駕崩，作為當朝內閣首輔，楊廷和做了幾件大事。

從正德十六年（一五二一）三月十四日正德帝死於豹房，到四月二十二日嘉靖帝登極，楊廷和總理朝政三十八天。

文淵閣

逛一逛

文淵閣

明清皇宮的文淵閣，先後有三座：第一座是明太祖在南京皇宮裡修建的文淵閣，正統年間毀於火；第二座是永樂帝遷都後，依照南京文淵閣的樣子在北京皇宮裡興建的文淵閣，明末李自成撤離北京時毀於火；第三座是乾隆時專為貯藏《四庫全書》而在文華殿後興建的文淵閣。

總理朝政

首輔楊廷和在總理朝政的三十八天裡，做了哪些大事呢？

第一，特殊時刻，奏定皇位。當正德帝暴死又無嗣的緊急之時，大學士、首輔楊廷和舉著《皇明祖訓》提出：「兄終弟及，誰能瀆焉！興獻王長子，憲宗之孫，孝宗之從子，大行皇帝之從

楊廷和像

弟，序當立。」大學士梁儲、蔣冕、毛紀都贊同（當時大學士僅有四人）。於是，令中官入啟皇太后，楊廷和等候於左順門下。一會兒，中官奉遺詔及太后懿旨，宣諭群臣，一如楊廷和所請，皇位繼承人敲定。這既穩定了朝廷政局，又不違背明朝制度，楊廷和在危難之時立了安邦定國的大功。而此時朱厚熜正在今湖北鍾祥過著他的悠閒王爺生活。

朱厚熜（一五〇七～一五六七年），祖父朱見深是成化皇帝，父親朱祐杬是弘治帝的弟弟。弘治帝於成化二十三年（一四八七）繼承皇位，同年，十二歲的朱祐杬被封為興王，弘治五年（一四九二）成婚，年十七，王妃為蔣氏，就是嘉靖帝的生母。兩年後從北京到安陸就藩。朱祐杬身為親王，享有顯貴的地位和優厚的待遇，「歲祿萬石，府置官屬。……冕服車旗邸第，下天子一等。公侯大臣，伏而拜謁，無敢鈞禮」（《明史・諸王傳》）。但行動也受到嚴格的限制和約束，甚至出城也得向皇帝請假，不經皇帝批准，不許出城一步。這也就使朱祐杬過著豪華富貴而又無所事事的生活。他好讀書，喜以文事自娛，經史子集，無不涉獵其間，對醫書也頗有興趣。朱祐杬還經常出銀出糧，撫恤和救濟災民，博得樂施行善的名聲。但遠離京師，整天囿於王府，消閒無事，使他感到有一種說不出、道不明的鬱悶和無聊。當地盛行道教，朱祐杬崇信道教，跟道士往來密切。這對朱厚熜的影響是很深刻的。

安陸州是一座歷史悠久的古城，山林茂密，漢水蜿流。朱厚熜作為興王的獨生子，備受寵愛，「非筆墨間所能述者矣」（《鍾祥縣志》）。這就形成了他任性、虛榮、高傲、懶散的性格。

朱厚熜五歲，父親親自教他讀書寫字，「口授詩書，手教作字」。年齡稍大後，又設置書館，命講官按時給朱厚熜講書。當時湖廣提學副使張邦奇督察學校有方，府學生員，競相努力讀書。朱祐杬特令朱厚熜去應試。張邦奇安排兩個書案，自己用北面的一張，而讓朱厚熜用南面的一張。考試及格，朱厚熜就入府學讀書（《明史・張邦奇傳》）。他天資聰敏，對所學詩書常「不數過輒成誦」，對於「孝經大義」及「先王至德安道」也無不通曉（《明世宗實錄》卷一）。他雖然是個十多歲的孩子，但舉止「凝重周旋中禮，儼然有人君之度」（《明世宗實錄》卷一）。

興王正值英年，體貌英偉，身體康健，但正德十四年（一五一九）夏天炎熱，他不幸中暑，半月後死去，年僅四十四歲。父親早逝，使十三歲的朱厚熜懂事了許多。按照明朝制度，親王去世，其世子要守孝三年，其間不得襲封王位。朱厚熜便以王世子的身分代理府事，經受了鍛煉，增長了才幹。正德十六年（一五二一），其母蔣氏上奏朝廷，以「歲時慶賀、祭祀，嗣子以常服行禮非便」為由，請求朱厚熜提前襲封王位，正德帝頒詔允准。於是朱厚熜就正式襲封興王。

第二，總理朝政，三十八天。正德帝死，嘉靖帝立，中間皇位空缺整整三十八天，實際上是大學士、首輔楊廷和在主持朝政。他令太監張永、武定侯郭勛、兵部尚書王憲選各營兵，分布皇城四門、京城九門及南北要害，以遺命宣布革除正德弊政：其一，罷威武營團練諸軍，革皇店及軍門辦事官校悉還衛。其二，豹房番僧及少林僧、教坊樂人、南京快馬船，諸非常例者，一切罷遣。其三，以遺詔釋遣四方進獻女子，停京師不急工務，收宣府行宮金寶歸於內庫。其四，裁汰錦衣諸衛、內監局旗校工役，總共十四萬八千七百餘人。其五，減漕糧一百五十三萬二千餘石。其六，中貴、義子等恩幸得官者，大半皆斥去（《明史·楊廷和傳》）。這引起一群既得利益者的不滿，他們趁楊廷和入朝，攜帶白刃，準備行刺。事聞，派營卒百人，護衛他上下班。

第三，鏟除江彬，去除隱患。佞臣江彬，既領錦衣衛，又官東廠，權勢熏天，壞事做盡，擁兵京城，隨時可能發動叛亂，楊廷和決心除掉這個大患。考慮到江彬有家丁數千，又與宮內有著千絲萬縷的聯繫，「廷和密與司禮中官魏彬計，因中官溫祥入白太后，請除彬。時坤寧宮安獸吻，即命彬與工部尚書李鐩入祭。彬禮服入，家人不得從。事竟將出，中官張永留江彬、李鐩飯，太后遽下詔收彬。彬覺，亟走西安門，門閉尋走北安門，門者曰：『有旨留提督。』江彬曰：『今日安所得旨？』」（《明史・江彬傳》）門者將江彬逮捕，抄江彬家，得黃金七十櫃，白金二千二百櫃，其他珍寶，不可數計。江彬既誅，京師本久旱，遂下大雨，中外相慶。

功在社稷

在皇位空缺的特殊時期，楊廷和依靠張太后，與朝臣同心協力，鏟除奸佞，穩定局面，時人讚為「救時宰相」。

驚心動魄的三十八天平安度過，朱厚熜繼承皇位，是為嘉靖帝。作為首輔大學士，楊廷和輔佐嘉靖帝兩年，彰顯士人風骨。朱厚熜登位後，因興獻王的尊號問題，多次召楊廷和「從容賜茶慰諭」，楊廷和不順帝意，嘉靖帝不悅。廷和等三奏，帝留中不下。嘉靖帝親予手敕，楊廷和以「臣不敢阿諛順旨」，封還手詔。楊廷和先後「封還御批者四，執奏幾三十疏」。嘉靖帝以廷和有定策之功，先後四次封賞，廷和「四辭而止」。而後，嘉靖帝崇道教，事齋醮，廷和勸阻，不聽；又派太監督催織造，廷和再勸阻，仍不聽。嘉靖帝再派太監到內閣，督促楊廷和撰擬敕告，廷和以「民困財竭」，請毋遣。嘉靖帝不聽，警告曰：「毋瀆擾執拗。」廷和還是力爭，言：「臣等與舉朝大臣、言官言之不聽，顧二三邪佞之言是聽，陛下能獨與二三邪佞共治祖宗天下哉？」廷和沒有辦法，請求退休。嘉靖三年（一五二四）正月，嘉靖帝允准首輔楊廷和辭官回家。楊廷和雖誅大奸，決大策，扶危定傾，功在社稷，但嘉靖七年（一五一二），纂修《明倫大典》告成，御定「大禮議」時諸臣逆鱗之罪，以楊廷和「法當僇（戮）市」，但對其「寬大處理」，「削職為民」。明年六月卒，年七十一。

第35講

大禮之議

嘉靖帝以堂弟的身分繼承堂兄的皇位，引發了帝系的改變。明朝帝系有兩次改變：第一次是燕王朱棣發動靖難之役，從姪子建文帝手裡奪取皇位，帝系便由懿文太子朱標、建文帝一系，轉為明成祖朱棣一系。第二次是朱厚熜繼位，帝系由明弘治、正德一系，轉為明嘉靖一系。伴隨帝系的轉變，發生了激烈的「大禮議」之爭。我們先從兩個故事說起。

兩個故事

第一個故事。明朱厚熜為繼承正德帝的遺位，從安陸到北京後，由哪個城門進入皇宮？按明朝規定，男性只有皇帝才能從中門進入，爭議的焦點是：朱厚熜是作為過繼給弘治帝的兒子，以太子身分進宮，還是以皇帝身分進宮？禮部按太子即位禮儀，請朱厚熜從東安門進皇城。朱厚熜則說：「皇兄遺詔裡說讓我即位當皇帝的，禮部這麼說算怎麼回事！」禮部回覆說：您現在還是王，不是帝，不能從中門進入。朱厚熜的車駕已到城外，就是不進城。禮部沒有辦法，最後應允他由大明門中門等進入，到皇極殿（太和殿）登極，年號為嘉靖，就是嘉靖皇帝。

第二個故事。嘉靖帝母親蔣氏從湖北安陸到北京後，先是嘉靖帝的母親生氣不入京，因為朝臣欲讓嘉靖帝奉明孝宗為皇考。繼是嘉靖帝的母親從哪個城門進入皇宮？按明朝規定，女性只有皇后大婚才能從大明門、承天門（天安門）、端門、午門、皇極門（太和門）的中門進入。爭議的焦點是：蔣氏以王妃身分進宮，還是以太后身分進宮？禮部奏請：「聖母至京，宜由東安門入」。嘉靖帝不准；再議由大明門左側門入，又不准；最後朱厚熜斷然下令：走大明門中門入！正僵持著，嘉靖帝的母親生氣了，鬧起脾氣，拒不入京。嘉靖帝聽到生母這般境遇，痛哭不止，提出不想當皇帝了，要「奉母歸」——母子都回湖北老家去！大臣們嚇壞了，如果他們母子都回老家，空缺的皇位怎麼辦？最後決定妥協一步：按朱厚熜的意思辦。嘉靖帝的母親這才從通州起程，由大明門中門進入皇城，依次都走中門，進入宮城，同即將當皇帝的兒子朱厚熜團聚（《明史紀事本末・大禮議》）。

三個事件

正德十六年（一五二一）四月二十二日，朱厚熜告祭天地宗廟，在隆重登極大典中，登上皇位，改年號為嘉靖，這就是嘉靖皇帝。嘉靖帝坐上寶座後，又惹出三個事件。

第一個事件：左順門事件。左順門是紫禁城皇極殿（太和殿）前，左邊的門。這是由紫禁城東側進入皇極殿（太和殿）的必經之門，因事件發生在左順門，所以稱左順門事件。這個事件是關於新皇帝生父上尊號的爭議。爭議的焦點是：明孝宗弘治帝朱祐樘，是朱厚熜的過繼父親，朱祐杬則是他的生身父親，這如何上尊號？這在明朝沒有先例，《明會典》也未作明確規定。首輔楊廷和等主張稱孝宗弘治帝為皇考，而稱興獻王朱祐杬為皇叔父。這時，剛中進士的孚敬（後改名張璁）和桂萼，揣摩並迎合帝意，提出尊朱祐杬為皇考，孝宗朱祐樘為皇伯父。這場爭論，長達三年。

嘉靖帝於嘉靖三年（一五二四）追尊興獻王為皇考恭穆獻皇帝。豐熙等反對的大臣二百餘人，在左順門外跪伏高呼：「高皇帝！孝宗皇帝！」嘉靖帝派太監宣諭退下，從早到午，眾臣硬是不退。皇帝下令抓八人震懾一下。其他大臣非但不退，反而大哭，聲震闕庭。嘉靖帝大怒，命內臣將跪伏官員的名字全部錄下，一百九十三人被下詔獄，左順門跪伏事件被鎮壓下去。幾天以後，對豐熙等八人嚴加拷訊，充軍邊疆。四品以上官員奪取俸祿，五品以下官員一百八十餘人被廷杖，致死十七人。嘉靖帝稱明孝宗弘治帝為皇伯考，

左順門（協和門）

張太后為皇伯母，他的親生父親為皇考、親生母親為聖母，並昭示天下。

逛一逛

左順門

午門內東廡正中之門。建於明永樂十八年（一四二〇），開始時稱左順門，嘉靖時改稱會極門，清順治年間改稱協和門。

右順門

午門內西廡正中之門。建於明永樂十八年（一四二〇），開始時稱右順門，嘉靖時改稱歸極門，清順治時改稱永和門，清乾隆元年開始稱為熙和門。

第二個事件：太廟事件。太廟，是皇帝的宗廟，供奉皇帝先祖。嘉靖帝覺得他的父親也應該有廟號，其神主也應供入太廟。但這顯然不符合明朝朱氏祖宗家法。神主入太廟，必須是生前為皇帝的人，而興獻王根本不夠資格。大臣和嘉靖帝相持不下，只好採取折衷的辦法，先在太廟旁邊建一座獻皇帝廟。直到嘉靖十七年（一五三八）九月，嘉靖帝的父親被稱為獻皇帝睿宗，祔於太廟，位躋武宗正德帝之上。

第三個事件：南京太廟事件。明朝在北京和南京各有太廟。嘉靖十三年（一五三四）南京太廟被大火燒毀，借此機會，嘉靖帝下令將太廟的同廟異室制，改為多廟制，就是給明朝每位已死的皇帝各建一座廟，共九座廟，同時在九廟旁邊給自己的父親修世廟，這樣十座廟排在一起，就看不出哪個是太廟，哪個是世廟。結果，嘉靖二十年（一五四一）九廟全部毀於大火，嘉靖帝認為是上天懲戒，於是恢復了同廟異室制，但還是順便把興獻王的神主也奉入太廟。

至此，長達二十年的所謂「大禮議」之爭，才告結束。

強化皇權

第一，嘉靖帝執意要稱興獻王朱祐杬為皇考，而稱孝宗弘治帝為皇伯父。他深知：事情的關鍵是首輔楊廷和。嘉靖帝先後用加爵、增祿、賜茶、慰諭楊廷和，「廷和先後封

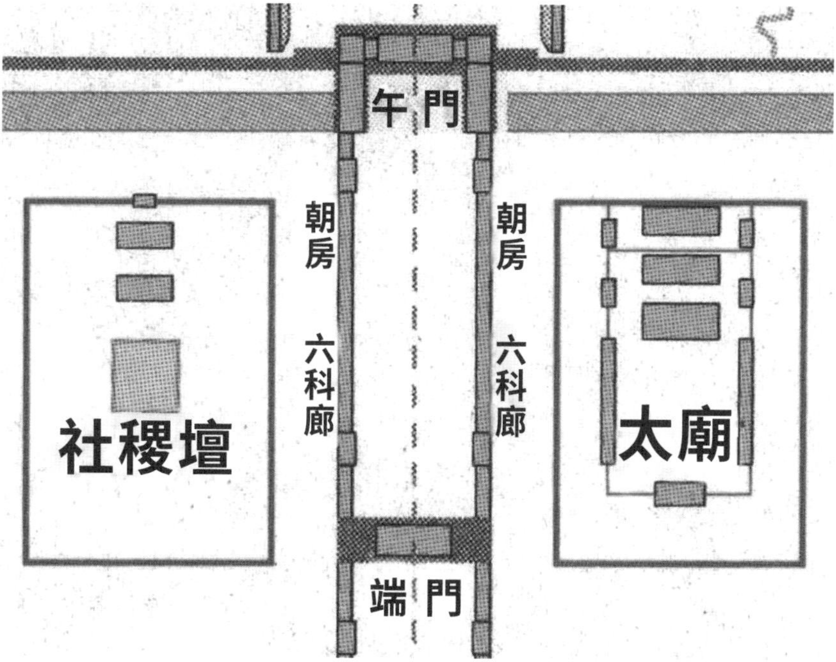

太廟、社稷壇平面圖

還御批者四，執奏幾三十疏」（《明史・楊廷和傳》），而不肯順從帝意。這時新科進士張璁及桂萼等迎合上疏謂「當繼統，不繼嗣」，就是只繼帝位，不繼承嗣。於是，嘉靖帝先後將楊廷和、梁儲、蔣冕、毛紀、石珤等大學士及一些大臣免掉，而啟用張璁、桂萼等阿諛逢迎之臣，並以廷杖、關押、謫戍、削職、減俸等措施，壓制反對意見，使其意志得以實現。

太廟

皇家祭祀已故帝后的祖廟，並予以功臣配享。太廟位於午門外東側，始建於明永樂十八年（一四二〇）。太廟的前殿有九間，兩翼有東、西廡，後面是寢殿。北京太廟現建築保存完好，一九五〇年改名為北京市勞動人民文化宮。

社稷壇

皇帝祭祀土神、穀神的地方。位於午門外西側，始建於明永樂十八年（一四二〇）。清沿明制，為社、稷合祀一壇之制。祭社稷之禮，每年春祈、秋報皆以仲月上戊日祭太社、太稷之神，以後土句龍氏、后稷氏配。民國初年曾經闢為中央公園，也稱稷園。今為中山公園。

大禮議，爭論的基本內容是封建禮制。禮樂制度和祭祀典禮，在封建時代是國家第一等大政。「國之大事，在祀與戎。」嘉靖初年「大禮議」之爭，爭論的問題在今天看來似乎是小題大做，但在皇朝時代，這些都是關乎國家命運和皇室興衰的大事，直接涉及皇權的強化和削弱。朱厚熜利用手中的皇權，以倔強的性格和執拗的偏頗，排除了大多數朝臣的反對，取得了勝利。通過大禮議，嘉靖帝坐穩了皇位，掌握了實權。

第二，頒布《明倫大典》。嘉靖六年（一五二七）詔修《明倫大典》，翌年告成。該書從理論上論證在「大禮議」論戰中，嘉靖帝是正確的，即提供理論支撐。修書官員，多得到晉升：張璁由新科進士，七年之間，官少傅兼太子太傅、吏部尚書、謹身殿大學士；

桂萼於正德六年（一五一一）中進士，後官知縣，升為禮部尚書兼翰林學士，不久遷吏部尚書，《明倫大典》成，加少保兼太子太傅。

第三，詔定議禮諸臣罪。楊廷和有「誅大奸，決大策，扶危定傾，功在社稷」的功勛，卻落得「法當僇市，姑削職為民」的下場。其子楊慎，雖為狀元，因為逆鱗，發配劍齒，最終死於戍所。

事實表明：歷史曲折，總回原點；任性邪惡，終歸失敗——嘉靖帝死後，其子朱載垕繼位，是為隆慶帝。隆慶帝為楊廷和平反，復原官，贈太保，謚文忠。張璁、桂萼之流，終被歷史唾棄。

第36講

大江東去

楊廷和有一位狀元兒子，就是千古名篇〈臨江仙・滾滾長江東逝水〉的作者、著名文學家楊慎。

高中狀元

楊慎（一四八八～一五五九年），四川成都人，宰相楊廷和之子。幼年機警敏銳，十一歲能詩。十二歲仿作〈古戰場文〉、賈誼〈過秦論〉，長老驚異。到了北京，賦〈黃葉詩〉，大學士李東陽看了很讚賞，收作門下學生。正德六年（一五一一）殿試第一，就是中了狀元，才二十四歲，授翰林院修撰。楊慎曾奉使過鎮江，到丹徒，拜見在老家的原大學士、首輔楊一清，閱覽他家的藏書。每有叩問請教，楊一清都能背誦如流。楊慎既驚訝，又敬佩，於是更加勤奮，博覽群書。楊慎常對人說：「資性不足恃。日新德業，當自

保和殿內

學問中來。」（《明史．楊慎傳》）楊慎秉承楊廷和忠耿執著的家風，不做佞臣，而做忠臣。正德十二年（一五一七）八月，明武宗正德帝微行出遊，剛出居庸關，楊慎得到信息，立即抗疏懇諫。不久，正德帝因病回到京城。正德帝病死，嘉靖帝嗣位，楊慎擔任給新皇帝上課的經筵講官。

看一看

明朝殿試

明清士人要走完科舉考試全程，須過前三關——童試、鄉試、會試，和後三關——殿試取進士，朝考取庶吉士、散館取翰林。讀書人一路過關斬將，方能有資格在保和殿考進士、中金榜、點翰林，從而在朝為官，實現理想。

蒙受廷杖

嘉靖帝因「大禮議」而恨楊廷和、楊慎父子。父親舊怨未息，兒子新怨又結。

第一，罰俸。嘉靖三年（一五二四），楊廷和剛辭官回鄉，時為大學士、又是楊廷和政敵的桂萼等，奏請升楊慎為翰林學士，皇帝採納。楊慎連同三十六人上書：「臣等與萼輩，學術不同，議論亦異。……臣等不能與同列，願賜罷斥。」（《明史·楊慎傳》）嘉靖帝看到奏疏後，勃然大怒，加以切責，罰俸兩個月。

第二，廷杖。一個月後，楊慎又與學士豐熙等為「大禮議」疏諫，並偕同朝廷大臣，跪在左順門（今協和門）外力諫。有人奏告：群臣在左順門撼門大哭，聲徹殿庭，為首的是楊慎。嘉靖帝聞奏更怒，命在朝廷上，再廷杖楊慎等七人。

第三，遣戍。楊慎等因聚哭建言案，被謫戍永昌衛（今雲南省保山市）。楊慎在謫戍路上險遭殺害。因為楊廷和當首輔時，被斥逐的錦衣衛冒濫官員，這時伺機在路，企圖謀害楊慎，實行報復。楊慎沿途防範，抱病跋涉萬里，病憊不堪，抵達戍所，臥床不起。嘉靖帝每問起楊慎狀況時，閣臣為保護楊慎，以老病回奏，嘉靖帝才稍微緩解。楊慎聞知後，情緒更加低落，放縱飲酒（《明史·楊慎傳》）。

第四，勤學。楊慎在長期遣戍期間，以書為伴，讀書不停，著書不停。他不僅讀了大量的書，而且寫了大量著作。在明朝文人中，讀書之多、記誦之博、著作之富、文采之麗、

［明］陳洪綬《楊升庵簪花圖》

骨鯁之硬、士節之正，推楊慎為第一。除詩文外，雜著一百餘種。

第五，悲歌。嘉靖八年（一五二九）廷和病故，楊慎奔告巡撫，請於朝廷，獲准歸鄉，治理喪事。他辦理完喪事後回到戍所。楊慎七十歲那年，私自回成都，巡撫派官兵，被抓捕而回。兩年後，楊慎長期憂憤，患病而死，享年七十二歲。楊慎與解縉、徐渭被譽為明代三大才子，並行於世。楊慎一生，影響最大的作品是〈臨江仙．滾滾長江東逝水〉。

羅貫中名著《三國演義》，以楊慎〈臨江仙．滾滾長江東逝水〉開篇；歷史電視劇《三國演義》又以其做主題歌歌詞，大江上下，長城內外，家喻戶曉，婦孺皆知，甚至五湖四海，也是廣為人知。詠史名詞〈臨江仙．滾滾長江東逝水〉，悲愴地唱道：

> 滾滾長江東逝水，浪花淘盡英雄。是非成敗轉頭空：青山依舊在，幾度夕陽紅。
> 白髮漁樵江渚上，慣看秋月春風。一壺濁酒喜相逢：古今多少事，都付笑談中。

詞的上片，開首兩句，令人想到杜甫「無邊落木蕭蕭下，不盡長江滾滾來」，和蘇軾「大江東去，浪淘盡，千古風流人物」。「是非成敗轉頭空」，是對上兩句歷史現象的總結，從中可看出楊慎閱盡人間滄桑，胸懷曠達，情意超脫。「青山依舊在」是在講地，講空，講不變；「幾度夕陽紅」是在講天，講時，講變化。世間萬象，變中有不變，不變中有變。《心經》講：「色即是空，空即是色。」色，在這裡是指實，相；空，在這裡是指虛，無。在時與空、虛與實、人與事、喜與悲的變幻中，楊慎感悟道：「滾滾長江東逝水，浪花淘盡英雄。」這一切如日月升落，草木榮枯。

詞的下片，展現了一個白髮漁樵，獨釣江雪，任憑驚駭濤浪，不管是非成敗，清酒一壺，友朋夜逢，縱論古今，談笑而已。寂寞悲苦的楊慎，仰觀日月運行，沐浴秋月春風。歷史的興替，人物的悲歡，都只不過是酒中的談資，助興的話柄。

不朽之作

《宋詞三百首》中選錄六篇〈臨江仙〉，其中包括歐陽修與蘇東坡的〈臨江仙〉，都各具特色。楊慎的這首〈臨江仙．滾滾長江東逝水〉，慷慨激昂，悲壯恢宏，亦虛亦實，渾然大氣，是〈臨江仙〉中的翹楚之作。時過近五百年，依然震撼人心，為什麼呢？因為楊慎有驚世的才華，非凡的閱歷，悲喜的家庭，跌宕的人生。楊慎這個人，相門之子，大明俊彥，二十四歲，高中狀元，烈火烹油，繁花似錦。但是，大喜也楊慎，大悲也楊慎。因觸犯「龍顏」，遭廷杖，被遣戍，蒙羞辱，離家鄉，死戍所，達三十五年。天賦的才華，地畫的監牢，奇特的人生，坎坷的經歷，使楊慎的心靈擁有更加深刻的人生感悟，使楊慎的辭章展現更加淡定的純淨意境。青山不老，看盡炎涼事態；醉酒笑語，釋去心頭重負。宇宙永恆，人生短暫；江水不息，青山常在。

風平而後浪靜，歷險才能淡定。楊慎經歷家庭盛衰、個人浮沉的特殊境遇，在成敗得失之間，總結人生際遇，探索人生哲理，抒歷史興衰之感，詠人生沉浮之慨，散溢高潔情操，展現悲壯胸懷。既有大英雄功成名就後對前景的空疏與孤獨，又有大名士落魄悲苦後對名利的淡泊與輕蔑。楊慎一首〈臨江仙．滾滾長江東逝水〉成為千古絕唱，前人所無，後人難再。

楊氏一門四代，出了「一首輔一狀元六進士」：「一首輔」是楊廷和，楊廷和在明朝成化、弘治、正德、嘉靖四朝為官；「一狀元」是他的兒子楊慎；「六進士」是楊廷和，其父楊春，其弟楊廷儀，其子楊慎與楊惇，其孫楊有仁。在楊廷和的家族中，最為人知的、影響最大的，就是明代大才子、也是中國文學史上的大才子楊慎。

事應為而不可為，雖力為也不能為，仍然為之，這就是風骨，如楊慎。堅持理想，與命運搏鬥，雖可能被摧毀，但不能被征服，這是人們敬仰的崇高品格。做何選擇，都是智慧。

嘉靖宮變

就在嘉靖皇帝「大禮議」取得節節勝利之際，他的後宮接連出現凶信。

三后早死

嘉靖帝是明朝后妃最多的皇帝，僅有封號的后妃就有六十多位。但是，嘉靖帝的三位皇后，皆相繼故去，不得善終。

第一位是陳皇后。嘉靖元年（一五二二），由張太后做主，陳皇后入主後宮，成為嘉靖帝的第一位皇后。嘉靖帝因厭惡張太后而累及陳皇后。嘉靖七年（一五二八）九月，嘉靖帝與懷有身孕的陳皇后聊天，見兩位妃子過來進茶，便拉住這兩位妃子的手撫摸，陳皇后見狀便站起來要離開，嘉靖帝立即大怒，陳皇后被嚇得流產，沒過幾天，便死去了。

第二位是張皇后。在陳皇后死的當年十一月，嘉靖帝立張順妃為皇后。六年之後，嘉靖十三年（一五三四），在新年伺候嘉靖帝吃飯時，張皇后剛剛提起張太后為弟弟求情，「上震怒，立褫冠服，鞭撻之，斥譴以去」（沈德符《萬曆獲野編·世宗廢后》）。張皇后受到驚嚇，鬱鬱寡歡，不久死去。

第三位是方皇后。張皇后被廢後，德妃方氏被冊為皇后。因為嘉靖帝懷疑方皇后害死了寵妃曹氏（後面補敘），在嘉靖二十六年（一五四七），後宮發生大火時，方皇后被大火圍在宮裡，嘉靖帝竟然阻止他人搶救。方皇后雖未當場燒死，但終因燒傷和驚嚇，十多天後，就去世了。

此後，嘉靖帝不再立皇后。

生母去世

嘉靖帝和生母蔣太后母子感情很深。在興獻王突然去世的艱難時日裡，在母子倆剛剛進宮的風波中，母子二人相依為命，蔣太后成為嘉靖帝青少年時期的精神依托和情感支柱。蔣氏識文斷字，在安陸王府時，曾著《女訓》一卷。嘉靖帝親自作了序文，將這卷《女訓》與記述明太祖馬皇后生平的〈高皇后傳〉，以及明成祖徐皇后的〈內訓〉等三篇，刊印成冊，公布天下。這就把蔣太后與馬皇后、徐皇后放在同等位置，給母親以巨大的榮耀。

嘉靖十七年（一五三八）十二月初四日，這位做了三十年王妃、十七年皇太后的蔣氏去世。

明世宗朱厚熜像（臺北故宮博物院典藏）

母親的去世，使嘉靖帝悲痛不已。於是他精心籌劃蔣太后的葬地。

當初，興獻王死後葬在其封地湖北安陸境內的松林山。大禮議後，興獻王被尊為獻皇帝，陵墓被升格為顯陵，松林山被封為純德山，安陸州被改為承天府。考慮到承天府離北京太遠，遂有意將顯陵北遷，與蔣太后合葬在北京天壽山長陵之西的大峪山。然而當嘉靖帝從大峪山視察返京後，主意變了，打算把蔣太后梓宮南祔顯陵。但是，顯陵的情況如何呢？嘉靖帝決定親自去一趟，於是就有了所謂「嘉靖南巡」。

嘉靖十八年（一五三九）二月十六日，嘉靖帝啟程南巡。扈從的官員有大學士夏言、禮部尚書嚴嵩等重臣，一百二十名錦衣官校和八千名旗校前呼後擁。護衛官兵六千名，供旗校使用馬匹有三千多匹。二月二十八日，嘉靖帝一行抵達河南衛輝境內。忽然有股旋風繞駕不散。嘉靖帝很驚恐，忙問隨侍道士陶仲文，此兆主凶還是主吉？陶仲文說主凶，聲稱要發生火災。嘉靖帝有些慌亂，令陶仲文做法事禳除火災。陶仲文說：「火終不免，可謹護聖躬耳！」當天夜裡四鼓時分，行宮突然起火。火借風勢，越燒越旺，濃煙騰空，四處火光。在慌亂中，侍衛們竟找不到嘉靖帝身在何處。幸虧錦衣衛指揮陸炳鎮靜不亂，「排闥直入」，將被火海包圍、不知所措的嘉靖帝背到安全地帶，使他倖免於難（《明世宗實錄》卷二二一）。火災造成嚴重的損失，許多太監、宮女被燒死，所帶法物、寶玉多被焚毀。這場大火是隨從宮女亂丟未熄滅的蠟燭造成的。多名官員，因失職，或遭廷杖，或黜為民。

經過二十六天的長途跋涉，嘉靖帝到達承天府，回到闊別十八年的故居。三月二十四日，嘉靖帝離開承天府，踏上歸途。通過實地視察顯陵，嘉靖帝的意向又有了變化，他打算讓其父仍葬顯陵，而其母蔣太后葬北京大峪山。四月十五日，嘉靖帝回到皇宮。接著，赴大峪山工地進行察看。經過一番詳細的了解，嘉靖帝終於打定了主意，確定將太后的梓宮南運到顯陵。同年閏七月，蔣太后梓宮由運河水道運抵承天府，與興獻王合葬顯陵。

嘉靖帝的后妃先後生下八子五女，但大多早亡。到嘉靖帝去世時，僅剩一子一女。最讓他痛心的是皇太子朱載壡——不到四歲立為太子，他生而靈異，不喜紛華靡麗，小心齋慎。嘗見上叩頭曰：「兒不敢。」時時舉手曰：「天在上。」嘉靖帝奇其不凡（《明世宗實錄》卷三四六）。嘉靖二十八年（一五四九），嘉靖帝為十四歲的太子舉行加冠及講學典禮。誰知兩天之後，太子忽然患病，御醫診治，但無效果。只見太子忽北面拜曰：「兒去矣！」正坐而死。太子死後，嘉靖帝就剩下兩個兒子，他長期不立皇太子，但是到嘉靖四十四年（一五六五）又死了一個二十九歲的兒子，僅存的兒子朱載垕，就是後來繼位的隆慶皇帝。皇子、公主相繼去世，給嘉靖帝帶來了極大的痛苦，甚至是恐懼。

壬寅宮變

嘉靖帝吃丹藥，性情格外暴躁，殘酷虐待宮女，無端打罵折磨，使她們身心受到摧殘，經常處於極其悲慘的境地。嘉靖帝還相信道士祕方，用宮婢的經血燒煉「丹鉛」。這種慘無人道的折磨，把宮女逼上了絕境。受辱宮女，串通起來，祕密謀劃，進行報復。

嘉靖二十一年（一五四二）十月二十一日夜裡，發生了一件讓嘉靖帝險些丟掉性命的「宮變」。因這一年是壬寅年，史稱「壬寅宮變」，又稱「嘉靖宮變」。事情的經過是這樣的：

明朝皇帝的寢宮在乾清宮，只有皇后可以與皇帝同住，其他妃嬪等僅是奉召進御，不能在此過夜。有的書記載：明代乾清宮後部的暖閣，共有九間，每間分上下兩層，共有二十七張床。皇帝夜裡隨意選擇房間和床位就寢，生人很難弄清他睡在哪裡，確保安全，以防不測。儘管皇帝防範巧妙，但對嘉靖帝身旁侍奉的宮女來說，則是沒有祕密可言的。

這天夜裡，嘉靖帝已經熟睡，楊金英等十幾個宮女便溜進他的寢宮，準備將他勒死。開始時，宮女楊玉香將絲繩遞給蘇川藥，蘇又傳給楊金英，楊金英則拴好繩套，另一宮女用黃綾抹布蒙住嘉靖帝的臉；其他宮女一擁而上，掐脖子的、壓前胸的、按胳膊腿的，楊金英就勢把繩套在嘉靖帝的脖子上，另兩個宮女姚淑翠和關梅秀用力拉緊繩套。但是，楊金英誤把繩套打成死結，拉了好久也沒把嘉靖帝勒死。宮女張金蓮見事不成，產生動搖，跑去報告方皇后。

方皇后聞訊趕來解救，見皇上氣息已絕，急忙派太監去找御醫許紳。許紳值夜班，聞訊入內，見氣已絕，就死馬當活馬醫，「急調峻藥下之，辰時下藥，未時忽作聲，去紫血數升，遂能言，又數劑而癒」（《明史・許紳傳》）。許紳用猛藥，歷六個小時，嘉靖帝

乾清宮背面

才口吐紫血，多達數升，甦醒過來。不久，許紳得病，說：「因宮變事，我自知若不能救活必遭殺身之禍，因受驚悸，非藥石所能醫治也。」不多久，果然去世。許紳，北京人，後官太醫院領院事、工部尚書。明朝醫官最顯赫到尚書者，只許紳一人。

嘉靖帝雖被搶救過來，但因驚嚇過度，器官受到損傷，身體病弱，不能理事，對「謀逆」宮女的處置，由方皇后主持。方皇后將楊金英等十六名宮女凌遲處死。因方皇后妒忌，在嘉靖帝病不能言時，將嘉靖帝寵幸的端妃曹氏和寧嬪王氏牽連進去，「磔端妃曹氏、寧嬪王氏於市」（《明史・世宗本紀》）。

嘉靖帝後宮不寧，連續三位皇后都不得善終，母親蔣太后去世，皇子、公主大多早亡，嘉靖帝又遭宮女繩勒氣絕，寵妃被連帶處死，真是一地雞毛，不可收拾。嘉靖帝情緒消沉，更加沉迷於方術丹藥，從嘉靖十九年（一五四〇）開始，他二十多年基本不上朝，而且從乾清宮搬出，住到西苑的西宮。

嘉靖皇帝早年喪父，中年喪三后，晚年喪太子；又脾氣極壞，鞭打皇后，皇后遭火災，且見死不救，何況對待宮女呢！己無德，自招禍——這就是嘉靖皇帝留下的歷史教訓。

第38講

沉迷方術

明朝的皇帝，多尊儒崇佛。嘉靖帝則痴迷道教，從祈禱消災，到祈天求子，再到祈求長生不老，越來越痴迷，越來越瘋狂。皇帝二十多年來基本不上朝，深居西宮，「禱祀日舉，土木歲興，郊廟之祀不親，朝講之儀久廢」，皇宮、西苑到處設醮壇，朝廷大臣輪值行禮，尚書大學士親撰青詞，最終卻因服食丹藥加速死亡。

寵信道士

嘉靖帝自幼生長在湖廣安陸，受其父影響，自幼熟悉道教。嘉靖三年（一五二四），有一名來自江西龍虎山上清宮的道士邵元節，被嘉靖帝徵召進京，封他總領天下道教，賜金印、銀印、玉印、象牙印各一方。這是嘉靖帝沉迷方術的開始。

嘉靖十年（一五三一），已經結婚近十年、二十五歲的嘉靖帝，一直沒有子嗣，便在皇宮御花園的欽安殿，設立祈嗣醮壇。祈嗣齋醮正式開場時，嘉靖皇帝親自行禮，文武百官，爭先影從，香火繚繞，瀰漫皇宮。

嘉靖十二年（一五三三）八月，皇長子出生，但兩個月後死了。三年之後，皇二子朱載壡出生，這讓三十歲的嘉靖皇帝，非常高興。嘉靖十六年（一五三七）這一年，嬪妃們連續生下五個皇子，雖夭折兩個，但留下三個。嘉靖帝認為這是祈嗣齋醮的結果，於是更加頻繁地舉行齋醮，除欽安殿，又在皇宮北面煤山和北海之間，建造大高玄殿，舉行安神大典。對邵元節更是極盡恩寵。為他建府第，賜祿米，授莊田三千畝，派校尉四十名，供其役使，封贈他的父母，授官他的子孫，官拜禮部尚書，賜一品官服。這時，有兩位御史上書，說皇帝求子在施仁政，不在求神仙，嘉靖帝將這兩位御史謫成邊衛。一位翰林也上書規勸，卻被下獄拷打，貶成邊地，永不敘用。嘉靖十八年（一五三九），邵元節病死。嘉靖帝應想一想：「神仙」都沒有長壽，自己能長壽嗎？「神仙」都病死而沒有成仙，自己又怎能成仙呢？可嘉靖帝沒有反思，更加迷信道教。

嘉靖帝又開始寵信道士陶仲文。陶仲文做過縣吏，曾被邵元節推薦到皇宮設壇布法。嘉靖帝南巡時將他帶在身邊，他預卜了衛輝行宮火災。後來皇太子出痘，陶仲文祈禱祛病，皇太子的病果然好了。於是嘉靖帝給他封號，命他總領道教事，恩寵超過邵元節。

嘉靖二十一年（一五四二）壬寅宮變後，嘉靖帝搬出乾清宮，住進西苑。從此，不親郊廟，不臨日講，不見朝臣，長達二十四年。他在西苑做什麼？煉丹吃藥，祈求長生。除了大興土木、大肆舉辦各種齋醮活動之外，還服用「先天丹鉛」藥。這種丹藥，用少女經血煉製，因而先後三次大選了七百六十名八歲至十四歲的幼女和少女入宮，以備煉丹。有一位無錫進士顧可學，說用童男童女的尿液煉製成藥，可以長生不老。嘉靖帝把這個人任命為工部尚書、禮部尚書、太子太保，領大學士的俸祿。時人嘲笑說：「千場萬場尿，換得一尚書。」（沈德符《萬曆野獲編．尚書被嘲》）陶仲文又創「二龍不相見」之說，太子虛位二十年（《明史．陶仲文傳》）。嘉靖帝喜歡祥瑞，逢迎，於是佞臣紛紛獻白雁、玉兔、瑞龜、壽鹿、嘉禾、甘露、仙桃、靈芝。一天，御幄旁出現一個桃子，說是從天上掉下來的，趕緊告祭祖廟。

御史楊爵上疏，力陳崇道之非，力斥妖邪之妄。嘉靖帝震怒，將楊爵下詔獄。楊爵在獄中遭受酷刑，被打得幾次昏迷。自楊爵等少數官員以諫玄修而遭重懲，內外官員遂爭相諂媚取容，再沒有敢諫言迷信妖邪的大臣。

繼邵元節病死後，陶仲文又病死。這時，嘉靖皇帝已經五十四歲，仍然執迷不悟，而且越陷越深。

西苑青詞

青詞，是一種道家文體，在道教舉行齋醮時，獻給「天神」的薦告祝文，用朱筆寫在青藤紙上，所以叫青詞。一般用駢體文，辭藻華麗，對仗工整。嘉靖帝的青詞，是無恥文人的無恥之作。嘉靖十八年（一五三九）十二月，嘉靖帝在西內無逸殿，安排一個為他寫青詞的班子，每日值班，隨時應召。這個寫作班子，可沒有道士，全都是重要的官員，如太師郭勛、大學士夏言、禮部尚書嚴嵩以及袁煒等。善寫青詞的人，多得到提拔重用。

翰林侍讀袁煒入值西苑，撰寫青詞，最受皇帝寵幸。嘉靖皇帝有時半夜想起有事要讓天神知道，就寫個條子，讓太監遞給值班的大臣。袁煒下筆立成，辭藻華麗，表意細微，受到皇帝稱讚。嘉靖帝在西苑永壽宮養貓，名叫獅貓。一天，獅貓死了，嘉靖帝十分難過，為表示對愛貓的深情，命製作金棺，葬於萬壽山之麓。又命儒臣為獅貓撰寫悼文，薦度超升，進入天界。諸臣以題目難作，故意推辭，拖延時間。唯有這個佞臣、奸臣袁煒，吹噓拍馬阿諛為文，內有「化獅成龍」等語，嘉靖帝看後，龍顏大悅。由於擅長寫青詞，袁煒官階直升到戶部尚書、禮部尚書、武英殿大學士、建極殿大學士。袁煒品性極差，無恥之尤，善阿諛，會逢迎，但犯眾怒，積怨多，患病歸鄉，中途死亡，年五十八，人皆惡之（《明史・袁煒傳》）。

還有王金，為國子監生，殺人罪當死，畏罪逃亡，隱匿在通政使趙文華家。王金以仙酒獻趙文華，文華又獻給嘉靖帝。一日，嘉靖帝要祕殿扶乩，各地派人採集靈芝。四方獻靈芝，匯聚在御苑。王金賄賂太監，得靈芝萬株，聚為一山，號萬歲芝山。王金又偽造五色龜進獻。嘉靖帝大喜，遣官告祭太廟，那個袁煒也上表祝賀。王金又偽造《諸品仙方》、《養老新書》，與所製金石藥並進。嘉靖帝服用後，稍感精神較好。沒多久，帝大漸，遺詔歸罪王金等，命正典刑，下獄論死。後宥王金等免死，編口外為民（《明史．王金傳》）。

嘉靖西宮

嘉靖帝在西苑興建永壽宮，因在皇宮之西，又稱「西宮」。嘉靖帝四十五年的君主人生，以嘉靖二十一年（一五四二）「壬寅宮變」為分界，大體說來，前一半居住在皇宮，後一半居住在西宮。

永壽宮原為燕王的舊宮，嘉靖帝改名永壽宮。「壬寅宮變」，嘉靖帝差點兒被宮女勒死，驚魂難定，想移宮外，於是搬到永壽宮。自西苑肇興，就經營永壽宮、玄極殿、大高玄殿等。以玄極殿為拜天之所，當正朝之奉天殿；以高玄殿為內朝之所，當正朝之文華殿。又建清馥殿為行香之所。後建齋宮、紫宸宮、萬法寶殿等。嘉靖帝既遷西苑，不再臨朝聽政，惟日夕事齋醮。凡入直撰玄諸佞臣，皆附麗其旁，就是內閣大臣，也晝夜供事，不再到文淵閣。於是，君臣上下，崇奉道教，朝真醮斗，幾三十年，與嘉靖帝社稷相終始。直到隆慶帝繼位，將永壽宮夷為平地（沈德符《萬曆野獲編．帝社稷》）。

到嘉靖四十年（一五六一）十一月二十五日，夜火大作，宮宇陳設，乘輿服御，先朝異寶，盡付一炬。這是天火嗎？不是，是人禍。相傳這天夜裡，嘉靖帝與尚美人，在貂帳裡，新幸飲酒，玩耍煙火，半痴半醉，半睡半醒，引發火災。其中有數年才能得到八兩的龍涎香，也煨燼於火。到嘉靖四十五年（一五六六）八月，命拜未被冊封的尚美人壽妃，贈其父為驃騎將軍、右軍都督僉事。封妃之日，距嘉靖帝六十壽誕僅二天。據一位宮中太監說，尚氏承恩時，年僅十三，至冊封為妃，則已十八矣（沈德符《萬曆野獲編．萬壽宮災》）。

永壽宮火災後，嘉靖帝暫住玉熙殿，又遷玄都殿，但都不宜帝居。時嚴嵩為首輔，請移駐南宮，就是明英宗為太上皇時所居住的地方。英宗復辟後，將南宮修飾完整，華美壯麗，勝過永壽宮。但是，嘉靖帝以南宮為當時英宗遜位受錮之宮，不祥，心裡厭惡，不願入住。當時正興皇宮三大殿工程，於是分撥建材，興築永壽宮。嘉靖帝大悅，不到三月，宮殿告成，即日徙居，賜名萬壽。嘉靖帝死後，宮殿殘破，斷垣壞礎，蔓草叢生（沈德符《萬曆野獲編．齋宮》）。

「紂之跡，周之鑒。」商紂劣跡，周王為鑒。西苑萬壽宮像一面鏡子，將嘉靖帝縱淫放蕩、胡作非為、專制濫權和醜惡靈魂，映現得淋漓盡致。皇權應當被約束，君權必須受監督。

逛一逛

西苑

紫禁城西側的皇家園林，明清皆稱西苑。東至紫禁城，景山以外，北、西、南三面皆臨皇城。面積約是紫禁城的六倍。中心地帶為南、中、北海，水面相連通，中海、北海稱太液池，加上南海稱三海。現北海公園開放，南海、中海為辦公區。

第39講

海瑞上疏

從嘉靖四十一年（一五六二）開始，嘉靖帝步入生命的最後五年。特別是海瑞上疏諫諍，令嘉靖皇帝先怒而後省思。國事和家事交織，伴隨他生命的謝幕，風雨飄搖，一一展開。

海瑞上疏

海瑞（一五一四～一五八七年），字汝賢，瓊山（今在海南省海口市）人。剛直不阿，頗有聲名，長期在地方做官，直到嘉靖四十三年（一五六四），升戶部主事，成為京官。時嘉靖帝在位年久，不親朝政，深居西苑，專意齋醮。督撫大吏，爭上符瑞，禮官上表，隆重慶賀。廷臣自楊最、楊爵得罪後，對於時政，無敢言者。海瑞見大臣持祿而好諛，小臣畏罪而結舌，不勝憤恨。於是，在嘉靖四十五年（一五六六）二月，海瑞冒死上疏諫諍。

第一，指出嘉靖帝的過失及嚴重後果。他說：陛下則銳精未久，妄念牽之而去，反剛明之質而誤用之。至謂遐舉可得，一意修真，竭民脂膏，濫興土木，二十餘年不視朝，法紀弛矣。數年推廣事例，名器濫矣。二王不相見，人以為薄於父子。以猜疑誹謗戮辱臣下，人以為薄於君臣。樂西苑而不返，人以為薄於夫婦。吏貪官橫，民不聊生，水旱無時，盜賊滋熾。陛下試思今日天下，為何如乎？

第二，指出朝臣阿諛諂媚的欺君之罪及背後的原因。他說：蓋天下之人，不直陛下久矣。古者人君有過，賴臣工匡弼。今乃修齋建醮，相率進香，仙桃天藥，同辭表賀。建宮築室，則將作竭力經營；購香市寶，則度支差求四出。陛下誤舉之，而諸臣誤順之，無一人肯為陛下正言者，諛之甚也。然愧心餒氣，退有後言，欺君之罪何如！

他又說：夫天下者，陛下之家。人未有不顧其家者，內外臣工皆所以奠陛下之家而磐石之者也。一意修真，是陛下之心惑。過於苛斷，是陛下之情偏。而謂陛下不顧其家，人情乎？諸臣徇私廢公，得一官多以欺敗，多以不事事敗，實有不足當陛下意者。其不然者，君心臣心偶不相值也，而遂謂陛下厭薄臣工，是以拒諫。執一二之不當，疑千百之皆然，陷陛下於過舉，而恬不知怪，諸臣之罪大矣。《記》曰：「上人疑，則百姓惑；下難知，則君長勞。」此之謂也。

第三，指出嘉靖帝崇道以求長生成仙的荒誕。他說：且陛下之誤多矣，其大端在於齋醮。齋醮所以求長生也。自古聖賢垂訓，修身立命曰「順受其正」矣，未聞有所謂長

海瑞像

生之說。堯、舜、禹、湯、文、武，聖之盛也，未能久世，下之亦未見方外士自漢、唐、宋至今存者。陛下受術於陶仲文，以師稱之。仲文則既死矣，彼不長生，而陛下何獨求之？至於仙桃天藥，怪妄尤甚。昔宋真宗得天書於乾祐山，孫奭曰：「天何言哉？豈有書也！」桃必採而後得，藥必製而後成。今無故獲此二物，是有足而行耶？曰「天賜者」，有手執而付之耶？此左右奸人，造為妄誕以欺陛下，而陛下誤信之，以為實然，過矣。

第四，指出嘉靖帝幡然悔悟重振朝綱的光明前景。他說：陛下誠知齋醮無益，一旦翻然悔悟，日御正朝，與宰相、侍從、言官講求天下利害，洗數十年之積誤，置身於堯、舜、禹、湯、文、武之間，使諸臣亦得自洗數十年阿君之恥，置其身於皋、夔、伊、傅之列，天下何憂不治，萬事何憂不理。此在陛下一振作間而已。釋此不為，而切切於輕舉度世，敝精勞神，以求之於繫風捕影、茫然不可知之域，臣見勞苦終身，而終於無所成也。

怒而省思

海瑞上疏，酣暢淋漓，正氣凌然，動之以情，曉之以理，時隔四百多年之後，我們仍然能夠真切地感受到他忠君愛國的熾熱情懷。

當嘉靖帝看到這篇疏文時，他的反應：

第一，是暴怒。「帝得疏，大怒，抵之地，顧左右曰：『趣執之，無使得遁！』」就是嘉靖帝看到海瑞的諫疏，大怒，扔到地上，對左右說：快去把他抓來，別讓他跑了！宦官黃錦在旁邊說：「此人素有痴名。聞其上疏時，自知觸忤當死，市一棺，訣妻子，待罪於朝，僮僕亦奔散無留者，是不遁也。」

第二，是沉默。嘉靖帝暴怒之後，便是默然。過了一會兒，嘉靖帝又取過奏疏，仔細讀，一天讀了好幾遍，留在身邊幾個月。在這期間，嘉靖帝嘗說：「此人可方比干，第朕非紂耳。」意思是海瑞可以比作批評商紂王的比干，那麼我不就是葬送商朝的紂王嗎！

嘉靖皇帝為此大病一場。

怎麼收場呢？嘉靖帝煩懣不樂，召閣臣徐階議內禪，就是將皇位禪讓給自己的兒子。他說：「海瑞言俱是。朕今病久，安能視事。」又說：「朕不自謹惜，致此疾困。使朕能出御便殿，豈受此人詬詈耶？」意思是我自己不謹慎珍惜，得了病。如果我能上朝理政，哪至於受到這個人的批評。於是，將海瑞下詔獄，追查誰是主使者。又移案到刑部，刑部判其死罪。

兩個月以後，嘉靖皇帝就死了。提牢主事聽說後，認為海瑞可能會被起用，就設酒饌款待海瑞。海瑞以為要赴西市被斬首，便大吃大喝起來，也沒問為什麼。監獄主事官附耳對海瑞說：「宮車適晏駕，先生今即出大用矣。」意思是：皇帝剛死了，先生會馬上出獄，獲得大用！海瑞問：「真的嗎？」隨即大哭，盡嘔出所吃的飲食，昏倒在地。並通宵達旦，哭不絕聲。果然，嘉靖帝死，海瑞獲釋，恢復原職。

海瑞上疏，深深地觸動了嘉靖帝，這時他已經病入膏肓，不久於人世，但是他還是反思了自己的行為，克制住心裡的憤怒，沒有殺海瑞。然而，他並沒有停止服食丹藥。

臨終思鄉

海瑞上疏對嘉靖皇帝的震動非常之大，他大病一場，打算重回故地承天府。他對首輔徐階說：「朕病十四月矣，不見全復。茲就大志成一，南視承天，拜親陵。取藥服氣，此原受生之地，必奏功。諸王不必朝迎，從官免朝，用臥輦，至七月還京。」（《明世宗實錄》卷五五五）徐階從安全、健康以及國家安定幾個方面，給他做了分析，懇切勸他打消這個念頭。一貫固執的嘉靖皇帝，這次沒有堅持。

自從四十五年前離開故土來到北京，十五歲的少年已經是六十歲的行將就木之人，這期間嘉靖帝只有在三十三歲時為了母親安葬之事南巡回到故鄉一次，此後便一直沒有再回去過，也沒有再親自到陵前祭拜父母。這種思鄉之情，還是真摯的。但是，直到這時，嘉靖帝還是考慮回到故鄉吃丹藥，效果可能會好，真是不可救藥了。

嘉靖四十五年（一五六六）十月，嘉靖帝到萬法壇祈禱上天，遭到雨淋。回到宮裡便口吐白沫，胸中憋悶，從此臥床不起。拖到十二月十四日清晨，嘉靖帝突然昏迷，身邊的侍從趕緊把他抬回乾清宮，當天中午便駕崩，享年六十歲。他於嘉靖二十一年（一五四二）離開乾清宮後，已經二十四年，二十四年來，這是他唯一一次躺在皇帝的寢宮乾清宮裡，離開了這個世界，也離開了皇帝的寶座。

第40講

窩囊裕王

世上哪有不愛兒子的父親呢？嘉靖皇帝也有過無子的焦慮、得子的喜悅，未嘗沒有舐犢之愛、骨肉之情，但是都被他對衰老、死亡和傳位的恐懼之心所代替，對權位和長生的狂熱追求，壓倒了血脈親情。沉迷修煉得道的嘉靖皇帝，禍害了國家，禍害了自己，也禍害了子孫。他的皇三子裕王朱載垕[1]，就是在這種扭曲的父子關係中，度過了窩囊的二十九年。

皇父不見

嘉靖帝有八個兒子，其中皇長子、皇五子、皇六子、皇七子、皇八子這五個皇子，都未滿週歲而早殤。剩下的只有皇二子、皇三子、皇四子。皇太子只能在這三位皇子中選擇，怎樣選擇呢？

老大死了，就選老二。皇次子朱載壡，四歲被冊立為皇太子，十四歲舉行冠禮（成人禮），剛過了兩天就死了。所以，再選皇太子就只能在老三和老四，也就是皇三子和皇四子中選擇。這老三和老四同父異母，生日只差一個半月。

先說老三，就是皇三子朱載坖，後來的隆慶帝。嘉靖十六年（一五三七）正月，嘉靖帝的杜康嬪生下皇三子朱載坖。嘉靖十八年（一五三九）二月，年僅兩歲的朱載坖被封為裕王。比他小一個半月的同父異母弟弟朱載圳被封為景王。他們兄弟倆，其實都是皇太子朱載壡的陪襯。嘉靖二十八年（一五四九）三月，嘉靖帝為皇太子舉行加冠禮，從此太子就可以出閣就學了。誰料剛過了兩天，十四歲的皇太子朱載壡突然病死。之後，道士陶仲文提出「二龍不得相見」——就是不能同時有兩條龍出現，給嘉靖帝很深刻的影響。嘉靖帝對此，奉為圭臬。嘉靖帝長期與皇三子、皇四子隔離，就是過年過節前來問安，他也儘量不見面。不僅不見面，嘉靖帝還命建造裕王府和景王府。嘉靖三十二年（一五五三）春天，兩位還沒有結婚的裕王和景王，就被嘉靖帝攆出皇宮以外，搬到王府居住。

嘉靖三十四年（一五五五）十月，裕王長子出生，就是後來的萬曆帝朱翊鈞。這是嘉靖帝的長孫，但裕王長期見不到皇父，自己結婚後生了兒子，也不敢奏告皇父，更不敢聲張。嘉靖帝最喜歡的一位宮女把這個好消息告訴了嘉靖帝，誰知「上怒而譴之，宮中股栗，莫知所為」（《穀山筆麈》卷二）。禮部出面請示要告祭郊廟、社稷，詔告天下，令文武群臣稱賀。但沒想到嘉靖帝卻說：「這些禮儀，都是皇太孫之禮，遣官奏告玄極寶殿及奉先殿，群臣不必稱賀，不必頒詔天下。」這位將近五十歲當了爺爺的皇帝，對長孫的出生非常冷漠。禮部侍郎閔如霖上賀表說：「慶賢王之有子，賀聖主之得孫。」嘉靖帝覽後大怒，用劍擊打賀表，高聲喊道：「斬了他，斬了他！哪能先賀兒子後賀我。」最後命給這位侍郎降三級俸祿，降職為南禮部尚書。

裕王既得不到父愛，欲得到母愛，也受到皇父的阻撓，不讓其母子見面。裕王住到宮外的王府之後不到一年，母親杜康妃便去世了。生母病重時，裕王不能進宮探望，死了之後，母親的葬儀被皇父一再貶低。亡母備受冷落，寒的是裕王的心。

嘉靖帝為什麼要這樣對待裕王呢？嘉靖帝追求的人生目標是八個字：長生不老，永坐皇位。然而，皇子、皇孫的存在，讓他擔心要讓出皇位；皇子、皇孫的長大，就表明他的年老，而他是特別忌諱變老的。嘉靖帝對長生和皇位的狂熱貪求，扭曲了皇家父子親情，也扭曲了嘉靖帝的家庭，給裕王帶來了無盡的痛苦和困惑。

逛一逛

奉先殿

位於紫禁城內廷之東景運門外。明初建。清制，凡后先卒奉安神主於此，即內太廟。朔望、萬壽聖節、元旦、冬至、國有大慶等會在前殿大祭。今為北京故宮博物院鐘錶陳列館。

奉先殿

儲位不定

最折磨裕王的是，自己的皇太子名分始終沒有得到確認，步步懸疑，頻頻出險。本來，皇太子朱載壡突然病死後，按照齒序，裕王應該被立為皇太子。但是嘉靖帝直到去世也沒有再立太子。他不僅不立太子，而且還故意把裕王朱載坖和小他一個半月的景王朱載圳放在一個平等的位置，一切禮儀待遇，都以「二王」並稱。同時分府，同時結婚，同樣冠服，同樣俸祿。這種看似平等，實際上是降低了裕王作為長子的地位。所有請立皇太子，或提出二王應出閣講讀、行冠禮、定婚期、冊封王等，或提出應長次有序、有所區別，以及裕王應留在宮裡等，都遭到嘉靖帝的拒絕和打擊。如太僕楊最建言被杖死，贊善羅洪先建言太子應出閣讀書被削籍為民。

皇帝對立儲的曖昧，使朝臣們都捲入了二王爭立的政治漩渦裡。史料記載：二王出宮分府結婚後，人們議論紛紛，首輔嚴嵩的兒子嚴世蕃找到裕王府官員高拱，試探底細，高拱也含糊其詞（《皇明大事·閣臣》）。至於裕王朱載垕，更是深深陷入憂鬱和恐懼之中。

做好皇子

裕王也並不是孤立無援的。在朝廷裡，有大學士徐階等一派政治力量，而在裕王府，則有一個老師群體，他們全是翰林出身，有編修、侍講、侍讀等，雖官階不高，但影響很大，且始終維護和忠誠於裕王，希望有朝一日能輔佐裕王做一番事業。他們是高拱、陳以勤、殷士儋、張居正等。他們給裕王確定的對策是：打造裕王「好皇子」的形象。督促他克制自己的欲望，收斂自己的嗜好，韜光養晦，謹慎從事，避免出錯，委曲求全，塑造一個忠君孝父、沉穩持重、循分守禮、生活簡樸、姬妃稀少、處事謙和的形象。

嘉靖四十四年（一五六五），裕王的競爭對手景王竟突然病死，嘉靖帝也病入膏肓。

裕王對皇父倍加恭孝，在府裡設醮，為父皇祈福祈壽；派王府太監到宮門問安，博得仁孝的美名。就這樣，裕王以超常的忍耐、驚人的毅力，等待繼承皇位的那一天。因為這時，嘉靖帝的八個兒子已經死了七個，只剩下皇三子裕王朱載垕。所以，嘉靖帝皇位的繼承人，只有一人——皇三子裕王朱載垕，別無選擇。

但是，裕王朱載垕在青少年時期，扭曲的經歷、扭曲的教育、扭曲的個性、扭曲的家庭，使其人性中「惡」的一面，沒有被「善」化，卻被隱藏、包裝，一旦翻身，改變條件，地位獨尊，大權在手，受到長期壓抑的他開始瘋狂放肆，不僅使自己三十五歲盛年死去，留下十歲孩童繼位，而且嚴重動搖了明朝皇權根基，大大加速了大明皇朝的衰落。

1 載垕，《明史》如此記載。但《明世宗實錄》卷二〇〇記載：嘉靖十六年（一五三七）五月己卯朔，上命皇第三子名載垕、第四子名載圳。上親告太廟；遣公張溶、伯陳鏸，輔臣夏言，尚書顧鼎臣、許讚、嚴嵩、張瓚祭告七廟；侯郭勛祭告獻皇帝廟；令宗人府登籍《玉牒》。

隆慶登極

十六世紀中葉，明朝處於國勢衰頹，危機四伏的衰退階段。自明英宗土木堡之變以後，明朝從輝煌步入下滑的軌道。特別是經過正德和嘉靖六十年的折騰，國家千瘡百孔，百廢待興。時代呼喚出現一位「中興之君」，而隆慶皇帝做到了嗎？

隆慶新政

所謂隆慶新政，就是打著嘉靖的旗號，把嘉靖的政令都反過來。比如：第一，宣布大赦。對因向皇帝建言而受迫害的官員，平反、復職、重用、追謚、褒恤，並懲辦諂媚助惡的官吏。

第二，禁止齋醮，拆毀或摘匾道觀神壇，逮治方士。

第三，對嘉靖帝的生父生母削減祀禮。

明代青田石「東宮圖書」皇太子印

第四，停止土木營建，蠲免部分賦稅逋欠。

除了國家大政，隆慶帝還把被扭曲的家庭倫理關係加以翻轉。他最耿耿於懷的是生母杜康妃受到的不公平待遇，因此給予徹底翻轉。他在給父親嘉靖帝議定謚號的同時，將生母與先皇並列同尊，給母親上皇太后的謚號，舉行隆重的追祭儀式。決定將母親與先皇合葬於永陵。又封贈已故的外祖父為慶都伯，由舅舅繼承爵位，賜祿千石。

接著，隆慶帝又趕緊為年已五歲的兒子舉行命名典禮。可憐這個孩子由於皇祖父的忌諱，隆慶帝作為裕王，不敢正式奏告，也不敢請名，所以都五歲了，還沒有起名，還是「黑戶口」。隆慶帝將這個孩子正式取名為朱翊鈞。隆慶二年（一五六八）又立朱翊鈞為皇太子，這就是未來的萬曆帝。御定每年八月十七日為皇太子千秋節。隆慶六年（一五七二）朱翊鈞虛十歲，隆慶帝為他舉辦了冠禮。典禮接踵舉行，儀式盛極一時。皇宮的鍾粹宮建成於明永樂十八年（一四二〇），初名咸陽宮，嘉靖十四年（一五三五）更名為鍾粹宮。隆慶五年（一五七一）改鍾粹宮前殿名興龍殿，後殿名聖哲殿，為皇太子朱翊鈞的住所。

對死去的景王，收回他的莊田，召回他的遺孀親屬。「其妃還京，孤嫠困悴，幾不聊生；乳母至行乞，門若闃。」（《國榷》卷六十四）就是說，景王死後，王妃守寡，困頓憔悴；景王乳母，竟至乞討；門庭冷落，可以羅雀。

逛一逛

鍾粹宮

內廷東六宮之一，建於明永樂十八年（一四二〇），初名咸陽宮，明嘉靖十四年（一五三五）改名為鍾粹宮。明隆慶五年（一五七一）改鍾粹宮的前殿為興龍殿，後殿為聖哲殿，為皇太子的居所，後復稱鍾粹宮。清咸豐帝幼年曾居住在此，同治年間慈安太后也曾居住在此。

鍾粹宮

又懶又貪

隆慶帝登上皇位後，倒是不修玄、不養道士，但是他完全脫掉了「好皇子」的外衣，成為一個懶惰、貪財、好色的皇帝。

第一，特別懶惰。隆慶帝的懶惰，主要表現在怠政。隆慶改元剛剛十天，他就連續宣示「免朝」。隆慶帝三十歲繼位，正是精力旺盛、年富力強的年華，但他表現為「四個很少」——很少上朝聽政，很少批覽奏章，很少經筵日講，很少躬祭廟祀。即使上朝，也是不諮詢，不表態，不批示，不幹事。朝臣上奏諫言，他也不理不睬。

第二，特別貪財。史書說他「欲罄天下庫藏輸內府，以濟旦夕之用」（《明通鑒》卷六十四）。隆慶三年（一五六九）四月，隆慶帝諭戶部，取太倉銀三十萬兩。隆慶五年（一五七一），先後下詔取光祿寺銀五十萬兩，而當時光祿寺存銀只有十八萬兩。隆慶六年（一五七二）再下詔取太倉銀十萬兩。明朝的庫銀主要分為兩種：一是庫銀，就是戶部賬上和庫裡的銀錢，也就是國家或國庫的銀錢；二是帑（tǎng）銀，是皇帝賬上和內庫的銀錢，也就是皇帝的私房錢。庫銀，皇帝可以下令動用，但必須經過戶部；帑銀，皇帝可以不通過戶部，直接花銷。上面講的這九十萬兩白銀，就是從國庫撥入內帑，歸他個人支配。

第三，特別貪玩。朱載坖像他皇父一樣愛玩，喜歡瓷器、珠寶等。如瓷器僅一次

明穆宗朱載垕像

諭旨就讓江西景德鎮御器廠燒造瓷器十餘萬件套（《明穆宗實錄》卷六十五）。其數量之大，種類之多，工期之緊，超過嘉靖。隆慶帝還特別喜歡黃金，詔以戶部銀六萬買黃金一萬兩進用。有了黃金，還要珠寶，騷擾天下。這些白銀、黃金、珠寶、瓷器，供隆慶帝在後宮揮霍享受。

第四，特別好色。明人沈德符回憶道：「幼時曾於二三豪貴家，見隆慶窯酒杯茗碗，俱繪男女私褻之狀，蓋穆宗好內，故以傳奉命造此種。」（沈德符《萬曆野獲編．玩具瓷器》）隆慶帝一再下詔，多選宮人，每次都在三百人左右，為此竟在江南地區引發「拉郎配」的風潮。他頻繁封授妃子，甚至臨死前一個月還封了四位妃子。

以上這些，看似縱情享樂，榮華富貴，而實際上是以透支身體作為代價。由於色癆引發中風，朱載垕做皇帝五年半，就荒淫病死了，年僅三十六歲。

內閣三輔

好皇子變身如此皇帝，叫人怎麼不擔心，國家怎麼辦？內閣輔政幫了大忙。隆慶帝縱有再多問題，但有一個突出優點，就是對重要大臣比較信任，放手讓他們主政。隆慶朝，始終有一個強勢內閣在運轉主政。

隆慶朝先後入閣任大學士的有九人，時稱「九相」。內閣首輔，先後有三人：

第一位首輔徐階（一五〇三～一五八三年），今上海人。小時候剛滿週歲，就落入枯井裡，救出三天才甦醒；五歲隨父出行，從山上摔下，衣服掛在樹上，得以不死。科考中探花。嘉靖三十一年（一五五二）入閣，嘉靖四十一年（一五六二）任首輔，在嘉靖、隆慶交替時，頒布一系列措施，糾正前朝弊病，被譽為楊廷和式的救世首輔。

第二位首輔李春芳，徐階致仕後接替做首輔。李春芳是嘉靖二十六年（一五四七）狀元，為人溫和，誠心篤行，淵學宏才，受高拱排擠，上疏乞休，先後五上，後致仕回鄉，得善終。

第三位首輔高拱，原為隆慶帝在東宮的老師，因徐階推薦入閣，後繼任首輔。

此外，還有一位大學士，雖不是首輔，但地位迅速上升，才幹得以展現，他就是張居正。他是唯一一名隆慶朝大學士，進入萬曆朝內閣，並成為首輔。俺答汗之孫把漢那吉來降，總督王崇古受之，請於朝，乞授以官。朝議多以為不可，高拱與張居正力主之，遂排眾議請於上，而封貢以成。封高拱為少師兼太子太師、尚書、大學士，建極殿大學士。高拱以邊境稍寧，恐將士惰玩，請敕邊臣，嚴為整頓，並時遣大臣閱視。官至中極殿大學士。（《明史·高拱傳》）

因為這個強有力的內閣，始終在正常運轉，隆慶帝在不到六年的時間裡，完成了明朝歷史上的兩件大事。

第一件大事是，實現明朝與北方蒙古俺答汗的「隆慶和議」。自明正統以來，由於北疆不靖，烽火連綿，「三軍暴骨，萬姓流離，城郭丘墟，芻糧耗竭，邊臣首領不保，朝廷為之旰食之。」京師戒嚴，不得安寧。「隆慶和議」之後，邊費由年近百萬兩，減到二、三十萬兩；「九邊生齒日繁，守備日固，田野日闢，商賈日通，邊民始知有生之樂。」（《明史·方逢時傳》）換來了西北部邊境數十年的和平，直到明末。

第二件大事是，繼嘉靖後，任用戚繼光等抗倭，取得勝利。開放海禁，發展貿易，也就是「海上絲綢之路」，允許民間私人在海上貿易，重啟中西交流的大門。

這兩項業績，使隆慶帝的懶倦和放縱，似乎在一些人的視野中，都變得無足輕重了。其實，功是功，過是過。正確的歷史態度是，肯定功績，為後人提供歷史經驗；批評過錯，為後人提供歷史鏡戒。

第42講

父子帝師

明朝皇太子有老師，小皇帝也有老師。這樣，「帝師」的數量就比較多。明朝唯一的一對父子帝師、父子宰輔，就是陳以勤和陳于陛。父親陳以勤是裕王朱載坖的老師，在裕王繼位後做了宰輔；兒子陳于陛是皇太子朱翊鈞的老師，朱翊鈞登極後也做了宰輔。

裕王之師

嘉靖帝整日沉迷於方術，父子關係淡薄，相見時日極少，甚至經年不得一見。裕王的俸祿，不能按時發放，後竟連續三年，不給發放。裕王不敢申請，王邸生活，極為窘迫。怎麼辦呢？裕王身邊的官員，花費千金，賄賂首輔嚴嵩的兒子嚴世蕃。世蕃見錢眼開，立即囑咐戶部官員，補發三年欠俸。

明代壽山石「親賢保國」璽

裕王身邊有一位老師叫陳以勤（一五一一～一五八六年），四川南充人。嘉靖二十年（一五四一）進士，選庶吉士，授翰林院檢討。遷修撰（從六品），進洗馬（從五品）。這個「洗馬」，不是給御馬洗澡，而是管太子事務的官員。做什麼呢？《明史》說：「洗馬掌經史子集、制典、圖書刊輯之事。」（《明史·職官志》）

裕王分府後不久，陳以勤就入王府工作，正值東宮位號未定，皇儲爭奪激烈，裕王最困難的時期。陳以勤為人淡泊，性格內向，但聰慧敏捷，言語謹慎。一天，嚴世蕃背著其他人，跟陳以勤和高拱說：「聞殿下近有惑志，謂家大人何？」（《明史·陳以勤傳》）高拱故為詭語，陳以勤嚴肅地說：「國本已經默定很久。裕王出生以後，名字從后從土，這就是為君的意思。故事，諸王講官止用檢討，今兼用編修，與其他王不同，這是首輔的意思。您常說首輔是社稷之臣，您怎麼能說這種話？」世蕃默然去，裕邸乃安。

陳以勤為講官九年，雖有羽翼之功，卻無張揚之意。裕王嘗書「忠貞」二字賜給老師陳以勤。陳以勤掌管翰林院，後升禮部侍郎，執掌詹事府。裕王府的書面文字，大多由陳以勤執筆。陳以勤多次勸諫裕王，規左右，戒屬垣，就是管好自己人，看好自家門，多方調理，保護裕王。

嘉靖帝死，三十歲的裕王即位，年號隆慶，這就是明穆宗隆慶帝。陳以勤以做皇子時的舊臣，上書十件事，就是定志、保位、畏天、法祖、愛民、崇儉、攬權、用人、接下、聽言。其中攬權、聽言兩條，尤其殷切。嘉靖帝詔嘉其忠滑。隆慶元年（一五六七）春，

陳于陛像

陳以勤為禮部尚書兼文淵閣大學士，又加少傅兼太子太傅，改武英殿大學士。陳以勤一再上疏，力言崇尚節儉，請隆慶帝「宮室之奉，但仍舊貫；乘輿服食之物，悉加裁省；凡宮中冗聚之人，奇巧之玩，無名賜予，無度取索，一切黜而罷之」（陳子龍《皇明經世文編》卷三一〇）。但隆慶帝既怠政又怠學，很少御門聽政，也很少聽老師講課。太監、妃嬪、宮女、佞臣、奸臣圍繞在皇帝左右，但陳以勤堅持請皇帝勵精修政，學習經典。皇帝心動，想有所舉措，因宦官所阻，上疏留中，未能落實。

隆慶四年（一五七〇），陳以勤條上時務因循之弊，建言：慎重用人、懲治貪官、廣用人才、訓練民兵、重視農穀。隆慶帝嘉許，下所司議。時高拱掌吏部，心懷嫉妒，擱置其疏。

當時內閣輔臣徐階和高拱不和，明爭暗鬥。朝中大臣，各找靠山，互相攻擊，但陳以勤中庸不阿，也無私人。後徐階下野，趙貞吉入閣，高拱又與趙貞吉互掐。待張居正入閣，內閣鬥爭更為複雜。陳以勤與高拱為舊僚，與趙貞吉為同鄉，而張居正則為新科進士，也不能調解，因此請求辭職。隆慶帝念師之恩，給他吏部尚書銜回鄉，享受乘驛站舟車回鄉。

陳以勤鄉居十年，七十大壽，隆慶帝頒銀幣祝賀，且敕有司慰問。又過六年病死。贈太保，謚文端。陳以勤究竟是位老師，是位書生，而不是政客，也不是佞臣，知進知退，晚節清譽。後來高拱被逐，倉皇出國門，嘆道：「南充，哲人也。」《明史·陳以勤傳》贊道：陳以勤誠心輔導，獻納良多。後賢濟美，繼登相位。

隆慶帝批准陳以勤退休回鄉時，把陳以勤的兒子陳于陛召到身邊重用。

幼帝之師

陳于陛（一五四三～一五九六年），隆慶二年（一五六八）進士，選庶吉士，授編修。隆慶四年（一五七〇），二十七歲的陳于陛被隆慶帝召到身邊，給年僅八歲的皇子朱翊鈞做日講官，曾疏請早立皇太子。兩年後，隆慶帝去世，十歲的朱翊鈞繼位，這就是萬曆帝。萬曆初，陳于陛參與編纂嘉靖、隆慶兩朝實錄，官侍講學士，掌翰林院。

萬曆十九年（一五九一），陳于陛官拜禮部侍郎，領詹事府事。後任吏部左侍郎，教習庶吉士。他奏言，「元子不當封王，請及時冊立豫教，又請早朝勤政」，都沒有批覆。又進禮部尚書，仍領詹事府事。

陳于陛少年時，從父陳以勤，熟悉國家禮制。身為史官，研究史學，以前代皆修國史，疏言：「臣考史家之法，紀、表、志、傳，謂之正史。」他引據宋朝的例子，建議皇帝下詔，設局編修明史，「使一代經制典章，犁然可考，鴻謨偉烈，光炳天壤，豈非萬世不朽盛事哉！」萬曆帝下詔從之。

同年夏，首輔王錫爵退休，陳于陛為禮部尚書兼東閣大學士。他上疏建言「親大臣、錄遺賢、獎外吏、核邊餉、儲將才、擇邊吏」六件事。奏疏最後說：「以肅皇帝之精明，而末年貪黷成風，封疆多事，則倦勤故也。今至尊端拱，百職不修，不亟圖更始，後將安極？」帝優詔答之，而不能用。

這年冬天，萬曆帝貶斥北京和南京言官三十多人。大學士趙志皋、陳于陛、沈一貫及九卿，分別上疏力爭。尚書石星請罷自己的職務，以寬免諸臣，都不接納。陳于陛又特疏申救。萬曆帝怒，厭惡大學士陳于陛疏救，謫戍諸言官到邊遠地方。後乾清宮、坤寧宮火災，陳于陛請親臨議政，結果不報。

陳于陛建議不被採納，遂申請退休，皇帝不許。這年秋，官二品三年任期已滿，改為文淵閣大學士。當時內閣四人：趙志皋、張位、陳于陛和沈一貫，都是同年生，理政和諧，而萬曆帝拒諫更嚴重，君臣否隔，陳于陛以自己不能補救，憂形於色，他在內閣值班時，一邊嘆息，一邊看影子的移動。

萬曆二十四年（一五九六）十二月，陳于陛病死在其工作崗位上。

何以帝師

陳以勤、陳于陛父子為帝師，父子俱為宰輔，父子都清廉，父子都善終，這在明朝官場上是罕見的。《明史．陳于陛傳》評價：「終明世，父子為宰輔者，惟南充陳氏。」又評說：「天之報之，何其厚哉。」這是因為：父子厚德，蒼天報答。

封建王朝是「家天下」，皇帝的兒子，特別是太子，是帝位的繼承人，自古以來形成了一套成熟的教育模式。明代幼年皇帝或太子、皇子，一般八歲左右出閣讀書，從此，他的老師們就一直伴隨在身邊，從啟蒙寫字，到心理疏導、言行舉止、禮儀典範、書法繪畫，無不諄諄教導。

四川陳氏父子，世德博學，嚴謹修身，因而受到朝廷與群臣的嘉譽，得為父子帝師、父子宰輔，是為世人的榜樣。

說三娘子

北方蒙古之患，對明朝形成長期困擾。永樂皇帝七次北征，最終病死於征討途中。正統皇帝做了蒙古瓦剌的階下囚。嘉靖年間蒙古騎兵年年內犯，幾度攻至京畿。事情到隆慶時出現轉機，雙方以封貢實現和平。萬曆帝始終堅持對蒙古的封貢政策，使明朝最後的五十年與蒙古沒有發生大的戰爭。這一局面的實現，與一位傳奇的蒙古婦女相關，她就是三娘子。

嫁俺達汗

隆慶四年（一五七〇）正月，內閣首輔高拱奏調名將王崇古總督宣大、山西軍務，以對付勢力正盛的蒙古韃靼俺答部。王崇古採取對韃靼諸部分化的策略，集中兵力，部署要害，採取主動，重點防禦，初步改變了明軍被動挨打的局面。同年九月，韃靼部上層爆發了重大的矛盾，俺答汗與其孫把漢那吉因爭奪「三娘子」而火拚。

三娘子（一五五〇～一六一二年），原名鍾金哈屯，哈屯是蒙古語，意思相當於皇后，是蒙古土默特部一位美麗聰明、精於騎射的奇女子。她知書達理，通蒙古文字，是一位優秀的蒙古婦女。她是蒙古俺答汗的外孫女，本來已受襖兒都司聘，但被俺答汗強奪取。襖兒都司很憤恨，俺答汗沒辦法只好把孫子把漢那吉所聘的孫媳婦給了襖兒都司。這使把漢那吉說：「我祖妻外孫，又奪孫婦與人」（《明史紀事本末》卷六十），這使把漢那吉氣憤至極，遂率部分部眾歸順明朝。明朝抓住機會做雙方工作，終於在隆慶五年（一五七一）以封貢實現和平。明朝封俺答汗為順義王，封把漢那吉為昭勇將軍，其他諸首領如黃台吉等也各封為將軍、都督同知、千戶、百戶等職，賜以緋袍金帶等高級官式冠服；同時，同意立即開市，與蒙古開展經濟交流。

在雙方交往中，三娘子對漢族文化產生了迷戀和嚮往，她相夫教子，在蒙古地區推行漢法，維護邊境安寧，發展封貢互市關係。

萬曆帝登極以後，繼續奉行與俺答封貢的政策。先後在宣府、大同、山西、陝西、寧夏、甘肅等地開設十三處馬市。又批准在這些地方開設月市。東西五千里，無烽火之警，行人不持弓矢，百姓得到安居之樂。

明朝形成如此局面，一個重要原因，是得到了俺答汗和三娘子夫婦的合作和支持。萬曆三年（一五七五）十月，呼和浩特城修成，俺答汗奏請賜名，萬曆帝賜名「歸化」，並

明《九邊圖》之「大同」

賜予金幣、佛像。俺達汗為保持與明廷間的貢賜、馬市、民市的貿易，萬曆六年（一五七八）又主動提出以《大明律》約束部眾（瞿九思《萬曆武功錄・俺答列傳》）。

嫁黃台吉

萬曆九年（一五八一）十二月，俺答汗病死，順義王的封號將由他的長子黃台吉（又名辛愛、乞慶哈）嗣襲，而黃台吉要繼承順義王的權力，就必須擁有俺答汗留下的部屬和三娘子的部屬。按照當時蒙古習俗，兒子可以繼承非生母以外的父親的所有妻妾。黃台吉是一位驍勇善戰的蒙古戰將，早在嘉靖間便以士馬雄冠諸部（葉向高《四夷考・北虜考》）。但黃台吉對三娘子懷有敵意，因為自從俺答汗娶了三娘子，便拋棄了原配妻子即黃台吉的母親，同時對父親俺答汗與明朝建立封貢關係，也不以為然。黃台吉認為這一切都是由於父親聽從了三娘子的蠱惑，所以俺答汗在世時，黃台吉就經常羞辱這位後母。如今，出於權力和地位的需要，黃台吉不得不向三娘子提出要納她為妻。但三娘子認為黃台吉年老多病，不從。

三娘子在蒙古諸部中，本來就親自率領一萬精騎，再加上俺達汗留下的四萬騎兵，兵精馬壯，實力雄厚。她不願意嫁給繼子黃台吉，便率部西去。明朝要繼續維持封貢關係，三娘子成為關鍵人物。

此時，萬曆帝任命的西北防務總督是鄭洛，他決意要促成這樁特殊的政治婚姻，利用三娘子在蒙古的特殊地位和作用來實現西北的安寧。

鄭洛，《明神宗實錄》作雒[2]，字禹秀，河北安肅人。嘉靖三十五年（一五五六）進士，歷仕登州推官、山西參政，以輔佐總督王崇古、巡撫方逢時實現俺答封貢有功，升浙江左布政使，萬曆二年（一五七四）改巡撫山西，不久移鎮大同，三年後入為兵部侍郎。萬曆七年（一五七九），以兵部左侍郎總督宣府、大同、山西軍務。這是一位熟悉西北形勢、堅持封貢的幹練官員。

鄭洛分析，如果三娘子另立一支，黃台吉雖王也無益。若三娘子和黃台吉的政治婚姻不能實現，蒙古的內亂將直接破壞封貢的穩定局面。於是，他即刻派人趕往三娘子營帳，細加勸說，向三娘子表明：「夫人能歸王，不失恩寵，否則塞上一婦人耳。」（《明史・鄭洛傳》）三娘子深明大義，遂答應與黃台吉成親。黃台吉與三娘子結為婚姻，貢市恭謹。鄭洛以功升兵部尚書。

萬曆十一年（一五八三）閏二月，根據鄭洛的奏報，萬曆帝冊封黃台吉為順義王，賜予大紅五彩紵絲蟒衣一襲，彩緞八表裡，封其長子撦力克襲龍虎將軍。三娘子與黃台吉婚後的第二年，她督促黃台吉大會蒙古各部首領，重申與明朝議訂的條款：「凡一切貢市，悉仿先王父故事，敢議約，及不如約者，請以天帝擊之。」（瞿九思《萬曆武功錄・黃台吉列傳》）黃台吉從此心悅誠服，與三娘子合作，推動蒙漢互市，安定蒙漢邊境。

三嫁四嫁

萬曆十三年（一五八五）二月，黃台吉病故。按照世襲關係，俺答汗的孫子、黃台吉的兒子撦力克將成為第三代順義王。但年輕英俊的撦力克不想娶比自己年長且色衰的三娘子為妻。於是，三娘子率領自己的一萬親軍，築城別居。於此，鄭洛一面做三娘子的工作，一面派人到撦力克的營帳勸說：「夫人三世歸順，汝能與之匹，則王，不然，封別有屬也。」終於促成撦力克和三娘子結成夫妻。

萬曆十五年（一五八七）三月，萬曆帝頒詔，撦力克襲封順義王，同時敕封三娘子為忠順夫人，並授予三娘子和俺答汗的婚生子不他失禮、撦力克和原配的婚生子晁兔台吉，同為龍虎將軍。從此，撦力克也繼續執行封貢政策，凡「應酬番漢事務，委三娘子理之」（《宣化縣志》卷十七），安定了蒙漢邊境的和平局面。

二十年過去，萬曆三十五年（一六〇七）四月，撦力克死去。此時，撦力克的長子晁兔台吉已經先死，由其孫子卜石兔繼承順義王。這得到了蒙古數十個部落的支持。但是，三娘子與俺答汗的孫子索囊台吉，見卜石兔年幼，圖謀篡奪嫡系，便離間卜石兔和忠順夫人三娘子的關係，阻止他們成婚。大亂一觸即發。

宣大防務總制涂宗浚延續了鄭洛的傳統，做三娘子的工作，取得她的支持。萬曆三十九年（一六一一）五月，老年三娘子，拋下與索囊台吉的血緣親情，與自己重孫輩的卜石兔成婚。不久，三娘子又增加了約束部眾的規矩條約十四條，使條約增至三十六條，恢復了邊市貿易（王士琦《三雲籌俎考·封貢》）。

萬曆四十年（一六一二）五月，三娘子去世。三娘子主持部務和政務三十餘年，是蒙古女英雄，她的傳奇永留史冊。噩耗傳來，萬曆帝賜祭葬七壇，賻絹、帛疋並從優給予。萬曆帝始終堅持皇父隆慶時定下的封貢政策不動搖，依靠朝臣邊將，從而完成了他處理蒙古問題的得意之筆。

「邊氓釋戈而荷鋤，關城息烽而安枕。」（《晉乘蒐略》卷三〇）這是明朝立國二百多年以來所不曾有過的漢蒙接合地帶和平安定的局面。

2 鄭洛，《明世宗實錄》和《明進士題名碑記》均作「洛」；《明神宗實錄》作「雒」。因《明神宗實錄》為明光宗朱常洛之後修，故諱「洛」而作「雒」。明史為清人修，則直書不諱，作「鄭洛」。

耄耋者說三

衰落與更替

皇宮的主人是明神宗朱翊鈞萬曆帝（在位四十八年）、明光宗朱常洛泰昌帝（在位一個月）、明熹宗朱由校天啟帝（在位七年）、明毅宗朱由檢崇禎帝（在位十七年），和與之交疊的清太祖努爾哈赤天命汗（在位十一年）、清太宗皇太極天聰汗（在位十年）和崇德帝（在位八年），明代四朝、清代兩朝，共七十年（明萬曆元年至清崇德八年）這段時期，中國歷史處於天崩地解，皇宮則處於更換主人的大變局時期。

本部分在時間上，屬明朝後期、清朝初期。這個時期，中原出現以李自成、張獻忠為首的民變，東北女真──滿洲的努爾哈赤在萬曆十一年（一五八三）起兵，萬曆四十四年（一六一六）建國號後金，這兩件大事明廷卻全然不知。明朝由衰落到覆亡。清朝入主中原，大明皇宮易主。

本部分為四十四至六十五講，主要講述此期宮廷內外的歷史故事。包括張居正、李成梁、熊廷弼、孫承宗、文震孟、袁崇煥、李自成、張獻忠、杜松、滿桂、史可法、湯若望、努爾哈赤、皇太極、多爾袞、孝莊太后、董鄂妃等人物及其故事。

經過明清之際的大變革，清朝皇帝入主皇宮。清朝對明朝皇宮沒有焚燒、拆毀，而是加以利用、修繕，並改皇極殿、中極殿、建極殿名為太和殿、中和殿、保和殿，改承天門為天安門等。改原皇后居住的坤寧宮，為既是薩滿祭祀的場所，又是皇帝與皇后大婚的洞房，等等。清朝不在京外設藩王府邸，而設建在北京內城（唯理親王府例外）。特別是建「三山五園」，即萬壽山清漪園（頤和園）、香山靜宜園、玉泉山靜明園和暢春園、圓明園，以及避暑山莊和木蘭圍場。當時花費全國民脂民膏，今日成為世界文化遺產。

北京故宮平面圖

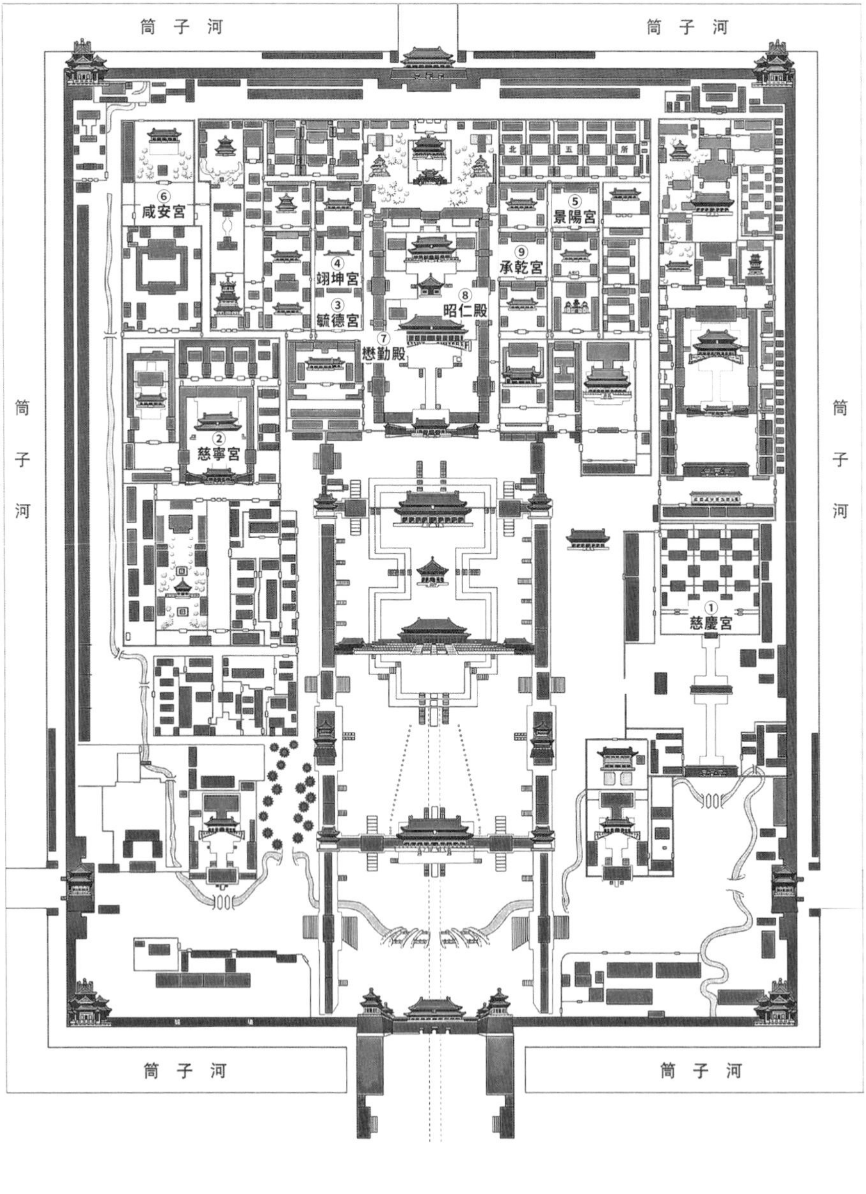

① 慈慶宮　④ 翊坤宮　⑦ 懋勤殿
② 慈寧宮　⑤ 景陽宮　⑧ 昭仁殿
③ 毓德宮　⑥ 咸安宮　⑨ 承乾宮

第44講

少年天子

明朝有兩位少年天子：一位是九歲繼位的正統帝朱祁鎮，另一位是十歲繼位的萬曆帝朱翊鈞。萬曆帝出生以後一直沒起名字，跟父親戰戰兢兢地生活在裕王府，直到五歲時父親繼位做了皇帝，他才正式起了名字，六歲被立為皇太子，十歲繼位，成為紫禁城裡第二位少年天子。

萬曆帝從十歲到五十八歲，統治天下四十八年，是明朝十六帝中在位時間最長的皇帝。少年天子按照隆慶帝的遺囑，倚靠三個人——生母李太后、宦官大伴馮保和內閣首輔張居正，一面做勤奮學習、認真履職的好皇帝，一面在皇宮裡享受著窮奢極欲的生活。

慈慶宮，明代史稱清寧宮，清代改建為南三所

嚴母太后

萬曆帝的生母李太后，漷縣（今北京市通州區）人，嘉靖四十二年（一五六三）在裕王府生下兒子朱翊鈞，隆慶元年（一五六七）三月被冊封為貴妃。萬曆帝繼位後，希望並尊兩宮，大太監馮保欲取媚於貴妃，便向大學士張居正建議：兩太后並尊。在張居正的運作下，尊萬曆帝嫡母陳皇后為仁聖皇太后，尊其生母李貴妃為慈聖皇太后，這樣，李太后便跟陳太后平起平坐了。陳太后住在慈慶宮，李太后住在慈寧宮。接著，張居正請李太后照顧小皇帝起居，李太后就搬到乾清宮，和兒子萬曆帝住在一起，並把內廷之事交給馮保，外朝大權交給張居正。

慈寧宮花園鳥瞰圖

逛一逛

慈慶宮（清寧宮）

明代所建，原址位於東華門內三座門迤北，今擷芳殿一帶，始稱清寧宮，原是太子住的地方。天啟末年，張皇后曾在此居住，稱慈慶宮。

逛一逛

慈寧宮

位於紫禁城內廷隆宗門外西側。明嘉靖十五年（一五三六）以仁壽宮故址撤大善殿更建而成，為明朝前代皇貴妃等所居之所。清朝沿用明制，於順治十年（一六五三）重修，始為皇太后所居之正宮。

李太后教子很嚴，小皇帝若不讀書，就召來罰長跪。每御經筵前，令仿效講官先在面前進講。每逢上朝，五更

李太后像（臺北故宮博物院典藏）

到小皇帝寢所，呼曰「帝起」，令左右給小皇帝取水洗臉，並扶他登輦上朝。小皇帝事太后恭謹，而諸太監奉太后懿旨，往往管制太過。小皇帝在宮裡設宴喝酒，令內侍唱歌，辭以不能，取劍擊之。經左右勸解，就用割頭髮來替代。第二天，太后聞知，傳語張居正具疏切諫，並為小皇帝起草罪己的檢討書。又召小皇帝長跪，歷數其過錯。小皇帝涕泣請求改過。萬曆帝對母親李太后非常敬畏，親政後仍畏懼三分。

萬曆帝十六歲大婚後，太后跟張居正說：「我不能早晚照顧皇帝，擔心他的問學、勤政，先生有師保之責。要朝夕教誨，完成先帝憑几之誼。」因賜坐蟒、白金、彩幣。「后性嚴明。萬曆初政，委任張居正，綜核名實，幾於富強，后之力居多。」（《明史・后妃傳》）

大伴馮保

馮保，司禮監大太監，很聰明，多心計。馮保因怨恨高拱，與張居正暗中交結。

萬曆帝即位，高拱以皇帝年幼，為防太監專權，奏請限制司禮監大權，權力歸內閣。又命言官上疏彈劾馮保，並擬旨驅逐馮保。高拱使人知會張居正，張居正表面應諾，暗裡告訴馮保。馮保訴告李太后說，高拱擅權，不可容忍。李太后點頭。明日，召群臣入，宣兩宮太后和萬曆帝詔。高拱以為是驅逐馮保，但宣詔歷數高拱之罪並驅逐高拱。高拱突遭打擊，跪伏在地，竟不能起。張居正扶其出宮殿，雇輛騾車，出宣武門。張居正遂取代高拱為首輔。

萬曆帝初即位，馮保從早到晚，服侍他起居，小皇帝稍有不當之處，立即奏報慈聖太后。幼小的萬曆帝對大伴馮保，又依賴，又害怕，更不喜歡，經常以惡作劇捉弄馮保。

萬曆帝上朝時，馮保侍奉在側。言官雒遵上疏：「保一侍從之僕，乃敢立天子寶座，文武群工拜天子邪，抑拜中官邪？欺陛下幼沖，無禮至此！」（《明史·雒于仁傳》）張居正剛死，萬曆帝命逮捕馮保，遣送南京，籍沒家產，金銀百餘萬，珠寶無其數。居家數年，死。

師相居正

張居正（一五二五～一五八二年），字叔大，江陵（今湖北省荊州市）人。少年穎敏，靈秀異人。嘉靖二十六年（一五四七）進士，眉清目秀，鬚長到腹。張居正滿腹經綸，勇敢任事，胸有城府，豪傑自許。嚴嵩、徐階、李春芳、高拱先後為首輔，都很器重張居正。

對於幼小的萬曆帝來說，張居正既是他的老師，又是他的首輔。張居正給萬曆帝開經筵、日講，學習的內容都是儒家經典，教化內容多，道理也深奧，小皇帝理解起來很困難。張居正對萬曆帝可謂盡心盡力。他考慮到皇帝年紀小，挑選了先代治亂的經驗，編成《帝鑒圖說》一書，選取歷史中正面八十一個、反面三十六個，共一百一十七個故事，配上圖畫，圖文並茂，生動活潑，用通俗語言，給皇帝講解。如「諫鼓謗木」，說的是堯舜在位，虛己求言，門前設敢建言的鼓，敢批評的木，招引賢人，擊鼓書木，批評自己的過錯。再如「解網施仁」，說的是商湯出巡，見有人設網捕鳥，他讓人把網解開三面，讓鳥飛翔，百姓稱讚說，湯的仁德，惠及鳥獸，何況人乎！又如「脯林酒池」，說的是夏桀無道——脯，就是肉乾，肉乾掛得像樹林；酒池，大得可以行船，荒淫無度，終於亡國。又如「遊幸江都」，說的是隋煬帝巡遊江都，船隻數千艘，長二百餘里，背拉縴者，錦彩為袍，靡費奢侈，不久隋亡。這些生動的歷史故事，講述修身治國道理，便於少年天子理解。萬曆帝十三歲時，自書十二事於座右自警：謹天戒、任賢能、親賢臣、遠嬖佞、明賞罰、謹出入、慎起居、節飲食、收放心、存敬畏、納忠言、節財用（《明史・神宗紀一》）。

然而好景不長。這時萬曆帝漸備六宮，太倉銀錢多入內庫。張居正呈戶部收支數目，說每年入不敷出，請萬曆帝量入為出，防止浪費。疏上，留中。萬曆帝又令工部鑄錢給花，居正以利少弊多制止。言官請停蘇、松織造，不聽。又請裁外戚升官數目，萬曆帝雖曲從，但不高興。

張居正沒有察覺，萬曆帝對這些諫言越來越不耐煩了。

李太后也火上澆油，她訓小皇帝太嚴，每切責時說：「要是張先生知道，奈何！」於是萬曆帝特別害怕張居正。及小皇帝長大，心裡討厭張居正。這時發生一件事情。乾清宮小太監孫海等導小皇帝遊戲。太后命馮保逮捕孫海等，杖而逐之。張居正又條其黨罪惡，請斥逐，而令司禮及諸內侍自己講過錯，由小皇帝決定去留。然後就勸小皇帝：「戒遊宴以重起居，專精神以廣聖嗣，節賞賚以省浮費，卻珍玩以端好尚，親萬幾以明庶政，勤講學以資治理。」萬曆帝迫於太后，不得已，皆報可，但心裡對馮保和張居正非常記恨。

不久，張居正病死，萬曆帝為此輟朝，諭祭九壇，優禮有加。當初，小皇帝所喜歡的太監張誠不受馮保喜歡，被貶斥在外，這時萬曆帝祕密讓張誠舉報馮保和張居正。於是，揭發兩人交結、恣橫貪婪、寶藏超過天府。御史羊可立也追論居正罪。又有人說：「金寶萬計，悉入居正。」帝命司禮監張誠等偕錦衣指揮、給事中抄張居正家。張誠等到之前，荊州守先錄其人口，子女多遁避空室中。後揭封開門，餓死許多人。張誠等盡發其諸子兄弟所藏，得黃金萬兩，白金十餘萬兩。以罪狀示天下，子弟俱發戍煙瘴之地。

最令人匪夷所思的是，曾經那麼倚重張居正和馮保的李太后，當兒子對二人翻臉時，向她解釋的理由竟然是一個「錢」字：說這兩個人「家資甚厚，籍沒可助大婚」。助誰的大婚？萬曆帝的弟弟、李太后次子潞王朱翊鏐。李太后立即就不反對了。張居正的噩運，不僅是他個人的噩運。隆慶、萬曆初年頗有成效的改革，從此夭折，明朝進入了衰敗時期，《明史》說：「明之亡，實亡於神宗。」皇權擺脫自律和監督，會畸形膨脹，並為所欲為，但歷史依然客觀存在，時勢如地球自轉公轉。

歷史與時勢顯示，在萬曆朝及其前後，世界發生巨大變化——大明皇朝在走向衰落，西方大國在新興崛起。於國外，開啟大航海、大崛起的時代，荷蘭爆發資產階級反封建制度革命，英國戰勝西班牙而取得海上霸權，法國建立了波旁王朝，俄國沙皇在極力擴張，葡萄牙人取得在澳門貿易資格，日本豐臣秀吉統治，揚言要「席捲明朝四百餘州，以為皇國之版圖」，並兩次入侵朝鮮。荷蘭組建東印度公司，並被荷蘭國會授予宣戰、媾和、占領、築砲臺等權力，不斷進犯中國領海，侵占澎湖。利瑪竇等西方傳教士來到中國的北京傳教。於國內，大明王朝已二百多年，進入腐朽衰落的軌道，特別是經過正德、嘉靖連續六十年折騰，元氣大傷。萬曆中期以後，吏治腐敗，軍隊譁變，民變四起，滿洲變亂——比他大四歲的努爾哈赤，竟成為埋葬明朝的一個掘墓人。

萬曆帝在張居正死後，該如何應對國際和國內的變局呢？

第45講

酒色財氣（上）

明神宗萬曆帝懲治張居正，教訓馮保，滿足太后事佛斂財的需求後，終於從皇父為他編織的羈絆中解脫了，但他又跳進另一個羈絆之中。這就是明朝官員雒于仁向萬曆帝提出的應戒「酒、色、財、氣」的〈四箴〉。其實，西漢楊秉曾說：「我有三不惑：酒、色、財也。」（《後漢書．楊震列傳附楊秉傳》）明朝雒于仁則提出戒「酒、色、財、氣」的「四箴」。我們看一代諍臣雒于仁的故事。

一代諍臣

萬曆帝掉進什麼羈絆中呢？他，將經筵和日講改成進章，讀不讀自便；他，早晨不用五點起床上朝，只要願意，早朝就可取消；他，郊廟祭祀可不必躬親，萬曆帝在位四十八年，僅去天壇祭祀四次（成化帝和弘治帝，每年都親往天壇祭祀）；他，批答奏

明代玉「壽」字執壺

章有內閣和司禮監代行。那麼，萬曆帝每天都忙什麼呢？萬曆十七年十二月二十一日（一五九〇年一月二十五日），雒于仁一份〈四箴〉奏疏，揭開了這個問題之謎。

大理寺評事雒于仁，冒死上了一道奏疏〈四箴〉，說：

臣入京閱歲餘，僅朝見於皇上者三。此外惟見經年動火，常日體軟，即郊祀廟享，遣官代之。聖政久廢而不親，聖學久輟而不講，臣以是知皇上之恙，藥餌難攻者也。惟臣〈四箴〉可以療病，請敬陳之。皇上之病，在酒、色、財、氣者也。（《明神宗實錄》卷二一八）

天壇祈年殿

逛一逛

天壇

明清兩代皇帝祭天的地方。位於北京外城東南，初名「天地壇」。建於明永樂十八年（一四二〇），為天地合祭之所。嘉靖九年（一五三〇）改立天、地、東、西分祀之制，於嘉靖十三年（一五三四）始稱天壇。周以重垣，北圓南方，取「天圓地方」之意。壇內主要建築多位於中軸線上，南端三層圓形漢白玉石建圜丘壇，為皇帝冬至祭天之地；圜丘北為皇穹宇。北端為祈年殿、皇乾殿，是春季皇帝祈求五穀豐登之處。一九一八年闢為天壇公園。

大意是說：臣我來京工作一年多了，只見過皇上三次。聽說皇上身體不好，免掉一切傳諭，郊祀廟享都委派官員代理，政務久廢而不親自處理，經筵久停而不親臨講席。我知道這都是皇上身體不好的緣故。所以臣敬陳〈四箴〉。

皇上之病，在酒、色、財、氣者也。夫縱酒則潰胃，好色則耗精，貪財則亂神，尚氣則損肝，以皇上八珍在御，宜思德將無醉也。（《明神宗實錄》卷二一八）

以上這四種病膠繞身心，哪裡是藥石可以治的？今陛下春秋鼎盛，猶經年不朝，過此以往，更當何如？

最後，雒于仁獻上四條箴言：

醲酺勿崇；內嬖勿厚；貨賄勿侵；舊怨勿藏（《明史·雒于仁傳》）。就是：酒要少喝，妃要少納，財要少占，氣要少生。

萬曆辯解

萬曆帝看後，如芒在背，勃然大怒。這一年他死了三個孩子，包括皇四子常治，心情格外壞。大年初一，他在毓德宮西室御榻前，召見輔臣申時行、許國、王錫爵、王家屏。他手上拿著雒于仁的奏疏給申時行，接著就絮絮叨叨地開始辯解說：

他說朕好酒。誰人不飲酒，若酒後持刀舞劍，非帝王舉動，豈有是事？

又說朕好色，偏寵貴妃鄭氏。朕只因鄭氏勤勞，朕每至一宮，她必相隨，朝夕間

毓德宮（永壽宮）內景

小心侍奉勤勞。如恭妃王氏，她有長子，朕著她調護照管，母子相依，所以不能朝夕侍奉，何嘗有偏？

他說朕貪財，因受張鯨賄賂，所以用他。昨年李沂也這等說。朕為天子，富有四海，天下之財，皆朕之財。朕若貪張鯨之財，何不抄沒了他？

又說朕尚氣。古云：少時戒之在色，壯時戒之在鬥，鬥即是氣，朕豈不知，但人孰無氣！且如先生，每也有童僕家人，難道更不責治？如今內侍、宮人等，或有觸犯，及失誤差使的，也曾杖責，然亦有疾疫死者，如何說都是杖死？（《明神宗實錄》卷二一九）

毓德宮（永壽宮）
內廷西六宮之一。建於明永樂十八年（一四二〇），開始名為長樂宮。嘉靖十四年（一五三五）更名為毓德宮；萬曆四十四年（一六一六）更名永壽宮。明為妃嬪、清為后妃的住所。光緒時前後殿均為收貯御用物件的大庫。

萬曆帝以雒于仁為「沽名」而氣自己，遂將奏本遞給申時行，並說：「你去票擬重處。」

申時行接著皇帝的話說：「他既是沽名，皇上若重處之，適成其名，反損皇上聖德，唯寬容不較，乃見聖德之盛。」說完，將其奏疏繳放在御前。

萬曆帝又取其疏，再授申時行，讓他詳閱，並說：「朕氣他不過，必須重處。」申時行說：「此本原是輕信訛傳，若票擬處分，傳之四方，反以為實。臣等愚見，皇上宜照舊留中為是。」又將其疏送到御前。

萬曆帝再說：「如何設法處他？」申時行等說：「此本既不可發出，亦無他法處之。還望皇上寬宥，容臣等傳語本寺堂官，使之去任可也。」萬曆帝聽後點頭。這時「天顏稍和」，氣消了很多（申時行《召對錄》）。

數日之後，雒于仁借病回鄉，遂斥為民。很久之後，病死。

萬曆帝雖不承認自己沾上酒、色、財、氣四個字，但這準確地概括了萬曆帝生活的基本狀態，而且預示了他未來的走向。

這個雒于仁，何許人也？他是陝西涇陽人，萬曆十一年（一五八三）進士。任肥鄉、清豐知縣，有惠政。萬曆十七年（一五八九），調入京師，為大理寺評事。這是正七品的小官。他的父親雒遵，官吏科都給事中，是大學士高拱的門生。萬曆帝初即位，馮保竊權。萬曆帝御殿，馮保輒侍側。雒遵言：「保一侍從之僕，乃敢立天子寶座，文武群工拜天子邪，抑拜中官邪？欺陛下幼沖，無禮至此！」雒遵的這道奏疏也被萬曆帝留中。不久，雒遵遭馮保陷害，被貶三級，調出京城。馮保被斥後，雒遵官復原職，後官四川巡撫。雒遵和雒于仁父子，都是剛直不阿的正直官員，也都是正人君子。

萬曆貪杯

萬曆帝是不是貪杯？雒于仁是確有所指的。萬曆帝時年二十八歲，正是年富力強的青年，卻「腰痛腳軟，行走不便」。甚至連在宮裡看望他生母李太后，都四肢無力，行走不了。這其中原因很多，但雒于仁認為，貪杯傷害了皇帝的御體。他說：「皇上八珍在御，宜思德，將無醉也。」（《明神宗實錄》卷二一八）

歷史上，嗜酒皇帝，已有先例。遼朝穆宗耶律璟，是遼太宗耶律德光的長子。他二十歲繼位，嗜飲酒，求長生。應曆十三年（九六三）正月，「晝夜飲酒九日」。十六年（九六六）正月初一，因為白天夜裡飲酒，不接受群臣朝賀。閏八月的一天，他觀看野鹿進入馴鹿群，立在馬上喝酒，邊喝邊看，直到傍晚。十二月的一天，到一位大臣家飲酒，連續幾天幾夜。十八年（九六八）正月初一，在宮中大宴會，不受朝賀，連飲三天三夜。這年的端午節，又是連飲幾天幾夜。十九年（九六九）正月，從十一日到月末，連續飲酒二十個日夜。這個遼穆宗耶律璟，不光嗜酒，還求長壽，他聽信一位女巫的藥方，就是取活人男子的膽和藥喝，不幾年就殺了很多人。這個耶律璟最後呢？歡飲酩酊大醉，夜裡回到行宮，被近侍小哥、盥洗人花哥和廚師辛古等弑殺，年僅三十九歲。

萬曆帝貪杯，比契丹人耶律璟差多了，但這過量、過多的酒——「何醲味是耽，日飲不足，繼之長夜，此其病在嗜酒者也。」（《明神宗實錄》卷二一八）雒于仁說，萬曆帝喜歡酒，白天沒喝夠，長夜繼續喝，這就是「嗜酒」。雒于仁說：「縱酒則潰胃。」嗜酒的壞處，遠不止於此。

嗜酒，不僅是傷腸胃，也不僅是傷身體，更不僅是傷品德，而是誤家、誤政、誤國。這當為「嗜酒」者戒！

第46講

酒色財氣（下）

雒于仁給萬曆帝上應戒「酒、色、財、氣」的〈四箴〉疏，前面說「酒」字，下面說「色、財、氣」三個字。

迷戀女色

雒于仁的戒色箴說：「豔彼妖冶，食息在側。啟寵納侮，爭妍誤國。成湯不邇，享有遐壽。漢成昵姬，歷年不久。進藥陛下，內嬖勿厚。」（《明神宗實錄》卷二一八）皇帝有幾人不貪色的？但不能過度迷戀女色，以致傷身、誤國。《明史·后妃傳》記載，萬曆帝有一后二貴妃，即浙江餘姚王皇后和光宗生母王貴妃、福王生母鄭貴妃。可從這段簡略記述中，看不出萬曆帝後宮生活的實際情狀。

萬曆帝十六歲時，舉行大婚典禮，迎娶一后二妃，即王皇后、劉昭妃和楊宜妃。婚

明神宗朱翊鈞像（臺北故宮博物院典藏）

後不到兩年，萬曆帝就下旨，連續選民間大量淑女入宮。原來，他的祖父嘉靖帝在嘉靖十年（一五三一）三月一次就冊封了九嬪，他要向祖父看齊。於是，他於萬曆十年（一五八二）三月，也冊封了九嬪。其中，來自北京大興的鄭淑嬪於第二年就被晉為德妃，一年後又晉封為貴妃，她就是著名的鄭貴妃。此後，他又下詔「選民間淑女二百人入內」。

勤於斂財

雒于仁的戒財箴說：

「競彼鏐鐐，錙銖必盡。公帑稱盈，私家懸罄，武散鹿臺，八百歸心，隋煬剝利，天命難諶。進藥陛下，貨賄勿侵。」（《明史．雒于仁傳》）

萬曆帝怠於臨政，卻勤於斂財。前面講過，曾經最倚重張居正和馮保的李太后，當兒子對張居正變臉時，她接受的理由竟然是這倆人「家資甚厚」，籍沒可助其另一子辦理大婚。可見萬曆帝母子的心理──聚斂錢財，大於一切。

萬曆斂財，花樣繁多，如：加派織造，加徵羊絨，加燒瓷器，採辦珠寶，開辦皇莊，廣設皇店，收納官員的罰俸、捐俸，來錢最多最快的是派出礦監稅監，到全國各地開礦徵稅，甚至妄指民間良田美宅之下有礦脈，肆意敲詐勒索。還派出稅監，在城鎮、關津、路口設置許多稅卡，盤剝人民。當時人說：「礦不必穴，而稅不必商。民間丘隴阡陌，皆礦也。官吏農工，皆入稅之人也。」（《明史．田大益傳》）

以珠寶為例。萬曆三十四年（一六〇六），萬曆帝為母親李太后呈上一份珠寶禮單：

御用監製金冊一份，金龍鈕寶一顆，黃絲綬條全金鈒雲龍寶箱寶池箱三個，黃織金紵絲襯裡黃線繡黃紗寶囊金鎖匙事件全，珠翠金累絲嵌貓睛絲青紅黃寶石珍珠十二龍十二鳳斗冠一頂，金鈒龍吞口博鬢金嵌寶石簪如意鉤全，皂羅描金雲龍滴珍珠抹額一副，金累絲滴珍珠霞帔椀兒一副、計四百十二個，珠翠面花二副、計十八件，金絲穿八珠耳環二雙，金絲穿寶石珍珠排鐶二雙，金嵌寶石珍珠雲龍墜頭一個，白漿衣玉穀圭一枝，金鈒雲龍嵌寶石珍珠荇葉提頭漿水玉禁步一副、計二掛，開珊瑚碧甸子金星石紫線寶黃紅線穗頭全青

明萬曆明黃緞地繡雙龍戲珠海水江崖紋袍料

紵絲描金雲龍滴珍珠舄兩只，金累絲結絲嵌寶石雙龍龍鳳鸞鳳寶花九十六對，金萬喜字鋒、計五千副，索金銀萬喜字鋒、計八千副，索金盛用渾貼金瀝粉雲龍紅漆創金雲龍寶匣、冠盝胭脂木穀圭霞帔禁步匣九個，銅鍍金鎖匙事全。

戶部辦送足金一千四百三兩八錢，七成五色金一千兩，銀一千六百兩；貓睛二塊，重一錢八分；祖母綠六塊，重四錢二分；青寶石四百六十八塊，重二百七十四兩五錢；紅寶石五百四十七塊，重一百六十四兩一錢；黃寶石十二塊，重一兩八錢；各樣圓珍珠大珠各一顆，頭樣珠一百二十七顆，大樣珠三百三千（十）六顆，一樣至十樣珠共一萬二千八百十一顆，白玉料一十一斤，珊瑚料一斤三兩，瑪瑙料一斤，金

翊坤宮

星石料一斤，水晶料一斤，碧甸子一斤，翠毛一千六個。（《明神宗實錄》卷四一七）

下面再舉織造的例子。原來南方省區每年承擔絲綢織造的是蘇州、松江、杭州、嘉興、湖州，萬曆時又增加常州、鎮江、徽州、寧國、揚州、廣德等府州分造，年徵解額增加一萬餘疋。對南直隸浙江諸府紵絲、紗羅、綾紬、絹帛等織品的加派，始於萬曆四年（一五七六），當時的理由是自己大婚需要；至萬曆九年（一五八一），又題派了一次，是十五萬套疋，理由是潞王的大婚、壽陽長公主的出嫁和慈聖太后的聖誕。到萬曆二十七年（一五九九），又詔令派徵四萬一千九百套疋；萬曆三十二年（一六〇四），復派二萬六千套疋；萬曆三十八年（一六一〇），再派四萬套疋，此時也不再編造名目，只要金口一開，要多少地方上就得解進多少，總計自萬曆九年（一五八一）至三十八年（一六一〇），蘇杭額外織造總數已達二十五萬套疋，以三年耗資百萬計，則此三十餘年的織造，已耗去一千多萬兩白銀。

陝西織造的羊絨著名，弘治、正德間偶而徵派過，嘉靖、隆慶時也徵過。萬曆御用袍服多採用羊絨，起初每年要解進宮中約千疋，到萬曆二十三年（一五九五），竟至七萬四千七百餘疋，按當時價格估算，這些羊絨織品共值一百六十餘萬兩銀子。

福王要就藩，萬曆帝要地方撥四萬頃田地（《明神宗實錄》卷五〇八）。這相當於四百萬畝地。哪裡來的田地？強行侵奪而已。

逛一逛

翊坤宮

內廷西六宮之一。明永樂十八年（一四二〇）建成，開始名為萬安宮，嘉靖十四年（一五三五）改名翊坤宮。明清為妃嬪所居，現建築完好。

萬曆變卦

萬曆帝對朝臣建言，或拒絕，或留中，或虛應，或變卦。

萬曆帝自乾清宮和坤寧宮火災後，就居住在後宮的啟祥宮。萬曆帝在啟祥宮有一段君王戲言的史事。萬曆帝派太監作為礦監或稅監，到各地搜刮錢財，激起民憤，以陳奉和馬堂為例。御馬監太監陳奉到湖廣，作惡多端：「鞭笞官吏，剽劫行旅，商民恨刺骨」；到荊州，「聚數千人噪於途，競擲瓦石擊之」；到武昌，激民變，「嚇詐官民，僭稱千歲，其黨直入民家，奸淫婦女……以致士民公憤，萬餘人甘與奉同死」；民眾氣憤，誓必殺之，陳奉逃匿到楚王府，得以倖免，而其被捉獲的黨徒十六人投入江中（《明史·陳奉傳》）。天津稅監馬堂到臨清，「中人之家，破者大半，遠近為罷市。州民萬餘縱火焚堂署，斃其黨三十七人」（《明史·陳奉傳》）。其他各地稅監礦監，作惡多端，民怨極大。首輔沈一貫奏請撤回稅監礦監，結果是：「帝皆不聞。」

事情在萬曆帝病危時出現轉機。萬曆三十年（一六〇二）二月十六日巳時（九至十一時），萬曆帝病危。急召輔臣及部院大臣到啟祥宮外。萬曆帝在啟祥宮後殿西暖閣，獨召首輔沈一貫到病榻前。這時坤寧宮王皇后、翊坤宮鄭貴妃因「養痾」不在身邊，李太后面南立，皇太子朱常洛及諸王羅跪於前，萬曆帝具冠服席地而坐。沈一貫進來後叩頭畢，萬曆帝說：「沈先生來，朕恙甚虛煩，享國亦永，何憾！佳兒佳婦，今付與先生，先生輔佐他，做個好皇帝，有事還諫正他，講學勤政。礦稅事，朕因三殿兩宮未完，權宜採取，今宜傳諭，及各處織造、燒造俱停止……朕見先生這一面，舍先生去也。」（《萬曆起居注》三十年二月十六日）沈一貫呼萬歲，稱謝，並說：聖壽無疆，何乃過慮如此？望皇上寬心靜養，自底萬安。不覺失聲。這時，皇太后、太子、諸王皆哭。萬曆帝從地上起來上床。沈一貫等回到內閣朝房值班擬旨。

到了二更，長安門守門官遞送「聖諭」到內閣，內容如前。二更後，萬曆帝稍微好轉。十七日早，「上遣文書官至內閣，取回前諭」（《明神宗實錄》卷三六八）。就是萬曆帝派太監到內閣，要把前一天所下的聖諭取回。眾官不給，太監硬要，還是不給。太監上前搶著聖諭往外跑，朝廷官員就追，亂成一團，竟然被太監搶去了（沈德符《萬曆野獲編．壬寅歲厄》）。這成何體統！

大學士沈一貫奏稱：「昨恭奉聖諭，臣與各衙門俱在朝房直宿，當下悉知，捷於桴響，已傳行矣」。但「頃刻之間，四海已播，欲一一回，殊難為力。成命既下，反汗非宜，惟望皇上三思，以全盛德大業，以增遐壽景福。」（《明神宗實錄》卷三六八）萬曆帝說：「朕前眩暈，召卿面諭之事，且礦稅等項，為因兩宮三殿未完，帑藏空虛，權宜採用，見今國用不敷，難以停止，還著照舊行。待三殿落成，該部題請停止。」（《萬曆起居注》三十年二月二十日）堂堂皇上，出爾反爾，國君戲言，內閣奈何！

酒、色、財、氣這四個字，一直伴隨萬曆帝走到最後。

第47講

立儲風波

明朝有四大名妃：永樂帝權賢妃、成化帝萬貴妃、萬曆帝鄭貴妃和崇禎帝田貴妃。其中，萬曆帝和鄭貴妃，圍繞立儲而起風波——是立皇長子、王恭妃生的朱常洛，還是立皇三子、鄭貴妃生的朱常洵？這場爭論，稱作「立儲風波」。事情要從鄭貴妃說起。

鄭氏貴妃

萬曆帝有八個兒子，其中皇二子、皇四子和皇八子都是一歲夭折，其餘五個皇子，能夠競爭皇位的只有皇長子朱常洛和皇三子朱常洵。皇后無子，皇長子常洛雖不是嫡出，但年齡居長；皇三子常洵雖齒序老三（老二已死），但母親鄭貴妃受寵。朱明家法，有嫡立嫡，無嫡立長。萬曆帝認為子以母貴，想立鄭貴妃生的朱常洵。這場立儲風波長達三十年。

景陽宮

逛一逛

景陽宮

內廷東六宮之一。建於明永樂年（一四二〇），初名長陽宮。明嘉靖十四年（一五三五）更名景陽宮。明代是妃嬪所居之地。清代改為收貯圖書之處。

皇長子朱常洛的母親，姓王，本為萬曆帝生母李太后在慈寧宮的宮女。一天，萬曆帝去看李太后，太后不在，王宮女在，就心血來潮，幸了這位王宮女。王宮女懷孕，老太后發現，便問是怎麼回事，王宮女照實說了。明宮故事，宮中承寵，必有賞賜，作為日後驗證；還有文書房內太監做記錄。當時萬曆帝覺得不光彩，沒有賞賜給王宮女信物。一天，萬曆帝陪侍李太后吃飯，太后話點到這裡，但萬曆帝不回應。李太后命取出內起居注給萬曆帝看，並好言相勸說：「吾老矣，猶未有孫。果男者，宗社福也。母以子貴，寧分差等耶？」（《明史·后妃傳》）於是，萬曆十年（一五八二）四月，封王氏為恭妃。八月，朱常洛（泰昌帝）降生。

王恭妃住進景陽宮。這是東六宮中離乾清宮最遠、最小的一座宮院。王恭妃住在這裡，受到萬曆帝的冷落，如同被打入冷宮。不久鄭貴妃因生皇三子朱常洵，晉封皇貴妃，但恭妃並未晉封。

這個情況引起朝臣們的猜疑，莫非皇上要立鄭貴妃的兒子朱常洵為儲君？於是，君臣間開始了關於立儲的所謂「國本」之爭。這場「國本」之爭，可以分作三個回合。

第一個回合，首輔申時行率先上奏，請立皇長子為皇太子。萬曆帝始終不表態，後來表示要到皇長子十五歲再冊立。但到了皇長子十五歲這年，萬曆帝提出三個兒子一併封王，暫不立儲。理由是要等待皇后生子。

第二個回合，朝臣們提出讓皇長子朱常洛出閣讀書。萬曆帝則提出皇三子要與皇長子同時出閣讀書。經過大臣力爭，才勉強同意皇三子晚一年出閣讀書。

第三個回合，朱常洛的冠婚大禮，萬曆帝是一拖再拖，勉強給太子選婚了，卻不辦婚禮。直到朱常洛二十歲，李太后趁皇帝入侍，問他為什麼。萬曆帝說：「彼都人子也。」什麼叫「都人」？「都人」就是宮女，「都人之子」是宮女所生的兒子。太后大怒道：「爾亦都人子！」萬曆帝的媽媽當年也是宮女被幸才生下他的啊！萬曆帝觸到太后的痛處，非常惶恐，跪地不起。

由於皇儲未定，官員們或猜測立朱常洛，或猜測立朱常洵，兩派門戶，黨爭激烈。

福王就藩

皇長子雖然被冊立為皇太子，但是圍繞鄭貴妃和立太子之事，傳言不斷，妖書四起。比如，有一封匿名信，假托「鄭福成」，有人附會「鄭」指鄭貴妃，「福」指福王朱常洵，「成」指鄭貴妃與福王立儲、冊后成功。萬曆帝大怒，敕錦衣衛搜捕，後捉一人，處以極刑。

但萬曆帝仍是一如既往地寵愛鄭貴妃和皇三子福王朱常洵。王恭妃作為太子母親，沒有萬曆帝的批准，就見不到太子。萬曆三十九年（一六一一）王恭妃病危，當時年已三十歲、立為太子已十年的朱常洛聞訊後，請求探視生母，獲旨得准。朱常洛帶著十歲的兒子朱由校（後為天啟帝）趕到景陽宮，但「宮門猶閉，抉鑰而入」。有人解釋作「踹開宮門，衝進宮室」。王恭妃眼瞎，看不見兒子和孫子，就用手撫摸兒孫的衣服，拉著兒子，失聲哭泣，說了一句：「兒長大如此，我死何恨！」（《明史·后妃傳》）不久，王恭妃在幽閉中死去。

相反，鄭貴妃母子卻一直得寵。皇太子冊立後，次年正月，福王開始出閣讀書，同時通知朱常洛講學暫停，這一停便是十多年。隨後，著手操辦福王婚禮，耗銀三十餘萬兩。福王結婚後該就藩了。鄭貴妃不願意讓自己的兒子離去，朝臣們紛紛上疏，催促福王就藩，以確保太子地位。萬曆帝既不能違背祖制，便找出種種藉口，來拖延福王就藩的日期。

第一個藉口是福王在洛陽的府邸還未建成，結果由工部撥銀四十萬兩，修建了一座豪華的府邸，而當年萬曆帝的弟弟潞王府的造價是十七萬兩，已經豪華至極。

第二個藉口是必須給足四萬頃田地。首輔葉向高據理力爭，鄭貴妃卻派人質問葉向高：「先生全力為東宮，請也稍微惠顧福王一點。」葉向高回答：「我這樣做，正是為福王著想。趁此寵眷時到封國去，賞賜一定豐厚，宮中財寶如山，可以隨心所欲。」福王還是不肯就藩。

第三個藉口是來年祝賀皇太后七十壽誕。李太后說：「我兒潞王也可以來祝壽嗎？」萬曆四十二年（一六一四）二月，李太后去世。這個理由也就不存在了。同年，福王離開北京，一千一百七十二艘船隻，載著他和他的妃嬪、兒女、官員和一千一百名衛卒，前往封國洛陽。

在福王之國的第二年，又發生了梃擊案。

萬曆四十三年（一六一五年）五月初四日，有個男子，手持棗木棍，闖入太子朱常洛居住的慈慶宮，見人便打，一直打到殿前的檐下才被抓住。這人叫張差，後供出係由鄭貴妃手下太監引導而闖入慈慶宮，時人懷疑鄭貴妃欲謀害太子。消息傳開，輿論大譁，要求查個水落石出。大學士吳道南諮問編修孫承宗，孫答：「事關東宮，不可不問；事連貴妃，不可深問；龐保、劉成而下，不可不問也；龐保、劉成而上，不可深問也。」（《明史．孫承宗傳》）鄭貴妃聞之，便對萬曆帝哭泣。萬曆帝說：「須自求太子。」鄭貴妃向太子哭訴。貴妃拜，太子亦拜，貴妃哭泣，太子亦哭泣。

萬曆帝去找王皇后商量。王皇后一直受到冷落，對鄭貴妃的專寵也十分不滿，同情朱常洛的處境。王皇后答道：「此事老婦亦不作主，須與哥兒面講。」哥兒是對太子的愛稱。這時，鄭貴妃過來了，太子也過來了，倆人爭了起來。朱常洛認為：「張差所為，必有主使。」鄭貴妃光著兩隻腳，指天發誓，嘴裡不停地喊著：「奴家萬死，奴家赤族」。萬曆帝見了，非常生氣。朱常洛見皇父生氣，便態度有所緩和，改口說道：「此事只拿張差是問就可以了。」萬曆帝朱翊鈞這才眉開眼笑，連連點頭，「哥兒說的是。」

萬曆帝下了一道諭旨：「瘋癲奸徒張差持梃闖入青宮，震驚皇太子。朕思太子乃國家根本，已傳諭本宮添人守門，關防護衛。既有主使之人，即著三法司會同擬罪具奏。」（文

秉《先撥志始》卷上）

次日，也就是五月二十八日，朝廷大臣都到慈寧宮聽詔，這是近二十年來，萬曆帝難得的一次召見朝廷群臣。萬曆帝說：「前幾天，忽然有個叫張差的瘋癲之人，闖入東宮傷人，外廷有許多閒話。你們誰無父子，竟要離間我們父子，如今此事只需將本內犯人張差、龐保、劉成淩遲處死，其他人不許波及。」說著，他拉住朱常洛的手說道：「這個兒子極孝順，我很喜愛」。然後又轉過身來，面對群臣說：「太子已是青春盛年，如果我有別的意思，何不很早就改立。況且福王已經就藩洛陽，距離北京數千里，沒有我的宣召，他能自己飛來嗎？」萬曆帝又讓太監把三位皇孫牽到石階上，讓大臣們認一認，接著又說：「我的幾位孫子都已長大成人，還有什麼話可說。」他接著又問太子：「你有什麼話要說，可以直接對各位大臣講，不要有所顧忌。」朱常洛明白父親的用意，便大聲說：「像張差這樣瘋瘋癲癲的人，正法算了，不必株連。」第二天，張差磔死，龐保、劉成在內廷擊斃，至此「梃擊案」乃定（《明神宗實錄》卷五五二）。

崇禎三年（一六三〇）七月，鄭貴妃薨。鄭貴妃身經萬曆、泰昌、天啟、崇禎四朝，長達五十餘年。福王朱常洵，後來在洛陽，被李自成的軍隊殺死。

萬曆帝、鄭貴妃與朝臣之間，圍繞著皇儲問題，鬧騰了三十年，說明當時朝廷大臣有一定的話語權，也有政治的影響力。萬曆帝是個優柔寡斷的人，患得患失，拖而不決，致使朝廷與百姓都受到巨大損失。

第48講

定陵之謎

萬曆帝這一生，最重視的工程，莫過於他自己的壽宮，也就是自己的陵墓——定陵。何以見得？請聽我講。

五次前往

萬曆帝二十歲就著手修建壽宮——自己的墳墓。正當青春年華的皇帝，如此關注自己陵寢的營建，令人費解。這是有原因的。他的皇父生前沒有營建陵墓，死後匆匆建陵安葬，不僅陵墓規制偏小，而且陵址也沒選好，沒過幾年就發生地基下陷的現象。他最敬佩爺爺嘉靖帝，在生前營建了一座豪華的永陵，規模僅次於長陵，而設計施工，皆冠於諸陵。

萬曆十一年（一五八三）正月，萬曆帝下了一道諭旨，提出要在閏二月，親自到昌平天壽山春祭，同時勘選壽宮基址。這是萬曆帝第一次勘查吉壤地址。同年九月，萬曆帝第

明世宗嘉靖帝的永陵

二次奉太后、后妃等，前往天壽山勘定壽宮吉地。經過反覆比較，他決定將壽宮吉地定在大峪山，這裡主勢尊嚴，山巒起伏，水星行龍，金星結穴，左右四輔，六秀朝宗。

壽宮吉地選定後，萬曆帝很高興，人未返京，先賞賜有功人員。一年以後，萬曆十二年（一五八四）九月，萬曆帝同兩宮皇太后和眾后妃，並有內閣大學士和吏、戶、禮、兵、刑、工部的尚書隨行，來到大峪山選定的吉地。第二天，又在大峪山鄰近的山頭眺望，天朗氣清，景色秀美，兩宮太后不禁為兒子選定的風水寶地連連頷首稱善。這是萬曆帝第三次親自勘查壽宮吉壤。

萬曆十三年（一五八五）八月，大峪山陵墓破土開工。萬曆帝派首輔申時行前往主持儀式，申時行尚未離京，就有人對選定的吉地提出質疑。雖然沒有影響開工，但萬曆帝心裡總是不舒服。他把大峪山圖，又仔細地看了一遍，忽然發現西北角有一石塊隆起，擋住了視線。他越看心裡越彆扭。不久，萬曆帝第四次去天壽山。最後還是定在大峪山，工程繼續進行。

吉壤確定了，萬曆帝提出仿永陵規制營建。時任禮部侍郎、日講官朱賡隨即上疏表示異議，提出「昭陵（隆慶帝陵）在望，制過之，非所安」（《明史・朱賡傳》）。萬曆帝將奏疏留中。

萬曆帝的壽宮，選材非常講究，都用蘇州燒製的金磚鋪地面，光亮如漆，敲之有聲。砌牆用山東臨清燒製的城磚，寬大厚實，十分堅固。當時臨清為壽宮燒磚的窯戶有近百家。還有一種花斑石，採自河南浚縣，五彩斑斕，明亮如鏡，用來鋪地或裝飾牆面。

經過兩年施工，到萬曆十六年（一五八八）秋天，壽宮主體工程基本完工。九月初十日，萬曆帝率后妃、閣臣、公侯勛臣、六部尚書等第五次前往大峪山，親閱壽宮。新鋪的神道，寬七公尺，長約三千公尺，走到盡頭，跨過兩組石拱橋，便來到壽宮。外羅牆門、宮牆門、祾恩門、祾恩殿、欞星門，層層遞進，圍以宮牆，肅穆氣派。最裡面是壽宮主體寶城和地下玄宮。

定陵地宮

看一看

定陵

明神宗萬曆帝朱翊鈞及其兩個皇后的陵墓。明十三陵之一，位於明長陵西側，始建於萬曆十二年（一五八四），歷時六年建成。其地宮於一九五六年發掘，出土大量珍貴文物，已列專室陳列。

萬曆帝下到玄宮，走過磚砌隧道，又走過四十公尺的石隧道，再通過甬道，跨進帶門樓的石門，就進入了玄宮。整座玄宮，前殿、中殿、後殿和左右配殿連成一體，總面積一一九五平方公尺。（中國社科院考古所等編《定陵》）

玄宮後殿是放置帝后棺槨的地下宮殿，高大寬敞，地面鋪石，砌工整齊，磨制平整，細膩光滑。走出玄宮，萬曆帝在臨時搭設的幄帳中喝了茶，並獎賞陵工有功人員。

萬曆十八年（一五九〇）六月，大工告竣。營建陵寢的開支已超出八百萬兩（《明史．禮十二》），這相當於全國兩年賦稅收入的總和。

萬曆帝從二十歲開始運作此事，四次親自勘查選址，一次親閱壽宮，時間延續八年，終於大功告成。此後，他不再提及閱壽宮之事，更沒有舉行任何慶典儀式，這是因為二十八歲的萬曆帝，已經沉醉於酒色財氣之中，怠於臨政，貪圖安逸，不願再受遠途顛簸之苦。

入葬波折

萬曆四十八年（一六二〇）四月初六日，萬曆帝的王皇后去世，萬曆帝按禮部所議命將王皇后安葬地宮。六月初九日，開挖定陵地宮隧道。到二十六日，王皇后已逝去將近三個月，尚未入葬。首輔方從哲上疏：「大行皇后崩逝已近三月，舊例，梓宮發引，只在百日內外，內外已迫，而冊謚未定，神主、牌位未寫，發引之期將在何日？」萬曆帝令儘快辦理。誰知到七月二十一日，萬曆帝崩逝。泰昌帝朱常洛即位後，開始籌辦萬曆帝和孝端皇后的喪禮。他親定皇父陵寢為「定陵」，又將送葬日期定在九月二十八日。然而大禮未行，泰昌帝卻於九月一日去世。四個多月，紫禁皇宮，三起大喪。天啟帝即位後，命大行皇帝和大行皇后葬禮如期舉行。

禮部右侍郎孫如游等二十四位官員被任命為護喪提督大臣，八千名官兵奉命抬棺。由於棺槨中陪葬物品太多，棺槨格外沉重，槓繩多次更換，四里多路，到德勝門，已經入夜。行到鞏華城，主槓突然壓斷，棺槨右側，一角墜地。十月初三日，帝后棺槨，葬入地宮，現場實況，一片狼藉，捆紮隨葬物品箱的繩子都沒有拆掉，有的木槓也沒撤下。這是因為，抬槓之人，怕被埋入地下，慌亂逃出地宮。

早在萬曆帝第四次勘查壽宮基址時，他對左右的人說過：「今外廷諸臣，為壽宮事爭言風水，夫在德不在險，從前秦始皇營驪山，何嘗不求選風水，結果不久就被掘開，選求何益？」（《明神宗實錄》卷一六六）還真讓他給說著了，一九五六到一九五七年，經中國國務院批准，中國考古工作者對萬曆帝后定陵地下宮殿進行發掘，出土各類器物三千多件，一九五九年就原址建定陵博物館。

青花龍缸

在定陵地宮中殿，萬曆帝和兩位皇后寶座前面，擺放著三口青花瓷大龍缸。這組青花瓷大龍缸高約七十公分，口徑七十公分，底徑五十八公分。主體紋飾五爪龍盤旋於缸體之上，昂首張目，龍鱗乍立，五爪勾張，翻雲騰霧，氣勢非凡。缸體上部有「大明嘉靖年製」

童賓銅像

六字款。

據當年第一個進入地宮的龐中威回憶，當定陵地宮剛被打開時，先扔下一隻公雞試探是否有毒氣，公雞飛出，人們放心了，考古工作者才下去。他們發現缸內儲滿燈油，油面上有三個燈芯。這就是傳說中的「萬年燈」。有人認為，因防火災，燈沒點燃，是象徵性的擺設。也有人認為，當時是點燃了，因地宮大門關閉，氧氣耗盡，油燈熄滅。

其實，萬曆朝御窯，有一個關於大龍缸的傳說故事。萬曆年間，皇帝諭旨：景德鎮御窯廠燒造大龍缸，並派太監潘相督陶。這尊大龍缸，體積大，缸體厚，技藝精，難度高，時限緊。太監潘相傳旨：克期完工，完美無疵，奉送北京，否則斬首！御窯工匠，全心全力，夜以繼日，燒成一爐，微有瑕疵，再燒一爐，或有璺，或變形，反覆燒製，全都失敗。

太監潘相，督責嚴厲。御窯的工匠，或受呵斥，或遭鞭笞，惶恐不安，人人自危。萬般無奈之時，有一個人挺身而出，他就是把樁（領班）師傅童賓。童賓為燒成大龍缸，為了工友安全，面對熊熊窯火，縱身一躍，投入烈焰，以身殉職。

當日熄火，翌日開窯。巨麗龍缸，豁然出窯。而童賓，身軀化作青煙，靈魂升上天空。童妻痛哭收屍，奠酒三祭，葬鳳凰山。鄉人感泣，尊為窯神，立祠祭祀。從此，燒窯必祭窯神童賓。這就是景德鎮佑陶靈祠、風火仙師廟的由來。

在今景德鎮市古窯民俗博覽園廣場上，矗立著窯神童賓銅像，高九．九公尺，重八．八噸，通高十五．九公尺，銅像莊嚴，氣勢雄偉，紀念工匠英雄童賓。

這個故事，在景德鎮，在御窯廠，感動天地，哀泣鬼神，祭祀往者，激勵來人。正如清朝督陶官唐英所說：

一旦身投烈焰，豈無妻子割捨之痛與骨肉鍛煉之苦？而皆不在顧，卒能上濟國事，而下貸百工之命也，何其壯乎！（唐英〈火神童公傳〉）

努爾哈赤的盔甲

第49講

後金崛起

萬曆中後期，有「萬曆三大征」——平定寧夏哱拜、播州楊應龍的叛亂，又取得援朝抗倭的勝利，而在西北，繼承隆慶封貢成果，利用三娘子的政治婚姻，維持了與蒙古數十年的和平局面。因此，萬曆帝陶醉於用兵勝利，享受著午門獻俘的威武得意，卻忽略了一個潛在的強大敵人——東北女真建州部首領努爾哈赤。

努爾哈赤

嘉靖三十八年（一五五九），努爾哈赤出生於今遼寧撫順新賓滿族自治縣永陵鎮赫圖阿拉村一個女真人家庭。他比萬曆帝年長四歲。他的祖父覺昌安和父親塔克世，都是明朝的地方官。他沒有上過學，少年時就參加勞動。十歲喪母，十九歲分家單居。努爾哈赤常到山裡挖人參、採蘑菇、拾木耳，將這些東西運到撫順馬市去賣，賺錢貼補家用。

萬曆十一年（一五八三）二月，明遼東總兵李成梁率軍直搗女真阿臺駐地古勒寨。阿臺妻子的祖父是努爾哈赤的祖父覺昌安。覺昌安為使孫女免於戰難，城內部民減少傷亡，便同努爾哈赤的父親塔克世一同進城，打算勸說阿臺投降。古勒寨地勢險峻，防守嚴密。明軍久攻不下，死傷慘重。後與城裡的內奸，裡應外合，城被攻破。明軍占領古勒寨後，進行大屠殺。覺昌安、塔克世也不幸被明軍殺死。

努爾哈赤得到父、祖蒙難的噩耗，捶胸頓足，悲痛欲絕。他質問道：「我祖、父為何被害？你們與我有不共戴天之仇！」明朝派官員謝罪說：「不是有意的，是誤殺！」朝廷賞給努爾哈赤敕書三十道，馬三十匹，並命他承襲父職，任建州左衛指揮。這一年，努爾哈赤二十五歲。他先後八次到北京朝貢，取得萬曆帝信任，升任左都督、龍虎將軍。

萬曆十一年（一五八三）五月，努爾哈赤以報父、祖之仇為名，以「十三副遺甲」，率領五、六十人的隊伍，拉開了反明戰爭的歷史帷幕。時女真各部間，彼此紛爭，戰伐不已。努爾哈赤運用「順者以德服，逆者以兵臨」的兩手策略，逐步統一了女真各部。

清朝興起，明朝滅亡，從遼東建州女真古勒寨揭開了序幕。星火燎原，蟻穴潰堤，古今中外，概莫能外。這點火星，這個蟻穴，在萌發時，細如芥末，對立的雙方都沒注意到。然而，它燃燒為熊熊烈火，匯合為奔騰洪水，能將大廈吞噬，會將王朝沖垮。

建立後金

努爾哈赤從萬曆十一年（一五八三）起兵，到萬曆四十四年（一六一六）建立大金，其間三十三年。努爾哈赤在這期間，統一了女真各部，建州地域東到鴨綠江、圖們江，東北到烏蘇里江沿海，西達大興安嶺，南接明界。一個新的滿洲民族共同體正在形成中。建州的軍隊，發展為八旗軍隊。漠南蒙古與建州聯姻，尊努爾哈赤為「昆都侖（恭敬）汗」。

萬曆四十四年（一六一六）努爾哈赤建立「大金」，年號天命，定都赫圖阿拉。

令人奇怪的是，努爾哈赤從起兵到陷撫順，三十六年間——統一建州，吞哈達，併輝發，滅烏拉，創建八旗，制定滿文，建立大金，居然沒有受到明朝一次軍事打擊。明朝長期對建州女真的忽視、輕視、無視、蔑視，反過來不得不吞下自己釀成的苦酒。

天命三年即萬曆四十六年（一六一八）正月，天命汗努爾哈赤對諸貝勒大臣發布「七大恨」，令告天布民，接著，計襲撫順城，強拔清河堡。

萬曆帝對天命汗的回答是：「經略出關，援兵四集，大彰撻伐，以振國威！」就此開啟困擾萬曆、泰昌、天啟、崇禎四朝的遼東戰事。

遼東大戰

萬曆帝決定發兵征剿，予後金毀滅性打擊。起用楊鎬為遼東經略，賜尚方劍，楊鎬的作戰方案是：軍分四路，鉗形包圍，分進合擊，搗其都城。

西路，從西面進攻赫圖阿拉。以總兵官杜松為主將，率官兵二萬餘人，總兵官三員。

北路，從北面進攻赫圖阿拉。以總兵官馬林為主將，官兵二萬餘人。

南路，從南面進攻赫圖阿拉。以遼東總兵李如柏為主將，官兵二萬餘人。

東路，從東面進攻赫圖阿拉。以總兵劉綎為主將，約為二萬餘人。

萬曆四十七年即天命四年（一六一九）二月十一日，遼東經略楊鎬在遼陽誓師，並取尚方劍，令將此前臨陣逃跑的指揮白雲龍，當場梟首示眾。誓師後，各路兵總共十萬餘人，號稱四十七萬，兵分四路，分進合擊，搗向赫圖阿拉。

明軍來勢凶猛，後金如何對策？努爾哈赤說：「憑爾幾路來，我只一路去！」這就是集中優勢兵力，逐路擊破明軍。

明軍西路主將杜松，二十八日從瀋陽起行，第二天到撫順關。杜松是將門之後，一員虎將，但驕傲輕敵，急貪首功。史載：松，與胡騎大小百餘戰，無不克捷，敵人畏之。杜松急貪首功，說：「我必生擒努爾哈赤！」杜松帶著杻械準備北京午門獻俘。他率軍在夜渡渾河時，酒意正濃，袒露胸懷，揮舞大刀，裸騎徑渡。眾將請他披甲，杜松笑道：

劉綎像

「入陣披堅，非大丈夫所為也。吾結髮從軍，今老矣，不知甲重幾許！」誰知，努爾哈赤早已派人在渾河上游築壩蓄水，這時「決上流，師沖為二」。兵士們脫衣涉河，陡然水漲，「水深沒肩」，淹死多人。輜重渡河困難，「尚遺車營、槍砲在後」。杜松率前鋒渡河後，到薩爾滸山口扎營。三月初一日，杜松軍馳至薩爾滸。分兵結營為三，杜松親自率領先鋒軍準備擊敵。

努爾哈赤率六個旗兵四萬餘人，以絕對優勢兵力，突然猛攻薩爾滸山的明軍。騎兵縱橫馳突，越礙破陣，一鼓攻下薩爾滸明軍大營。接著六旗騎兵，馳援吉林崖。時後金軍兩股共八旗兵匯合攻擊。杜松「奮戰數十餘陣，要聚占山頭，以高臨下，不意樹林復起伏兵，對壘鏖戰，天時昏暮，彼此混殺」（《明神宗實錄》卷五八〇）。杜松雖左右衝殺，但矢盡力竭，落馬而死。撫順路軍覆亡。

初二日，北路馬林聞杜松兵敗，急忙轉攻為守：馬林等軍組成「品」字形營陣。主將馬林，將門出身，好詩文，工書法，交遊名士，自許甚高，圖虛名，無將才。努爾哈赤還是集中兵力，分三口吞掉馬林的品字戰陣。馬林驚恐，策馬先奔，餘眾大潰，全營皆沒。馬林兩個兒子戰死在尚間崖。潘宗顏營潰戰死，其死時骨糜肢裂，慘不忍聞，年三十六。明北路馬林軍，除主將馬林僅以數騎逃回開原外，全軍覆沒。

初三日，努爾哈赤殺八牛祭纛，慶祝連破兩路明軍的勝利，並激勵將士迎接新的馳突。

初四日凌晨，努爾哈赤率兵在赫圖阿拉坐鎮指揮；命大貝勒代善、二貝勒阿敏、三貝勒莽古爾泰、四貝勒皇太極等統領八旗大軍，疾馳阿布達里岡，迎擊明東路劉綎軍。

劉綎，抗倭名將劉顯之子，是明軍的勇將。身經數百戰，名聞海內。他善用大刀，「所用鑌鐵刀百二十斤，馬上輪轉如飛，天下稱『劉大刀』」（《明史·喬一琦傳》）。他嗜酒，每臨陣飲酒斗餘，激奮鬥志。

初五日，劉綎進到距赫圖阿拉七十里的阿布達里岡，隱伏在山麓、叢林、險隘中的後金伏兵四起，將劉綎軍攔腰切斷而攻其尾部。這時努爾哈赤設計騙劉綎，用杜松陣亡衣甲、旗幟，裝扮明兵，乘機督戰。綎始開營，即遭兵敗。皇太極等率兵從山上往下馳擊，上下夾攻，首尾齊擊。劉綎奮戰數十合，中流矢，傷左臂。劉綎真是條漢子。又戰，面中一刀，截去半頰，猶左右衝突，手殲數十人而死。其養子劉招孫，負劉綎屍，手揮刃，拚死戰，亦被殺。

明軍杜松、馬林、劉綎三路軍敗北，經略楊鎬急令南路李如柏回師。李如柏，為名將李成梁之子，放情酒色，貪淫跋扈，怯懦蠢弱，接到楊鎬檄令後，急命回軍。後自殺。

至此，薩爾滸大戰，以明朝軍失敗、後金軍勝利而結局。薩爾滸之戰成為中國軍事史上以少勝多的經典戰例。

薩爾滸之戰後，明朝由進攻轉為防禦，後金由防禦轉為進攻。所以，薩爾滸之戰是明朝和後金興衰史上的轉折點。

明光宗朱常洛像（臺北故宮博物院典藏）

第50講

紅丸疑案

前面講到，萬曆四十八年（一六二〇）明朝出現一場危機——從七月二十一日到九月一日，四十天中，萬曆、泰昌兩任皇帝先後去世，天啟皇帝朱由校匆忙繼位，朝野震盪。

泰昌帝朱常洛正當三十九歲壯年，為何繼承大統僅一個月，就突然死去？這成為明朝皇宮的一樁疑案，即「紅丸案」。

禍起女寵

朱常洛作為萬曆帝的長子，因為母親是宮人，不受皇父待見，他也被連累受到皇父的冷落。萬曆帝寵愛鄭貴妃，愛屋及烏也喜愛鄭貴妃生的兒子，朱常洛曾遭遇鄭貴妃策劃「梃擊案」的恐嚇。因為遲遲坐不穩皇太子的位子，坎坎坷坷，忐忐忑忑，朱常洛始終處在孤獨、壓抑、恐懼之中，直到十八歲才出閣讀書，又長期輟讀，文化素養不高，更沒有高雅愛好，終日在後宮沉湎於酒色之中。

直到三十九歲，萬曆帝駕崩，他才登上皇位，年號泰昌，是為泰昌帝。萬曆帝臨終前留下遺囑，冊鄭貴妃為皇后。泰昌帝繼位後，鄭貴妃以此要求泰昌帝立她為太后，此舉遭到朝臣反對。此時，鄭貴妃還留居在乾清宮，她像變了個人似的，對泰昌帝極盡諂媚拉攏，並投泰昌帝之所好，從侍女中挑選八位美女獻給皇帝。泰昌帝欣然接受。此後，「聖容頓減」，「病體由是大劇」。

泰昌帝妃嬪不少，最重要的有三位：太子妃郭氏，泰昌稱帝時已去世；才人王氏，天啟帝朱由校生母，已去世；淑女劉氏，崇禎帝生母，也已去世。當時他最寵愛的是李選侍，為了跟另一位李選侍相區別，且稱「西李」。鄭貴妃想做太后，西李想做皇后，兩人沆瀣一氣。

泰昌帝八月初一登極，不久患病，日漸加重。十一日是他的生日，稱萬壽節，免去慶賀儀式。十二日，鄭貴妃和西李以探病為名，催請冊立的日期。泰昌帝勉強出殿，召見首輔方從哲，命封鄭貴妃為皇太后、西李為貴妃。結果受到禮部的抵制。禮部尚書孫如游諫止，說：「先帝在日，並未冊封鄭貴妃為皇后，且今上又非貴妃所出，此事如何行得？」泰昌帝何嘗不懂，新君即位後，只能追封嫡母和生母為太后。如今自己的生母還沒追封為太后，怎麼能封鄭貴妃為太后呢！

兩粒紅丸

十四日，泰昌帝病勢日重。這時掌管御藥房的司禮監秉筆太監，是原來鄭貴妃宮裡的內醫崔文升，鄭貴妃請他給泰昌帝看病。崔文升診視後認為，邪熱內蘊，應該服通劑藥清內火。結果服藥之後，泰昌帝腹痛腸鳴，腹瀉不止，一天一夜竟至三、四十次。一連兩天，一瀉如注。

十六日，泰昌帝下詔說自己幾夜不眠，每天只喝少量稀粥，頭暈目眩，四肢無力，難以走動。迫於壓力，鄭貴妃不得不搬出乾清宮，住進慈寧宮。泰昌帝病情傳出，人們無不驚詫。

二十日，大臣們上疏請冊立朱由校為太子，入居東宮慈慶宮。泰昌帝說朱由校身體虛弱，未准，並說應封西李為皇貴妃，被群臣拒絕。

二十六日，泰昌帝在乾清宮召對英國公張惟賢、首輔方從哲等，皇長子朱由校也侍奉座側。泰昌帝把群臣叫到床前，說：「朕見卿等，甚喜。」大臣們勸他謹慎用藥，他說他已經兩旬沒有進藥了，並再次口諭封西李為皇貴妃。沒等他說完，西李便把朱由校叫到屏帷內，工夫不大，朱由校被推搡而出，說西李要求封她為皇后。泰昌帝默然。

二十九日，泰昌帝再次在乾清宮病榻上，召見首輔方從哲等十三員大臣。先諭冊立西李為皇貴妃，其次諭立皇太子，使他將來成為堯、舜一樣的明君。再次語及壽宮事。大臣說，皇考（您皇父）陵寢已經告竣。泰昌帝說：「是朕的壽宮。」大臣說：「聖壽無疆！」復次問有鴻臚寺官進藥，人在哪兒？輔臣奏道：李可灼自己說有仙丹，但未敢輕信。還是宣李可灼進宮。李可灼進來，說些吃藥的話。大學士劉一燝說：「臣家鄉兩個人吃這種藥，一人有效，一人有害，不太安全。」禮部侍郎說：「不能輕易吃。」皇帝還是要吃。大臣退出，進來一個奶婦，用人奶和藥，皇帝喝了下去。一會兒，太監說：「暖潤舒暢，思進飲食。」下午，又吃了一丸。御醫和大臣都認為不能再吃。三十日，未見大臣。九月初一天剛亮，急召諸臣，「上已崩矣」！

這種藥丸是紅色的，故稱「紅丸」。這樁案件，史稱「紅丸案」。這兩粒紅丸，到底是什麼藥？為什麼吃一丸見好，再吃一丸竟斃命？這成為明朝皇宮的一樁疑案。再聯繫鄭貴妃的作為，先是「梃擊案」，繼是住在乾清宮不走，接著進獻美姬，再聯繫到她原來宮裡的崔文升進瀉藥，還有進藥前後，李可灼同太監鬼鬼祟祟的非正常往來，樁樁件件都指向「謀害」之嫌，使人疑竇叢生。

留下難題

泰昌帝繼位一個月就死去，留下兩個難題。

第一個難題是如何紀年。萬曆皇帝去世，泰昌皇帝繼位，一個月後去世，天啟皇帝繼

明光宗朱常洛的慶陵

位。這樣，萬曆四十八年（一六二〇）先後存在萬曆、泰昌、天啟三位皇帝，經過大臣們反覆討論，最後採納御史左光斗的建議，以當年八月前為萬曆四十八年，八月初一日後為泰昌元年，明年為天啟元年。眾臣同意。

第二個難題是壽宮問題。萬曆帝后的壽宮早已準備好了，而泰昌皇帝遺體葬在哪裡呢？馬上修造一座壽宮是不可能的。後來大臣們終於想起有一座空著的壽宮，那就是景泰帝在位時為自己修建的壽宮，後來因為英宗復辟，他失去皇位，死後沒有葬在那裡。這樣，經過修繕，天啟元年（一六二一）才將泰昌帝遺體入葬，稱為「慶陵」。

由泰昌帝的死，我聯想到明朝有四位長期鬱悶的皇子，繼位後壽命都不長。

第一位是洪熙帝朱高熾，從燕王世子到皇太子，其地位一直受到兩位弟弟的覬覦，搖搖晃晃，凶凶險險，到四十五歲才繼位，結果在位十一個月就駕崩了。

第二位是成化帝朱見深，先被冊立為皇太子，後被廢為沂王，再被冊立為皇太子，在位二十三年，終年才四十歲。

第三位是隆慶帝朱載垕，兩歲被封為裕王，之後長期不得立為皇太子，在位六年，終年才三十五歲。

第四位是泰昌帝朱常洛，雖是皇長子，長期不被冊立為皇太子，直到十九歲才被立為皇太子，還有同父異母弟福王朱常洵在爭位，被輟學不讓讀書，在位僅一個月，三十八歲去世。

由上面四位皇子長期肝鬱不舒、憋悶生氣的史實看，洪熙帝、成化帝、隆慶帝、泰昌帝這四位皇帝，在位平均才七年多，他們有那麼優越的物質條件，住房、起居、飲食、醫療等都是天下最優越的，卻都不滿四十週歲而死。這說明：物質條件不是影響壽命的最主要因素，而心理與精神因素與人的壽命有極大關係。生氣、恐懼、焦躁、鬱悶、孤獨、壓抑、消沉、放縱，都是非常不利於健康的心理和精神因素。

故宮六百年（上）：從紫禁城的肇造到明朝衰微

作　　者—閻崇年
責任編輯—孟璉
校　　對—蔡榮吉　孟璉
內頁設計排版—阿子
封面設計—許晉維
行銷企劃—盧娜

董 事 長—趙政岷
出 版 者—時報文化出版企業股份有限公司
一〇八〇一九臺北市和平西路三段二四〇號四樓
發行專線—（〇二）二三〇六—六八四二
讀者服務專線—〇八〇〇—二三一—七〇五
（〇二）二三〇四—七一〇三
讀者服務傳真—（〇二）二三〇四—六八五八
郵撥—一九三四四七二四時報文化出版公司
信箱—一〇八九九臺北華江橋郵局第九九信箱
時報悅讀網—http://www.readingtimes.com.tw
電子郵件信箱—new@readingtimes.com.tw
思潮線臉書—https://www.facebook.com/trendage
法律顧問—理律法律事務所　陳長文律師、李念祖律師
印　　刷—勁達印刷有限公司
初版一刷—二〇二一年一月二十九日
定　　價—新台幣四八〇元
本書繁體字版由華文出版社有限公司授權時報文化出版企業股份有限公司出版

故宮六百年（上）：從紫禁城的肇造到明朝衰微 / 閻崇年著
-- 初版. – 臺北市 : 時報文化, 2021.01

408面 ; 14.8x21公分. --（歷史與現場 ; 284）
ISBN 978-957-13-8353-8（平裝）

1.故宮博物院（中國）2.明清史

069.82　　　　109012706

ISBN 978-957-13-8353-8
Printed in Taiwan